Dicionarinho do
Palavrão & Correlatos

Glauco Mattoso

Dicionarinho do Palavrão & Correlatos

Inglês Português | **Português** Inglês

Edição revista e atualizada

5ª edição

EDITORA RECORD
RIO DE JANEIRO • SÃO PAULO
2011

CIP-Brasil. Catalogação-na-fonte
Sindicato Nacional dos Editores de Livros, RJ.

M396d
5ª ed.
Mattoso, Glauco, 1951-
    Dicionarinho do palavrão e correlatos, inglês-português,
português-inglês / Glauco Mattoso. – 5ª ed. rev. e atualizada.
– Rio de Janeiro: Record, 2011.

    Inclui bibliografia
    ISBN 978-85-01-03680-3

    1. Língua inglesa – Gíria – Dicionários. 2. Palavrões –
Inglês – Dicionários. 3. Língua inglesa – Dicionários –
Português. 4. Língua portuguesa – Gíria – Dicionários. 5.
Palavrões – Português – Dicionários. 6. Língua portuguesa –
Dicionários – Inglês. I. Título.

                        CDD – 423.69
04-0787   CDU – 811.111'276.2'374.2

Projeto gráfico de miolo e capa: Marcelo Martinez
Revisão técnica: Renata Maccari Telles

Texto revisado segundo o novo Acordo Ortográfico da Língua
Portuguesa.

Direitos exclusivos desta edição reservados pela
DISTRIBUIDORA RECORD DE SERVIÇOS DE IMPRENSA S.A.
Rua Argentina 171 – Rio de Janeiro, RJ – 20921-380 – Tel.: 2585-2000

Impresso no Brasil

ISBN 978-85-01-03680-3

Seja um leitor preferencial Record.
Cadastre-se e receba informações sobre
nossos lançamentos e nossas promoções.

Atendimento e venda direta ao leitor:
mdireto@record.com.br ou (21) 2585-2002

EDITORA AFILIADA

"(...) Mas não adianta consultar dicionários. Em inglês, como em português, os dicionários continuam pudicos por princípio e atrasados por motivos técnicos. Se errei em alguma palavra, desde já me penitencio. Errar é uma tradição dos tradutores, tão antiga quanto São Jerônimo, que fez Moisés descer o Sinai com um magnífico par de chifres quando na verdade o Patriarca Bíblico tinha na fronte dois raios de luz."

MILLÔR FERNANDES
"Palavrões e palavrinhas", in
Trinta anos de mim mesmo

SUMÁRIO

Certas palavrinhas são sempre palavrões. Exemplos: FODA e FUCK. Outras às vezes são, às vezes não. Exemplos: PAU é CLUB ou é COCK; COCK é GALO ou é PAU. Todos sabem quais as que são e quando é que outras passam a ser. Mas definir o que faz com que sejam parece menos fácil que saber empregá-las.

É consenso entre os pesquisadores que o caráter chulo desta ou daquela palavra ou acepção prende-se aos tabus fisiológicos (especialmente sexuais) que envolvem o corpo humano no contexto social, ou seja, a relação entre o comportamento público e o privado. Transgredir o limite entre o privado e o público (quer no ato, quer no dito) significa ofender conveniências/convenções éticas, religiosas ou jurídicas — donde a ofensa ser usada como insulto. Sendo o palavrão ofensa/insulto e, consequentemente, policiado na linguagem escrita mais que na falada (já que esta segue menos regras que aquela), fica restrito/rebaixado, respectivamente, à pornografia e à vulgaridade, apenas tolerado sob a camuflagem do eufemismo.

Tanto no português (particularmente o brasileiro) quanto no inglês (particularmente o americano) os especialistas no assunto têm dado suficiente contribuição bibliográfica, inventariando e investigando o que há de chulo em cada idioma. De ambos os lados o filão literário é relativamente clandestino conforme a época, mas quantitativamente farto e qualitativamente diversificado. Restava apenas casar os dois vocabulários para que diminuísse (um pouco) a distância horizontal que separa o vulgo do vulgo, o povo do povo, a gente da gente — já que as maiores distâncias sociais são verticais e irredutíveis.

Com este *dicionarinho* creio ter dado um passo nessa direção horizontal, mesmo que o alcance do trabalho esteja condicionado a vários pressupostos, entre os quais um público razoavelmente instruído e basicamente conhecedor de outra língua. Manter a ambição proporcional ao âmbito é o grande desafio de um dicionário, mas não o único.

Além de inevitavelmente incompletos, todos os dicionários são imprecisos em algum ponto. Dentro do meu campo constatei, por exemplo, que:

• O vocábulo FUCK, embora verbetado desde 1598 (por sinal num dicionário bilíngue italiano-inglês, *A Worlde of Wordes*, de John Florio), continua não constando dos léxicos reputados como padrão (*Oxford*, *Webster's* e similares), inclusive os de grande porte como o *Webster's Third New International*, autoqualificado de "unabridged". Em português tal puritanismo é menos extremado, mas os vocábulos equivalentes FODA e FODER não constavam do *Aurélio* quando levava o título de PEQUENO, passando a constar do NOVO. Este, por sua vez, cometeu outros cochilos, como quando registrou MIJÃO e esqueceu de registrar

CAGÃO (lacuna sanada na última edição). Já os antecessores do *Aurélio* pecavam por vícios mais intrínsecos à metodologia lexicográfica. Em Cândido de Figueiredo, tido como tecnicamente perfeito em sua época, o termo TESÃO aparece definido como "orgasmo do pênis". Ou seja: moralismo à parte, não escaparam os dicionaristas ao emprego indistinto de termos correlatos como EREÇÃO, ORGASMO, EJACULAÇÃO, e respectivos equivalentes TESÃO, GOZO, ESPORRADA.

• Quanto aos bilíngues, dado o âmbito didático, tendem a ser tanto abreviados quanto expurgados. Dentre os mais completos, o *Inglês-português* de Houaiss registra FUCK mas traduz como "ato sexual" e "ter relações sexuais com", discrepando de sua própria convenção ("gíria vulgar"). Por outro lado, o equivalente *Portuguese-English* de James Taylor omite FODA e FODER, fechando ao consulente o acesso a uma ponte que deveria ter mão dupla.

• Os dicionários específicos apresentam outras limitações. O dedicado ao *Informal Brazilian Portuguese*, de Chamberlain & Harmon, cobre o chulo daqui, mas não dá todas as equivalências de lá no seu "English index", funcionando às avessas do Houaiss quando traduz FODA por "copulation" e "sexual intercourse". A tradução brasileira de *The Language of Sex From A to Z*, de Goldenson & Anderson, chega a ser indevidamente literal em alguns momentos, como quando consigna CEGO para equivaler a "homem não circuncidado", sentido comum no inglês BLIND mas desconhecido aqui, onde CEGO é sinônimo de CU. O *Dicionário do palavrão e termos afins* de Souto Maior incorre em falhas mais elementares, tais como omissão de termos de uso corrente (CAFETÃO, CAFETINA), inclusão de regionalismos restritos (BARIXU) e displicência em relação a categorias gramaticais, confundindo formas substantivas, adjetivas e verbais quanto à sinonímia: "ADIANTANÇA (...) O mesmo que pisar no sacramento"; "COBRAS (ENGOLIR) = PEDERASTA"; "DUCA = 'Coisa excepcional'".

O critério lexicográfico que adotei procura evitar tais imprecisões. O leitor fatalmente atentará para eventuais lapsos. O autor, como de praxe, agradece quando forem apontados para correção em futuras e ampliadas edições.

Cumpre agradecer também:

Pelas dicas e material de consulta, a Charles Perrone, João Silvério Trevisan, Jorge Schwartz, Nelson Pujol Yamamoto e Severino do Ramo;

Pela mãozona na computação e na programação visual, a Sérgio Lopes da Rocha e Milton Vieira Raimundo;

Pelo incentivo, a José Paulo Paes e Millôr Fernandes, dois mestres.

1. Verbetes encabeçados por compostos ou frases são alfabetados como se constituíssem palavra única:

dog
dog fashion
doggy
dog style

2. Palavras ou frases alternativas são separadas entre si por uma barra oblíqua (/):

come/cum
shit green/blue

3. Os objetos diretos e indiretos (quando representados por pronomes), bem como possíveis elementos adicionais, aparecem entre parênteses:

piss on (someone/something)
shoot (the) crap/bull

4. Os cabeçalhos de verbete são rotulados com sua categoria gramatical, em itálico e entre parênteses, antes da tradução. Uma palavra pode representar diferentes categorias, que vêm registradas alfabeticamente ou em ordem decrescente de significância. As várias categorias e as diferentes acepções básicas de cada palavra são numeradas e separadas por duas barras oblíquas (//). Os sinônimos são separados por ponto e vírgula:

> **sissy** / **cissy** / **sis** (*adj. & s.*)
> **shit** (*s.*) **1.** (...) merda; bosta; caca; (...) //
> **2.** (...) babaquice; porcaria. (...) // (*v.i.*)
> **3.** cagar; borrar; dar de corpo; (...) //
> (*int.*) **4.** Merda! Droga! Diabo! Raios!
> (...) // (*adj. & adv.*) **5.** total(mente);
> completo; completamente. (...)

5. Muitas entradas e traduções são acrescidas de comentários e legendas entre parênteses, referentes ao uso ou sentido específico do termo. O sinal de = indica definição/sinonímia para casos de significado específico:

> **catamite** (*s.*) (=passive pederast)
> **sodomite** (*s.*) (=active pederast)
> **foxy** (*adj.*) Ver SEXY (diz-se da mulher)

6. A tradução duma palavra é seguida de referências cruzadas a palavras de sentido ou emprego análogo, tanto sinônimas quanto antônimas:

> **chicken** (...) Ver também BALLSY (2);
> GOOSE-BUMPY; PUCKER-ASSED

7. Quando uma palavra é sinônimo menos usual de outra, o leitor é remetido à palavra principal onde se dá a tradução/sinonímia completa. Sinônimos eruditos/científicos remetem ao equivalente mais comum; sinô-

nimos polidos/eufemísticos remetem ao equivalente mais chulo:

> **jism** (*s.*) Ver COME (1)
> **sperm** (*s.*) Ver COME (1)
> **testicles** (*s.pl.*) Ver BALLS (1)
> **family jewels, the** (*s.pl.*) Ver BALLS (1)

8. Quando uma palavra principal tem sinônimo erudito/científico, a legenda de sinonímia é acrescentada entre parênteses
após a legenda de categoria gramatical:

> **come / cum** (*s.*) **1.** (**semen** *s.* sêmen;
> **sperm** *s.* esperma) porra (...)

9. Compostos e locuções constituem verbetes autônomos, recebendo portanto re-
gistro em separado dentro da alfabetação
geral. Muitos compostos e locuções são
também arrolados alfabeticamente ao final
de um verbete, quando o cabeçalho deste
não é o primeiro elemento da expressão. Há
exceções em casos onde não se recomenda
a rigorosa observância desta norma. Assim,

> **crock of shit**
> **shit** (...) // **big shit** (...) // **crock of shit**
> (...) // **to shovel the shit** (...) // **up shit**
> **creek** (...)
> **shit for the birds**
> **shit hits the fan**
> **shovel the shit**

inglês-português

abbess (*s.*) Ver MADAM

abort (*v.i. & v.t.*) provocar aborto; tirar a barriga. Ver também DELIVER; MISCARRY

abortion (*s.*) aborto provocado; cureta; curetagem; desmancho. Ver também LABOR; MISCARRIAGE

abortionist (*s.*) abortador; aborteiro; cureteiro; fazedor de anjo. Ver também DELIVER

abuse (*s.*) Ver NAME-CALLING; NAMES // **self-abuse** Ver JERKING OFF

act like (one's) shit doesn't stink (*v.*) dar-se ares; ter o rei na barriga; fazer-se de gostoso; fazer cu-doce; ter o cu folheado a ouro.

action (*s.*) Ver FUCK (1)

adultery (*s.*) Ver CHEATING

affair (*s.*) caso; cacho; amigação; amizade colorida; escrita; aventura; transa. Ver também SHACK-JOB (3); ONE-NIGHT STAND

affectation (*s.*) Ver AIRS

agfay (*s.*) Ver QUEER

airs (*s.pl.*) (**affectation** *s.* afetação) cu-doce (1); cagança; frescura; fricote; luxo. Ver também GOODY-GOODY // **to put on airs** dar-se ares; ficar com frescura; fazer cu-doce; fazer cerimônia; fazer frescura.

alley cat (*s.*) Ver BITCH

all that (kind of) crap (*s.*) os cambaus; o escambau; o diabo a quatro; o caralho a quatro; etc. e tal.

alter cocker / alter kocker (*s.*) velho assanhado; velho gaiteiro. Ver também LECHER; ON THE MAKE; IMPOTENT (abr. AK)

altogether, in the (*adj.*) Ver BAREASS

Amy-John (*s.*) Ver LES

analingus (*s.*) Ver RIMMING

androgyne (*s.*) Ver QUEER

angel (*s.*) pederasta ativo, que paga ou sustenta o parceiro; fanchono. Ver também QUEER

angel food (*s.*) comissário de bordo ou militar da Aeronáutica, considerado como objeto sexual; gostosão (uso homossexual). Ver também BAIT; BOILERMAKER; GOVERNMENT-INSPECTED MEAT; SEAFOOD

anus (*s.*) Ver ASS (1)

any, to get (*v.*) Ver FUCK (3)

ape shit (*adj.*) fissurado; maníaco; fanático; doidão; maluco (por algo ou alguém). Ver também GO APE; BUG (3); HOT FOR; NUTTY; SHIT (5)

aphrodisiac (*s.*) motor de arranque; afrodisíaco.

arm (*s.*) Ver COCK; Ver também LONG-ARM INSPECTION; SHORT-ARM INSPECTION

around the world (*s.*) banho de gato; lambideira. Ver também BLOW JOB; FRENCH (1)

arse (*s.*) Ver ASS

arsehole (*s.*) Ver ASSHOLE

as hell (*adv.*) Ver AS SHIT

ashes hauled, to get (one's) (*v.*) Ver FUCK (3) (uso masculino)

ass (*s.*) **1.** (**anus** *s.* ânus; **rectum** *s.* reto) cu (1); açucareiro; anel de couro; anilha; apertante; bogueiro; bosteiro; bostico; bostoque; botão; botão de couro; brioco; brioso; bufante; buraco; cabo; cagueiro; caixa; carne-cagada; cego; ceguinho; diferencial; entrada de serviço; fagulheiro; farinheiro; feijoeiro; fió; fiofó; frasco; furico; furo; girassol; lordo; lorto; lugar onde o sol não bate; lugar que não vê o sol; macio; meia-cômoda; meio; mosca; mosqueiro; mosquito; nó; ó; olho-cego; olho do cu; orgo; panela; peidante; pêssego; pevide; piscante; pregas; pregueado; quiosque; rabo; redondo; rodinha; rosa; rosca; rosquinha; tarraqueta; toba; tutu; urna; verso; vesúvio; zuate. // **2.** (**buttocks** *s.pl.* nádegas) bunda (1); ás de copas; bagageiro; balaio; befe; bife; bogueiro; bubu; bufosa; bumbum; culatra; fim da espinha; fricandó; loló; lordo; lorto; mapa-múndi; marmota; nalgas; oca; onde as costas perdem o nome; padaria; panaro; pandeiro; peba; peida; popa; popó; posterior; poupança; quiosque; rabada; rabiosca; rabiosque; rabioste; rabiote; rabistel; rabo; região glútea; sedém; sedenho; sentante; sesso; sim-senhor; taioba; traseiro; tutu. // **3.** (**vagina** *s.* vagina; **vulva** *s.* vulva)

Ver CUNT (1); Ver também CRACK // **Bet (one's) ass!** Claro! Seguramente! Pode crer! Só! // **duck's ass** cu de pato (corte de cabelo masculino) // **Get the lead out of your ass!** Pau na máquina! Ferro na boneca! Manda brasa! Mãos à obra! // **Go pound salt up your ass!** Ver NAMES // **horse's ass** porra-louca; grosso. // **kick in the ass** recusa; decepção; dispensada; taboca; revertério; pé na bunda; chute no rabo. // **man with a paper ass** indivíduo medíocre; aquele que não cheira nem fede. // **My ass!** Ver NAMES // **My ass is grass!** Tô ferrado/fodido! // **To be no skin off (one's) ass!** E daí? E eu com isso? Pimenta no cu dos outros não arde. // **not to give a rat's ass** Ver NOT TO GIVE A FUCK // **not to know (one's) ass from (one's) elbow** ser completamente ignorante; estar totalmente por fora; estar boiando. // **on (one's) ass** na merda; na pior; numa pior; duro; teso e leso; quebrado. // **out on (one's) ass** descartado; rejeitado; encostado; posto de lado; jogado pra escanteio; jogado pras traças. // **pain in the ass** chato (2); pentelho; pé no saco; pela-saco; chatice; pentelhação; caceteação; saco. // **piece of ass** Ver FUCK (1); DISH //

shot in the ass Ver KICK IN THE ASS // **Stick it up your ass!** Ver NAMES // **till (one's) ass is dragging** até cansar; até o cu fazer bico. // **tits-and-ass** relativo a fotos de nus femininos. // **to bag ass** Ver CUT ASS // **to barrel ass** dirigir em alta velocidade (carro); baixar a bota; pisar; mandar brasa; dar um pau na máquina. // **to burn (someone's) ass** Ver PISS OFF (1) // **to bust (one's) ass** fazer das tripas coração; dar tudo de si; botar pra foder. // **to chew (someone's) ass out** putear; dar um esporro em (alguém); descompor; destratar; esculachar; esculhambar. // **to cover (one's) ass** eximir-se de responsabilidade; livrar a cara; tirar o cu da reta/ seringa. // **to cut ass** cair fora; sair fora; escapulir; fugir; escafeder-se; arrancar-se; pirulitar-se; safar-se. // **to drag ass** Ver CUT ASS // **to fall on (one's) ass** Ver GO TO POT // **to get (one's) ass in a sling** estar na merda, na/ numa pior, na fossa; estar dois dedos abaixo de cu de cachorro. // **to get (one's) ass in gear** Ver GET THE LEAD OUT OF (ONE'S) ASS // **to get the lead out of (one's) ass** apressar-se; aviar-se; despachar-se; ter bicho-carpinteiro; afobar-se. // **to get the red ass** emputecer-se; enfurecer-se enraivecer-se. // **to gripe (one's) ass** chatear; cacetear; pentelhar; encher o saco de. // **to haul ass** Ver CUT ASS // **to have a bug up (one's) ass** estar ou sentir-se incomodado; incomodar-se (com algo ou alguém). // **to have (one's) head up (one's) ass** agir estupidamente; ser desastrado/inepto/desatento/desligado; fazer cagada; ter merda na cabeça. // **to have lead in (one's) ass** Ver SIT THERE WITH (ONE'S) FINGER UP (ONE'S) ASS // **to have (someone's) ass in a sling** pôr/deixar (alguém) na merda, na/numa pior, na fossa; por/deixar (alguém) dois dedos abaixo de cu de cachorro; ferrar; foder. //**kiss/lick (someone's) ass** puxar o saco de (alguém). // **to peddle (one's) ass** Ver HUSTLE (1) // **to put (one's) ass on the line** correr o risco; assumir a responsabilidade; segurar a barra; segurar as pontas; pegar em rabo de foguete. // **to ream (someone's) ass out** Ver CHEW (SOMEONE'S) ASS OUT // **to shag ass** Ver CUT ASS // **to sit there with (one's) finger/ thumb up (one's) ass** ficar impassível/indiferente/apático/ indolente/inerte; ficar (aí) plantado feito um dois de paus; andar com as mãos nas algibeiras; não tirar a bunda do lugar. // **to**

suck ass Ver SUCK (2) // **to tear off a piece of ass** Ver FUCK (3) **(with a girl/woman)** // **to throw (someone) out on (someone's) ass** expulsar; pôr (dali) pra fora; soltar os cachorros em cima de (alguém). // **to work (one's) ass off** Ver BUST (ONE'S) ASS // **up (one's) ass** sem vaselina; com areia. // **up the ass** amplamente; completamente; inteiramente; profundamente; tintim por tintim; como a palma da mão. // **Up your ass!; Up your ass with sandpaper!** Ver NAMES // **Your ass is grass!** (Você) tá ferrado/fodido!
ass backwards (*adj.*) **1.** desordenado; bagunçado; esculhambado; zoneado. // (*adv.*) **2.** desordenadamente. Ver também MESSY; PELL-MELL; SNAFU (1)
assbite (*s.*) reprimenda; esporro; chupada; carão; sabão; puteação. Ver também NAME-CALLING; PISSING CONTEST (2) // **3.** Ver ASSHOLE
ass blow (*s.*) Ver RIMMING
ass-cheeks (*s.pl.*) Ver ASS (2)
ass crack (*s.*) Ver CRACK (2)
assed up (*adj.*) Ver FUCKED UP
ass-fuck (*s.*) **1.** (**pederasty** *s.* pederastia; **sodomy** *s.* sodomia) (=anal intercourse) enrabação; enrabada; fanchonice; pedicação; roça. Ver também DOG FASHION; SHOT IN THE BACK DOOR; STAND UP AND TAKE A BOW; THE IRISH WAY // (*v.t.*) **2.** enrabar;

sodomizar; empurrar a janta. Ver também BUGGER (4 & 5); DICK IT UP; DOG-FUCK; GREEK; PITCH

ass-fucker (*s.*) Ver BUGGER (1); SODOMITE

ass-fucking (*s.*) Ver ASS-FUCK (1)

as shit (*adv.*) ao máximo; extremamente; putamente. Ver também LIKE HELL (1); TILL (ONE'S) ASS IS DRAGGING

asshole (*s.*) **1.** Ver ASS (1) // **2.** (=fool/stupid person) bundamole; abostado; babaca; bundão; bronco; cabeça de camarão; cabeça de merda; cuzão; escroto; panaca; papamerda. Ver também HORSE'S ASS (2); MAN WITH A PAPER ASS; SCREW-UP // **to tangle assholes** entrar em conflito; ter um atrito; bater boca.

asshole buddy (*s.*) amigo do peito; parceiro homossexual; companheiro de cama; caso; casinho.

assignation house (*s.*) casa de tolerância; casa de recurso; recurso; randevu; prostíbulo. Ver também WHOREHOUSE

asskicker (*s.*) pessoa enérgica/ autoritária/prepotente; patrão/ professor/oficial que tiraniza os subordinados/alunos; fodão. Ver também PAIN IN THE ASS (1)

asskicking (*adj.*) que atua/ funciona bem; que apresenta bom desempenho/rendimento; foderoso. Ver também BADASS (1)

ass-kisser (*s.*) **1.** cuneteiro. // **2.** puxa-saco; bajulador; chaleira; baba-ovo; chupa-ovo; lambe-cu. Ver também RIMMER (abr. AK)

ass-kissing (*s.*) bajulação; puxa-saquismo. Ver também KISS-ASS (2)

ass-licker (*s.*) Ver RIMMER

ass-licking (*s.*) Ver RIMMING

ass man (*s.*) Ver WHOREMONGER

ass peddler (*s.*) puta; puto. Ver também BITCH; HUSTLER (1 & 2)

ass-sucker (*s.*) Ver ASS-KISSER

ass-wipe / ass-wiper (*s.*) papel higiênico. Ver também RAG

assy (*adj.*) **1.** bundudo; rabudo; befécio. // **2.** Ver LECHEROUS

astray (*adj.*) desencaminhado; transviado; perdido. // **to go astray** desencaminhar-se; dar o mau passo; perder-se; cair na vida; cair no mundo; chorar na rampa; moçar; sentar praça; prostituir-se (diz-se da mulher). // **to lead astray** desencaminhar; prostituir; transviar.

aunt / auntie (*s.*) **1.** (=old prostitute) couro; courão; ancoreta; bagaço; baronesa; bofe; boi; bucho; surrubango. Ver também BITCH // **2.** (=procuress) Ver MADAM // **3.** (=elderly male homo) tia; tiona. Ver também QUEER

auntie (*s.*) Ver AUNT

avisodomy (*s.*) coito praticado em aves. Ver também BUGGERY (2)

baby-butch (*s.*) lésbica jovem e masculinizada. Ver também LES

baby-maker (*s.*) Ver COCK

back-alley (*s.*) zona (1); boca; brega; barra-pesada; feira de ossos. Ver também RED-LIGHT DISTRICT

backasswards (*adv.*) Ver ASS BACKWARDS

back door (*s.*) Ver ASS (1) // **a shot in the back door** Ver ASSFUCK (1) // **gentleman/usher of the back door** Ver QUEER

backgammon player (*s.*) Ver BUGGER (1)

back talk (*s.*) Ver ROUGH STUFF (1); SCURRILITY; NAMES

backyard (*s.*) Ver ASS (2)

badass (*adj.*) **1.** bunda (2); de merda (2); escroto. Ver também ASSKICKING // (*s.*) **2.** escroto (3);

safardana. Ver também MOTHER-FUCKER // **3.** sujeito durão/ fodão.

badger / the badger game (*s.*) método de extorsão ou chantagem no qual a vítima é um homem que se envolve com uma mulher e é flagrado pelo cúmplice desta, que exige dinheiro para não comprometê-lo; suadouro. Ver também MUD-KICKER (2)

bad shit (*s.*) **1.** barra-pesada (2); chave de cadeia; pé-frio; pessoa perigosa, suspeita ou de astral baixo. Ver também ROUGH TRADE // **2.** barra-pesada (3); foda (2); situação ou incumbência problemática; arrocho; bananosa; fria; rabo de foguete; enrascada; baixo-astral; urucubaca; adversidade; contratempo. Ver também CROPPER; KICK IN THE ASS; MIND FUCKER (2); SHIT CREEK; SHITTY END OF THE STICK

bag (*s.*) **1.** Ver BITCH; MINX // **2.** Ver BASKET (1) // **3.** Ver RUBBER // **4.** Ver GHOUL // **5.** pessário (anticoncepcional feminino).

bag ass (*v.*) Ver CUT ASS

baggage (*s.*) Ver BITCH

bags (*s.pl.*) Ver BALLS (1)

bait (*s.*) homem ou mulher atraente aos do mesmo sexo; homem bichoso ou mulher machuda. Ver também ANGEL FOOD; BOILERMAKER; DISH; FAUNET; NYMPHET; SEAFOOD; TRADE

baker (*s.*) Ver SON OF A BITCH

ball (*s.*) **1.** gandaia; orgia; vida desregrada; vadiação; vadiagem; marafa; rapioca; saçarico. // (=dancing party) bate-coxa; bate-saco; engoma-cueca; melacueca. // **2.** fodeção; fodança; fodelança; meteção; trepação; bacanal; suruba; surubada. Ver também PARTY; SEX JOB (2); SHAG; SWINGING // (*v.i. & v.t.*) **3.** Ver FUCK (3)

ball-bearing oil (*s.*) Ver COME (1)

ball-breaker (*s.*) rabo de foguete; foda (2); bananosa; abacaxi; pepino; arrocho. Ver também LIKE SHIT THROUGH A TIN HORN

ball-buster (*s.*) Ver BALL-BREAKER

balling off (*s.*) Ver JERKING OFF

ballocks (*s.pl.*) **1.** Ver BALLS (1) // **2.** Ver BULLSHIT (1)

ball off (*v.*) Ver JERK (2)

balls (*s.pl.*) **1.** (testicles *s.pl.* testículos) colhões; culhões; bagos; balangandãs; cachos; favas; grãos; manicos; maniplos; manípulos; mochilas; ovos; pelotes; penduricalhos; pendurucalhos; quibas; quitos; tindins; tomates. // **2.** (=courage) colhão; peito; fibra; topete; tutano. Ver também GOOSEBUMPS; PUCKER // (*int.*) **3.** Bolas! Ora bolas! Ver também NUTS // **not to get (one's) balls in an uproar** manter a calma; acalmar-se; ficar frio; sossegar o pito. // **to break (one's) balls** chatear(-se); cacetear; pentelhar; encher o saco de. // **to gripe (one's) balls** Ver BREAK (ONE'S) BALLS // **to have (someone) by the balls** ter (alguém) sob domínio ou controle; ter (alguém) preso pelo rabo; ter todas as armas ou trunfos contra (alguém). // **with balls on** numa estica; alinhado; bem-vestido; elegante.

ballsiness (*s.*) Ver BALLS (2)

ballsy (*adj.*) **1.** boiota. // **2.** colhudo; peitudo; topetudo; batuta; fodão. Ver também CHICKEN (3)

ball-wracker (*s.*) Ver BALL-BREAKER

banana (*s.*) **1.** Ver COCK // **2.** Ver FUCK (1)

banana peeled, to have (one's) (*v.*) Ver FUCK (3) (uso masculino)

bang (*s.*) **1.** Ver FUCK (1) // (*v.t.*) **2.** Ver FUCK (3) // **gang bang** curra; barrela; geral. // **quick bang** Ver QUICKIE

barbecue (*s.*) Ver DISH

bareass (*adj.*) pelado; peladão; nu; nuzão; nu em pelo; em pelo; em pelota. // **bareass beach** praia de nudismo (abr. BA)

bare-assed (*adj.*) Ver BAREASS

bareback (*adj. & adv.*) desprevenido; sem camisinha. Ver também DRY RUN

bareback rider (*s.*) descamisado (diz-se do homem que trepa sem camisinha). Ver também DRY RUN

barrel ass (*v.*) dirigir em alta velocidade (carro); baixar a bota; pisar; mandar brasa; dar um pau na máquina.

barrelhouse (*s.*) Ver WHOREHOUSE

barren (*adj.*) estéril; maninha (diz-se da fêmea). Ver também ESKIMO PIE

bash (*v.i.*) galinhar; agir como puta (diz-se da mulher). Ver também COME ACROSS; HUSTLE; PULL A TRAIN; PUT OUT; SWING

bashing the bishop (*s.*) Ver JERKING OFF

basket (*s.*) **1.** (scrotum *s.* escroto) saco. Ver também BALLS // **2.** mala; penduricalhos; pendurucalhos; penca; pênis & testículos. Ver também PUDENDA; TENT

bassackwards (*adv.*) Ver ASS BACKWARDS

bastard (*s.*) Ver SON OF A BITCH

bat (*s.*) Ver BITCH

bawd (*s.*) **1.** Ver MADAM // **2.** Ver BITCH

bawdiness (*s.*) **1.** Ver LECHERY // **2.** Ver PANDERAGE

bawdy (*adj.*) Ver LECHEROUS

bawdyhouse (*s.*) Ver WHOREHOUSE

bazoom (*s.*) Ver TIT; TITS

bazoongies (*s.pl.*) Ver BUBS

bean queen (*s.*) homossexual não hispânico que prefere os hispânicos. Ver também QUEEN

beard (*s.*) Ver BEAVER (2) // mulher heterossexual que se envolve com homem gay. Ver também FAG HAG

bearded clam (*s.*) Ver CUNT (1)

beast / beastie / beasty (*s.*) Ver B-GIRL

beat off (*v.*) Ver JERK (2)

beat the dummy (*v.*) Ver JERK (2)

beat the meat (*v.*) Ver JERK (2)

beat the shit out of (someone) (*v.*) surrar; dar um cacete em (alguém); ir às fuças de; cair de porrada em; encher de porrada. Ver também ROUGH (SOMEONE) UP (1)

beat the tom-tom (*v.*) Ver JERK (2)

beaver (*s.*) **1.** Ver CUNT (1) // **2.** (**pubis** *s.* púbis) pente; pentelheira da mulher; barba de barata; bombril; escova; tosão; tufo; ursinho. Ver também BUSH (2); SHORT HAIRS // **split beaver** Ver SPREAD BEAVER

beaver-shooter (*s.*) homem fascinado por nus femininos; olheiro de boceta. Ver também LECHER; OGLE (1); VOYEUR

beaver shot (*s.*) foto de mulher nua enfatizando as partes sexuais. Ver também CHEESECAKE (2); FRENCH POSTCARD; PIN-UP; SPREAD BEAVER (1)

bed (*s.*) **1.** Ver FUCK (1) // (*v.t.*) **2.** Ver FUCK (3) // **musical beds** Ver RABBIT HABIT // **to go to bed with (someone)** Ver FUCK (3)

beddable (*adj.*) Ver SEXY; DISH

bed house (*s.*) Ver WHOREHOUSE

bedpan (*s.*) comadre; urinol para acamados; aparadeira; rasteira. Ver também POT

bed-wetter (*s.*) mijão; jamijão. Ver também PISSY (1)

bed with (someone), to go to (*v.*) Ver FUCK (3)

beefcake (*s.*) foto de homem nu ou em trajes menores, com intenção erótica. Ver também CHEESECAKE (2); FRUITCAKE (2)

behind (*s.*) Ver ASS (2)

belch (*s.*) **1.** Ver BURP (1) // (*v.i.*) **2.** Ver BURP (2)

belly-fuck (*v.t.*) praticar o coito sem penetração; tirar um sarro; sarrar; sarrear; fazer roçadinho. Ver também DADDLE; DRY FUCK (3)

belly-fucking (*s.*) coito sem penetração; sarro; bolina; perfumaria; roçadinho; roçado; sabão. Ver também BUTTOCKRY; DRY FUCK; RUBBING; TIT FUCK

belly queen (*s.*) homossexual que pratica o coito em posição de papai-mamãe (frente a frente), atritando o pênis contra o do parceiro ou introduzindo entre as coxas. Ver também INTERFEMORAL; QUEEN

belly to belly (*adv.*) **1.** em posição de papai-mamãe ou de coito. // (*s.*) **2.** papai e mamãe; foda; trepada. Ver também FUCK (1); MISSIONARY POSITION

bender (*s.*) Ver QUEER

bent (*adj. & s.*) **1.** Ver QUEER // **2.** Ver KINKY

bestiality (*s.*) Ver BUGGERY (2)

Bet (one's) ass! (*int.*) Claro! Seguramente! Pode crer! Só! Ver também FUCKING-A!; SURE AS SHIT!

B-girl (*s.*) (=cheap prostitute) ratuína; puta rampeira; bagaço; bucho; catraia; culatrão; estardalho; frasco de matéria; fuleira; malote; mosca; pataqueira; pinica; sutanha; vasculho. Ver também BITCH; MINX

biddy (*s.*) Ver MINX
biffer (*s.*) Ver MINX
biffy (*s.*) Ver SHITTER
bigass (*adj.*) puta; baita; enorme; grande pra caralho. Ver também BITCHING
big ass man (*s.*) Ver WHOREMONGER
big-bosomed (*adj.*) Ver CHESTY
big browneyes (*s.pl.*) Ver TITS
big O, the (*s.*) Ver COME (2)
big shit (*s.*) **1.** Ver HOT SHIT // **2.** treta; mutreta; macete; curtição; lance; barato; um barato; o maior barato. // (*int.*) **3.** Bela merda! Bela porcaria! Grande coisa!
billy (*s.*) Ver COCK
bim (*s.*) Ver BITCH
bird (*s.*) **1.** Ver BITCH // **2.** Ver QUEER // **3.** (=the middle finger when raised straight up, meaning "Fuck you!") gesto equivalente a banana, manguito ou pacova; pirete. Ver também FINGER (1); GOOSE // 4. Ver RASPBERRY // **to give (someone) the bird** Ver FUCK (4)
bird of the game (*s.*) Ver BITCH
birds and the bees, the (*s.pl.*) educação sexual; noções básicas de sexualidade (quando ensinadas a crianças). Ver também HOLES AND POLES
birdshit (*s.*) Ver CHICKENSHIT
bird's nest (*s.*) Ver SHORT HAIRS
birdturd (*s.*) Ver SON OF A BITCH (1)

bisexual (*adj. & s.*) Ver LUCKY PIERRE; SWITCH-HITTER (abr. AC-DC, aludindo aos dois tipos de corrente elétrica, alternada e contínua)
bitch (*s.*) (**prostitute** *s.* prostituta) puta (1); andorinha; bagageira; bagaxa; barca; biraia; bisca; biscaia; biscate; bregueira; bruaca; cabra; cação; camélia; canganha; canguixa; chantra; china; coco; cocota; cocote; cortesã; croia; cuia; dadeira; dama; decaída; desclassificada; ervoeira; escoteira; fadista; fardeira; fardo; fêmea; findinga; frasco; frega; frete; freteira; frincha; fubana; fúfia; fusa; galdéria; ganapa; gança; girafa; horizontal; jereba; lacraia; lascada; leia; libélula; loba; loureira; lúmia; madalena; madama; magana; manhosa; marafaia; marafona; mariposa; meretriz; messalina; michela; micheteira; militriz; miraia; moça; moça do facho; moça do fado; mulher à toa; mulher da comédia; mulher-dama; mulher da rótula; mulher da rua; mulher da vida; mulher da zona; mulher de má nota; mulher de má vida; mulher de ponta de rua; mulher de vida airada; mulher de vida fácil; mulher do fado; mulher do fandango; mulher do mundo; mulher errada; mulher perdida;

mulher pública; mulher solteira; mulher vadia; mundana; murixaba; muruxaba; ostra; paloma; pécora; pega; penga; perdida; perua; pinoia; piranha; piranhuda; piroqueira; pirua; pistoleira; polaca; programeira; quenga; rameira; rapariga; rascoa; rateira; reboque; rongó; solteira; tolerada; torta; transviada; trepadeira; tronga; vadia; vaqueta; ventena; vulgívaga; xandra; zabaneira; zinha; zoina; zunga. // (=criminal's mistress/moll) barbiana. // (=licensed whore) tolerada. // (=promiscuous/coquettish woman) cadela; égua; galinha; vaca. Ver também AUNT (1); B-GIRL; BLANKETY-BLANK; CEMENT-MIXER (2); COME ACROSS; COURTESAN; GROUPIE; LIFE; MINX; OLD LADY; SITTER; STRIPPER; V-GIRL; WOLFESS // **rich bitch** ricaça; madame; socialite. // **son of a bitch** filha/filho da puta; fedepê; bastardo; foda (2); rabo de foguete.

bitchiness (*s.*) chamego; sensualidade; atração; sedução. Ver também SEX APPEAL

bitching (*adj.*) puta (2); grande; ótimo; porreiro; porreta; arretado; retado; caralhal; duca; do cacete; do caralho; do caraças; da porra; de pocar o ovo. Ver também BIGASS; HOT SHIT (1)

bitchy / bitchey (*adj.*) Ver SEXY

blankety-blank (*adj. & s.*) não sei que diga; aquela parte; praquela parte; filho daquilo; isso e mais aquilo; cobras e lagartos (vale como eufemismo em lugar de qualquer palavrão). Ver também NAMES; FUCKING; OH FUDGE!; SO-AND-SO; WHAT'S-HIS-ASS

blasted (*adj.*) Ver FUCKING (1)

bleep / bleeping / blipping (*adj. & s.*) Ver BLANKETY-BLANK

blennorrhea (*s.*) Ver CLAP

blind (*adj.*) Ver UNCUT // **to cure the blind** chupar pau não circuncidado; dar beijo no queijo.

blind meat (*s.*) pênis não circuncidado; chaleira. Ver também COCK; UNCUT; WINK

blinds (*s.*) Ver FORESKIN

blister (*s.*) Ver BITCH; DISH; MINX

blood disease (*s.*) Ver SIFF (2)

bloody (*adj.*) Ver FUCKING (1)

blooming (*adj.*) Ver FUCKING (1)

blow (*s.*) **1.** porrada; traulitada; sarrafada. // **2.** revertério; sufoco. Ver também KICK IN THE ASS // (*v.t.*) **3.** chupar (pau ou boceta); chuchar; fuçar; cair de boca; fazer chupeta; fazer um broche; fazer um guloso; fazer minete; botar a boca no trombone; chupar manga-rosa; engolir cobra. Ver também CURE THE BLIND; DEEP-THROAT; FRENCH (3); GIVE (SOMEONE) HEAD; MUFF-DIVE;

SUCK (1) // **to come/get to blows** partir pra ignorância; apelar.

blow a fart (*v.*) Ver FART (2)

Blow it out! / Blow it out your asshole! (*int.*) O caralho! Uma ova! Aqui, ó! Ver também NAMES

blow job (*s.*) chupeta; minete; coito oral; orogenitalismo. Ver também AROUND THE WORLD; COCKSUCKING (2); CUNT-LAPPING; FRENCH (1); SCROTILINGUS; SIXTY-NINE; THRUSTING (abr. BJ)

blue (*adj.*) **1.** Ver LECHEROUS // **2.** Ver SHIT-FACED

blue balls (*s.*) **1.** Ver DOSE // **2.** Ver CLAP

blue flick (*s*) Ver SKIN FLICK

blue movie (*s.*) Ver SKIN FLICK

bluenose (*s.*) Ver NICE NELLIE

blue veiner (*s.*) Ver HARD-ON

bodybuilder (*s.*) homem musculoso, de porte atlético, adepto da educaçãc física; exibicionista do corpo (abr. BB)

bodybuilding (*s.*) musculação; educação física; porte atlético; exibicionismo do corpo masculino.

body odor / body odour (*s.*) cecê; bodum; catinga; xexéu; pituí; pituim; futum. Ver também STENCH; STINK (abr. BO)

bodyshaving (*s.*) prática sadomasoquista de raspar ou depilar o corpo do parceiro escravizado (abr. BS)

boff (*v.i.*) Ver FUCK (3)

boilermaker (*s.*) gostosão; pão; pica de mel; pica doce; cacetudo; cueca. Ver também ANGEL FOOD; BAIT; CRUSHER; DARK MEAT; HOT SHIT (3); SEAFOOD; SEXY; TRADE

bollocks (*s.pl.*) **1.** Ver BALLS (1) // **2.** Ver BULLSHIT (1)

bombshell (*s.*) Ver DISH

bondage & discipline (*s.*) sadomasoquismo moral ou psicológico, no qual as relações de dominação e submissão são preferíveis à dor física; escravidão sexual. Ver também LEATHER; SADIE-MAISIE (abr. BD)

bone (*s.*) pau (duro). Ver também COCK // **jiggling bone** Ver COCK // **to have a bone on** estar/ficar de pau duro; ter uma ereção.

bone-on (*s.*) Ver HARD-ON

bone queen (*s.*) Ver COCKSUCKER (1)

boner (*s.*) Ver HARD-ON

booboos (*s.pl.*) Ver BALLS (1)

boobs (*s.pl.*) Ver BUBS

booger (*s.*) Ver BUGGER (3)

boogie (*s.*) **1.** Ver SIFF (2) // **2.** Ver BUGGER (3)

boogie-woogie (*s.*) Ver SIFF (2)

boom-boom (*s.*) cagada; obra; defecação; evacuação. Ver também SHIT

boondagger (*s.*) Ver LES

bosom (*s.*) Ver TIT; TITS

botch (*s. & v.t.*) Ver BUNGLE

botchy (*adj.*) Ver BUNGLING; HALF-ASSED (2)

bottle, the (*s.*) prostituição masculina; michetagem. Ver também LIFE

bottom (*s.*) **1.** Ver ASS (2) // (*adj. & s.*) **2.** diz-se do parceiro dominado ou passivo na relação sadomasoquista. Ver também SADIE-MAISIE (2); TOP

bottom's up / bottoms up (*adv.*) Ver DOG FASHION

bouncy-bouncy (*s.*) Ver FUCK (1)

box (*s.*) **1.** Ver CUNT (1) // **2.** Ver BASKET (2)

box, in the (*adj.*) (=having sexual intercourse) na maciota; no macio; no bem-bom; numa boa (uso masculino). Ver também BOX; FUCK (1); HE-ING AND SHE-ING (2); IN/INTO (SOMEONE'S) DRAWERS/PANTS

boxer shorts (*s.pl.*) cuecas folgadas; cuecas samba-canção. Ver também SKIVVY // **to wear boxer shorts** ser ativa (no relacionamento entre duas lésbicas).

box lunch (*s.*) Ver CUNT-LAPPING

boy (*s.*) **1.** Ver CATAMITE // **2.** Ver SISSY // **bum boy** Ver CATAMITE

bra (*s.*) sutiã; corpete; corpinho; porta-seios. Ver também PASTY; UPLIFT

brass (*s.*) **1.** Ver BITCH // **2.** Ver CHEEK

brassière (*s.*) Ver BRA

bread (*s.*) Ver CUNT (1)

break (one's) balls (*v.*) **1.** chatear(-se); aporrinhar; cacetear; pentelhar; dar no saco (de); encher/torrar o saco (de); foder a paciência (de). Ver também GRIPE (ONE'S) ASS/BALLS; PISS OFF (1) // **2.** Ver BUST (ONE'S) ASS

break out into assholes (*v.*) amedrontar-se; apavorar-se; cagar-se (de medo); encagaçar; ficar com o cu na mão. Ver também CHICKEN OUT; SCARE (SOMEONE) SHITLESS

break wind (*v.*) peidar. Ver também FART (2)

breast (*s.*) Ver TITS

breastworks (*s.pl.*) Ver TITS

breech (*s.*) Ver ASS (2)

breeches (*s.pl.*) calção amarrado abaixo do joelho; culote. // **to wear the breeches** ser homem; cantar de galo (em casa). // **whistle breeches** peidorreiro; peidão.

briefs (*s.*) cuecas. Ver também SKIVVY

broad (*s.*) Ver B-GIRL; MINX // **dange broad** negra ou mulata sensual; cabrocha. // **square broad** mulher inexperiente, pura.

broom in/up (one's) tail/ass, to get/have a (*v.*) levar a sério compromissos, obrigações e deveres; mostrar serviço; ser aplicado/

esforçado/zeloso/caxias/crente/ pé de boi/cu de ferro. Ver também SIT THERE WITH (ONE'S) FINGER/ THUMB UP (ONE'S) ASS

brothel (*s.*) Ver WHOREHOUSE

brown (*s.*) **1.** Ver ASS (1) // (*v.i. & v.t.*) **2.** Ver GREEK

Brown family, the (*s.*) a "classe" dos homossexuais; a minoria gay e respectiva cultura. Ver também GAY LIB; GAYNESS

brown hole (*v.i. & v.t.*) Ver GREEK

browning (*s.*) Ver ASS-FUCK (1)

brown-nose (*v.t.*) **1.** fazer cunete em. Ver também RIM // **2.** puxar o saco de; adular; bajular. Ver também LICK (SOMEONE'S) ASS; PISS DOWN (SOMEONE'S) BACK; SUCK (2)

brown-noser (*s.*) Ver ASS-KISSER (1 & 2)

brush (one's) teeth (*v.*) Ver BLOW (3); GIVE (SOMEONE) HEAD

bubbies (*s.pl.*) peitos; peitinhos. Ver também TIT; TITS

bubs (*s.pl.*) **1.** peitos; peitaça; peitaria. Ver também TITS; UPLIFT // **2.** mochila; muxiba; pelanca.

bucket (*s.*) Ver ASS (2) // **to kick the bucket** morrer; apagar o pavio; dar o peido mestre; ir pra puta que (o) pariu; secar o mucumbu.

bug (*s.*) **1.** Ver BITCH // **2.** Ver CHERRY (2) // **3.** obsessão; mania; fissura. Ver também APE SHIT

bugger (*s.*) **1.** enrabador; sodomita; bundeiro; cuzeiro; papista; peão; pregueiro. Ver também SODOMITE; TURK // **2.** zoófilo; barranqueiro. // **3.** meleca; caco; cagaita; catota. // (*v.t.*) **4.** enrabar; besourar; comer jiló; comer o cu de. Ver também ASS-FUCK (2); GREEK; PITCH // **5.** bestializar; barranquear.

buggery (*s.*) **1.** enrabação; fanchonice; pedicação; roça; sodomia. Ver também ASS-FUCK (1); DOG FASHION; SODOMY; STAND UP AND TAKE A BOW // **2.** bestialidade; bestialismo; barranco; zooerastia; zoofilia; avissodomia. Ver também AVISODOMY

bug up (one's) ass/nose, to have a (*v.*) ser ou estar fissurado; fissurar-se (em algo ou alguém). Ver também APE SHIT; GO APE

built like a brick craphouse/ shithouse (*adj.*) Ver STACKED

built like a moose (*adj.*) Ver HUNG

bull (*s.*) **1.** Ver BULLSHIT // **2.** Ver LES

bullbitch (*s.*) Ver LES

bulldagger (*s.*) Ver LES

bulldike / bulldyke (*s.*) Ver LES

bullshit (*s.*) **1.** babaquice; besteira; bobagem; balela; abobrinha; asneira; cascata; disparate; bazófia; fajutice; lorota; conversa fiada; conversa mole; papo-furado; gosmado. Ver também SHIT FOR THE BIRDS // (*v.i. & v.t.*) **2.** cagar pela boca; cagar regra; dizer besteira; deitar falação; cascatear; gosmar. (abr. bs)

bullshit artist (*s.*) Ver BULL-SHITTER

bullshitter (*s.*) caga-lorota; caga-regra; cascateiro; fanfarrão; farofeiro; faroleiro; gabola. Ver também PRIG (2); SHIT-HEEL (1); SMART-ASS

bully (*s.*) Ver PIMP (1)

bum (*s.*) **1.** Ver ASS (2) // **2.** Ver B-GIRL // **3.** Ver MINX // (*v.t.*) **4.** bundar (2); coçar o saco; vadiar. Ver também FUCK OFF (2); SCREW AROUND (1); SIT THERE WITH (ONE'S) FINGER/THUMB UP (ONE'S) ASS

bum boy (*s.*) Ver CATAMITE

bum fodder / bung fodder (*s.*) Ver ASS-WIPE

bumfuck (*v.t.*) Ver ASS-FUCK (2)

bump (*v.t.*) Ver KNOCK UP

bumper to bumper (*adv.*) **1.** Ver BELLY TO BELLY // (*s.*) **2.** Ver RUBBING

bun (*s.*) Ver ASS (2)

bundle (*s.*) Ver DISH

bung hole (*s.*) **1.** Ver ASS (1) // (*v.i. & v.t.*) **2.** bundar (1); comer cu; dar o cu. Ver também ASS-FUCK (2); GREEK

bungle (*s.*) **1.** serviço de porco; trabalho feito nas coxas; chavascada (3). // (*v.t.*) **2.** fazer nas coxas; atamancar; matar; marretar; chavascar; fuxicar.

bungling (*adj.*) feito nas coxas; atamancado; matado; marretado; chavascado. Ver também HALF-ASSED (2)

bunglingly (*adv.*) nas coxas; atamancadamente; mal e porcamente.

bunny (*s.*) **1.** Ver HUSTLER (2) // **2.** Ver BITCH

bunny fuck (*s.*) Ver QUICKIE

bunny-fuck (*v.t.*) dar uma rapidinha; dar uma de galo. Ver também QUICKIE; SHOOT THE RAPIDS; WHAM-BAM

buns (*s.pl.*) Ver ASS (2) // **to work (one's) buns off** Ver BUST (ONE'S) ASS

burn (*v.i. & v.t.*) infectar(-se) com doença venérea; bombardear(-se); chumbar(-se); engonocar(-se); galicar(-se); malinar(-se). Ver também DOSE

burn (someone's) ass (*v.*) Ver PISS OFF (1)

burnt (*adj.*) Ver DOSED

burp (*s.*) **1.** (**eructation** *s.* eructação) arroto; bofada. // (*v.i.*) **2.** arrotar; bofar; eructar.

bury the bone (*v.*) Ver FUCK (3) (uso masculino)

bush (*s.*) **1.** Ver CUNT (1) // **2.** região pubiana da mulher; pente; pentelheira. Ver também BEAVER (2); CROTCH; SHORT HAIRS

bush patrol (*s.*) Ver FUCK (1)

bushwhacker (*s.*) Ver COCK

business (*s.*) Ver SHIT (1) // **taking care of business** Ver JERKING OFF // **to take care of business** Ver JERK (2)

business, the (*s.*) **1.** Ver COCK // **2.** Ver CUNT (1) // **3.** Ver FUCK (1)

bust (one's) ass/nuts (*v.*) fazer das tripas coração; dar tudo de si; suar os topetes; botar pra foder; virar-se. Ver também JUMP THROUGH (ONE'S) ASS; TILL (ONE'S) ASS IS DRAGGING

butch (*adj.*) **1.** machuda; masculinizada. // (*s.*) **2.** Ver LES; Ver também MINTIE // **3.** Ver STUD

butt (*s.*) Ver ASS (2)

buttercup (*s.*) Ver SISSY

buttfuck buddy (*s.*) Ver ASSHOLE BUDDY

butt-fucking (*s.*) Ver ASS-FUCK (1)

butthole (*s.*) Ver ASS (1)

buttockry (*s.*) coito intercrural por trás; foda no rego. Ver também BELLY-FUCKING

buttocks (*s.pl.*) Ver ASS (2)

button (*s.*) (**clitoris** *s.* clitóris) grelo; berbigão; botão; camarão; contrapino; pinguelo.

cabbage (*s.*) Ver CUNT (1)

cadet (*s.*) Ver PIMP (1)

cake (*s.*) **1.** Ver CUNT (1) // **2.** Ver DISH // **to take the cake** ser o cúmulo/um absurdo; ser o ó da nação.

cake-eater (*s.*) Ver WOLF (1)

call (*s.*) necessidade; precisão; vontade de ir ao banheiro. Ver também GYPPY TUMMY // **to pay a call** fazer necessidade; ir ao banheiro. // **to respond to nature's call** Ver PAY A CALL

call-boy (*s.*) Ver HUSTLER (2)

call-girl (*s.*) puta que marca encontros por fone. Ver também BITCH

call-house (*s.*) bordel onde os encontros são marcados por telefone. Ver também MASSAGE PARLOR; WHOREHOUSE

call-joint (*s.*) Ver CALL-HOUSE

call names (*v.*) Ver NAMES

camp (*adj.*) **1.** afetado; fechativo; pintoso; amaneirado. // (*s.*) **2.** bicha-louca; desmunhecado; pintosa. Ver também LIMP WRIST // (*v.i.*) **3.** fechar; desmunhecar. Ver também SISSIFY; SWISH (2) // **to camp it up** desmunhecar; fechar; virar a mão; rodar a baiana; quebrar a louça; soltar a franga; jogar água fora da bacia.

camping (*s.*) fechação; desmunhecação; bicha-louquice. Ver também GAYNESS; SISSINESS

campy (*adj.*) Ver CAMP (1)

campy queen (*s.*) Ver CAMP (2)

can (*s.*) **1.** Ver ASS (2) // **2.** Ver SHITTER

candy ass (*adj. & s.*) Ver CHICKEN (3); PUCKER-ASSED

candy-assed (*adj.*) Ver PUCKER-ASSED

canhouse (*s.*) Ver WHOREHOUSE

canned goods (*s.*) virgem (homem ou mulher); cabacinho; cabaçuda; cabaçudo; donzela; donzelo; encabrestado; invicto; parruda; pucela; zero-quilômetro. Ver também CHERRY (1); PUDENCY; SAVE IT; SQUARE BROAD

cannibal (*s.*) Ver SIXTY-NINE

canoe (*v.i.*) Ver FUCK (3)

cans (*s.pl.*) Ver TITS

cantonese groin (*s.*) Ver DILDO

cap (*s.*) Ver COCKSUCKING (2)

capon (*s.*) **1.** Ver SISSY // **2.** Ver QUEER; Ver também EUNUCH

cat (*s.*) Ver CUNT (1)

catamenia (*s.pl.*) Ver CURSE (1)

catamite (*s.*) (=passive pederast) catamita; enxuto; frango; frangote; lulu; perobo; perobinho; puto; qualira; xibungo; caga pra dentro; domador de serpente; engole-espada; engole-garfo; engolidor de espada. Ver também CATCHER; QUEER; SODOMITE

catch (*v.i.*) ser penetrado no coito anal; dar o cu; levar/tomar no cu; ser enrabado; agasalhar a rola/o croquete. Ver também GREEK; PITCH

catcher (*s.*) o enrabado; parceiro passivo no coito anal. Ver também CATAMITE; PITCHER

cathouse (*s.*) Ver WHOREHOUSE

cement-mixer (*s.*) **1.** dança erótica; meneio de quadris; rebolado; remelexo; saçarico. Ver também COOCH (2) // **2.** dançarina de strip-tease; prostituta de cabaré; vedete de teatro rebolado. Ver também BITCH; NUDIE (2); PIN-UP GIRL; STRIPPER

chamber-pot (*s.*) Ver POT

champagne trick (*s.*) putanheiro endinheirado; freguês rico (de prostituta); coronel; marchante. Ver também OLD MAN

change (one's) luck (*v.*) trepar com negra (uso entre brancos). Ver também FUCK (3)

change of life (*s.*) menopausa; climatério.

chank / chanck / shank (*s.*) cancro; fogagem; úlcera venérea. Ver também DOSE

charge (*s.*) **1.** tesão (1 & 2); fogo. Ver também HARD-ON; NYMPHOKICK; TURN-ON // **2.** Ver SHOT (1)

charity girl (*s.*) Ver MINX

cheapshit (*adj.*) barato; ordinário; vagabundo; bunda; chulé. Ver também CHICKENSHIT (3); NOT WORTH A SHIT

cheat (on) (*v.i.* & *v.t.*) (=to have sexual relations extramaritally) ser infiel (a); trair; prevaricar; costelar; pular a cerca; mijar fora do caco/penico; mijar fora da pichorra. // (said of a woman) cornear; chifrar; botar chifre em; costurar pra fora. Ver também CUCKOLD (2); PLAY AROUND (2); SAVE IT

cheater (*s.*) homem ou mulher infiel; adúltero; traidor. Ver também UNFAITHFUL

cheating (*s.*) (**adultery** *s.* adultério; **infidelity** *s.* infidelidade) traição; traidoria; traimento; enfeites; facada no matrimônio; prevaricação; pulo na cerca; são cornélio. Ver também JEALOUSY; SWINGING (2)

cheek (*s.*) confiança; impudicícia; intimidades; liberdades. Ver também LECHERY

cheeks (*s.pl.*) Ver ASS (2)

cheeky (*adj.*) confiado; descarado; gaiteiro. Ver também MOLESTER; ON THE MAKE

cheese (*s.*) Ver DISH

cheesecake (*s.*) **1.** Ver DISH // **2.** foto de mulher pelada, destacando as pernas. Ver também BEAVER SHOT; BEEFCAKE; FRUITCAKE (2); PIN-UP; SHAFTS // (*adj.*) **3.** Ver TITS-AND-ASS

cheesecake mag (*s.*) Ver SKIN MAG

cheesy / cheesey (*adj.*) queijudo; sebento; ensebado (diz-se do pênis com esmegma). Ver também COCK CHEESE

cherry (*adj.*) **1.** virgem (diz-se da mulher); cabacinho; cabaço; cabaçuda; donzela; inteira; in-victa; parruda; pucela; selada; zero-quilômetro. // (*s.*) **2.** (**hymen** *s.* hímen; **virginity** *s.* virgindade) cabaço; mobília; o que Luzia perdeu na capoeira; pucelo; selo; tampos; três-vinténs. Ver também CANNED GOODS; NYMPHET; PUDENCY; SAVE IT; SQUARE BROAD // **to cop a cherry / to cop (her) cherry** descabaçar; tirar o cabaço de/dela; quebrar o cabaço de/dela; abrir o selo de; abusar de; aproveitar-se de; arrombar; bulir em; bulir na mobília de; deflorar; desencaminhar; desgraçar; desonrar; despucelar; desvirginar; emplacar; escambichar; fazer mal a; furar; lascar; meter os tampos dentro; moçar; ofender; seduzir; tascar; tirar os tampos de; arrebentar a boca do balão. // **to have (one's) cherry** ser virgem; ser cabacinho/cabaço/cabaçuda; não ver o padeiro.

cherry picker (*s.*) cabaceiro; deflorador; furão; verrumador. Ver também LECHER; RAPIST; WHOREMONGER (1); WOLF (1)

chesty (*adj.*) peituda; patriota; lenço. Ver também BUBS (1); SWEATER GIRL; TIT KING; UPLIFT

chew (someone's) ass out (*v.*) putear; dar um esporro em (alguém); descompor; destratar; esculachar; esculhambar; dar uma chupada em (alguém). Ver também GROSS OUT; NAMES; POUND SALT UP (SOMEONE'S) ASS; TANGLE ASSHOLES

chichi (*s.*) **1.** Ver TITS // **2.** Ver DISH

chick (*s.*) Ver DISH

chicken (*s.*) **1.** Ver DISH // **2.** Ver CATAMITE; FAUNET // **3.** cagão; covarde; espalha-merda; frouxo; cagarolas; capado; capão; aquele que pede penico. Ver também BALLSY (2); GOOSE-BUMPY; PUCKER-ASSED

chickenhawk (*s.*) gavião (2); gavião pega-pinto. Ver também CHICKEN (2); WOLF (3)

chicken out (*v.*) agalinhar-se; acovardar-se; encagaçar; pedir arrego; pedir penico. Ver também BREAK OUT INTO ASSHOLES

chicken queen (*s.*) Ver CHICKEN-HAWK

chickenshit (*s.*) **1.** Ver BULLSHIT (1) // **2.** titica; bagatela; caganifância; insignificância; ninharia; pinoia; trampa; pessoa insignificante; bostinha; merdinha; mijinha. Ver também MAN WITH A PAPER ASS // (*adj.*) **3.** titica (3); bunda (2); chulé (3); insignificante; mesquinho. Ver também CHEAPSHIT; NOT WORTH A SHIT; SHITTY

chickenshits (*s.pl.*) Ver GYPPY TUMMY

chippie / chippy (*s.*) Ver BITCH; MINX

chippie-joint (*s.*) Ver WHORE-HOUSE

chocha (*s.*) Ver CUNT (1)

choking the chipmunk (*s.*) Ver JERKING OFF

chubby chaser (*s.*) homem atraído por pessoas gordas. Ver também QUEEN

circle jerk (*s.*) masturbação grupal; rodinha de punheta; suruba de mão. Ver também HAND JOB; JERKING OFF

circumcised (*adj.*) Ver CUT

circus (*s.*) show erótico ou pornô; strip-tease; dança obscena; remelexo; saçarico. Ver também NUDIE (3); PEEP-SHOW (2)

cissy (*adj. & s.*) Ver SISSY

clap / clapp (*s.*) (**gonorrhea** *s.* gonorreia) esquentamento; blenorragia; escarepa; escarepe; escarépio; escarepo; gona; guinó; pingadeira; pingueira; pinga-fogo; purgação; carregação. Ver também DOSE; PISS PINS AND NEEDLES

clapped-up (*adj.*) engonocado. Ver também DOSED; PISS PINS AND NEEDLES

classis chassis / classy chassis (*s.*) Ver DISH

clean up (one's) shit (*v.*) comportar-se; tomar jeito; tomar vergonha na cara; ter modos. Ver também FUCK OFF (3); GET (ONE'S) SHIT TOGETHER

cleavage (*s.*) vão dos peitos; sulco entre os seios; rego; regaço; regada. Ver também CRACK (2); TITS

clipped dick (*s.*) Ver CUT

clit (*s.*) Ver BUTTON

clit-licker (*s.*) mineteiro; chupador de boceta; beija-flor; fuçador; lambe-cricas; lambe-fraldas; lambe-pratos; trombeiro. Ver também COCKSUCKER; RIMMER

clitoris (*s.*) Ver BUTTON

closet, in the (*adj.*) Ver CLOSETY // **to be in the closet** enrustir; falsificar os documentos.

closet, out of the (*adj.*) assumido (diz-se do homossexual). Ver também CLOSET QUEEN; CLOSETY; GAY

closet dyke (*s.*) lésbica enrustida. Ver também LES

closet queen (*s.*) bicha enrustida; enrustido; incubado. Ver também COME OUT; OUT (OF THE CLOSET); QUEEN; QUEER

closet queer (*s.*) Ver CLOSET QUEEN

closetry (*s.*) enrustimento; homossexualidade enrustida. Ver também COME OUT

closety (*adj.*) enrustido; dissimulado (diz-se do homossexual). Ver também OUT (OF THE CLOSET)

cluster fuck (*s.*) coito onde a mulher é penetrada simultaneamente por dois homens; dobradinha; sanduíche; sanduíche de linguiça. Ver também GANG BANG; LUCKY PIERRE; THREESOME

clyster (*s.*) Ver ENEMA

coccyx (*s.*) Ver TAIL BONE (1)

cock (*s.*) (**penis** *s.* pênis; **phallus** *s.* falo; **priapus** *s.* priapo) pau; alavanca de arquimedes; aparelho; arame; arma; badalhoco; badalo; bagre; banana; barbaroxa; benga; bernardo; besugo; bicho; bimbo; birro; bitoca; bordão; brachola; bráulio; caceta; cacete; cajado; calcete; camandro; cambanje; cambão; canivete; caraças; caralho; careca; carimbo; carocho; catano; catatau; catso; cazzo; chanfalho; charuto; chonga; chouriço; chulapa; chupica; churumela; cipó; cobra; coiso; contrapino; croquete; documentos; doutor alisando cresce; empurra-peidos; espada; espeto; espiga; esporão; estaca; estrovenga; facho; farfanho; ferramenta; ferro; fósforo; fueiro; fumo; fuso; gaita; gano; ganso; grego; inhame; instrumento; janjão; jeba; judas; lápis; laracha; lascão; lenha; linguiça; maçaranduba; maçarico; madeira; mala; malho; mandioca; mandrião; mango; maniva; manjuba; manzape; manzapo; marreta; marsapa; marsapo; martelo;

marzapo; mastro; mastruço; medalhão; membro; minhoca; minhocuçu; moca; nabo; nagalho; negócio; nervo; o que Luzia ganhou na capoeira; o que Luzia levou na horta; órgão; palito de fósforo; pantaleão; parte; parte central; passarinho; pau barbado; pau barbudo; pau de cabeleira; pau de fumo; pau de sebo; pavio; peça; pechota; peia; pelota; pemba; persientra; peru; pica; piça; picareta; picha; picirica; piciroca; picolé; picolé-quente; pila; pingola; pinguelo; pino; pinto; piroca; piru; pirulito; pissa; pistola; pito; pixa; ponteiro; poronga; porraz; porrete; prativai; prego; pua; quiabo; raiz; reta; ripa; robalo; rola; sabugo; sarda; sardão; sarrafo; seringa; sulapa; talo; tarugo; ticha; tinebre; trolha; tuchupa; vara; vela; verga; vergalho; zé; zezão; zezinho. // (=large penis) cabo de relho; caibro; mangalho; minhocão; mondrongo; muleta; pé de mesa; picaço; tora. // (=little boy's penis) bimba; pimba; pemba; pichuleta; pirilau; pirrola; tico. Ver também WAG // (=relaxed penis) pau mole; pendureza; pincel. Ver também WEENIE // (=together with the balls) mala; penduricalhos; pendurucalhos. Ver

também BLIND MEAT; HARD; HARD-ON; HEAD (1); HUNG; PICCOLO; SHAFT (3); WEENIE

cock alley (s.) Ver CUNT (1)

cock bawd (s.) proprietário de bordel; cafetão. Ver também PIMP (1)

cock cheese (s.) (**smegma** s. esmegma) sebinho; badalim; cema; queijo. Ver também CHEESY

cock crack (s.) meato urinário.

cock hair (s.) Ver SHORT HAIRS

cock-hall (s.) Ver CUNT (1)

cockhead (s.) Ver HEAD (1)

cock-inn (s.) Ver CUNT (1)

cockish (adj.) Ver LECHEROUS (diz-se da mulher)

cock lane (s.) Ver CUNT (1)

cockpit (s.) Ver CUNT (1)

cockring (s.) anel eretor; anel do padre; anel do bispo.

cockshire (s.) Ver CUNT (1)

cocksman (s.) Ver WHOREMONGER (1)

cock-stand (s.) Ver HARD-ON

cocksucker (s.) **1.** chupador; felador; chupa-pica; chuparola; engole-espada; engolegarfo; engolidor de espada; papa-pica. Ver também CLIT-LICKER; CUM-SLURPER; FELLATRICE; QUEER; VEGETARIAN // **2.** Ver ASS-KISSER (2)

cocksucking (adj.) **1.** escroto; nojento (pessoa). // (s.) **2.** (**fellatio** s. felação) chupeta;

chupetinha; chupada; chupadela; chupação; bobó; broche; buchê; chuchada; coito bucal; guloso; orogenitalismo. Ver também BLOW JOB; SHOT UPSTAIRS; THRUSTING

cock teaser (*s.*) mulher ou garota oferecida, que facilita intimidades mas não permite o coito; mulher que só concede liberdades até as carícias; chamarisca; sarrista. Ver também DRY FUCK; GO THE LIMIT (abr. CT)

cock torture (*s.*) prática sadomasoquista na qual as partes genitais do torturado são presas com amarrilhos e argolas, ou espicaçadas com instrumentos pontiagudos (abr. CT)

cocky (*adj.*) Ver PISSY (2)

coffee-grinder (*s.*) **1.** Ver BITCH // **2.** Ver CEMENT-MIXER (2)

coitus (*s.*) Ver FUCK (1)

cold (*adj.*) frígido; sexualmente frio. Ver também ESKIMO PIE

cold biscuit (*s.*) mulher ou moça desenxabida, sem graça, desengraçada; lambisgoia. Ver também DISH; GHOUL

collegiate fucking (*s.*) Ver BELLY-FUCKING

come / cum (*s.*) **1.** (**semen** *s.* sêmen; **sperm** *s.* esperma) porra; esporra; baba do besugo; gala; gosma; langonha; manteiga; mingau; nena; queijo. Ver também CRUD (1); LUKE; PRE-CUM //

2. (**orgasm** *s.* orgasmo) gozo; gozada; clímax. Ver também SHOT (1) // (*v.i.*) **3.** esporrar; descarregar; ejacular; gosmar; espocar a cilibina. Ver também CREAM (ONE'S) JEANS // **4.** gozar; ter um orgasmo; vir-se; dar uma; espocar a cilibina. Ver também SHOOT THE RAPIDS

come a cropper (*v.*) cair do cavalo; entrar pelo cano; ferrar-se; foder-se; lixar-se; sifu; trombicar-se; trumbicar-se. Ver também GO TO POT

come across (*v.*) dar; dar a boceta; entregar-se; deixar-se possuir (diz-se da mulher); entrar na vara; levar ferro; levar fumo; levar um cacete. Ver também BASH; BITCH; MINX; ON THE MAKE; PULL A TRAIN; PUT OUT; SPREAD FOR (SOMEONE)

come around (*v.*) menstruar com atraso, dando indício de gravidez. Ver também CURSE (1); FALL OFF THE ROOF; HAVE THE RAG ON

come off (*v.*) Ver COME (3) // **to come off badly** Ver COME A CROPPER

Come off that crap! (*int.*) Para com isso! Corta essa! Sem essa! Comigo não! Eu, hein? Tá boa, santa? Ver também DON'T GIVE ME THAT SHIT!

come-on (*s.*) Ver SEX APPEAL // **to give the come-on (to)** dar bola; dar confiança.

come out (of the closet) (*v.*) assumir; revelar-se ou declarar-se homossexual; abicharar; desmunhecar; fechar; perder os documentos; virar a mão. Ver também CLOSET DYKE; CLOSET QUEEN; CLOSETRY

come queen (*s.*) Ver COCK-SUCKER (1)

come/get to blows (*v.*) apelar; partir pra ignorância; descompor-se; chegar às vias de fato. Ver também ROUGH (SOMEONE) UP

coming (one's) mutton (*s.*) Ver JERKING OFF

commfu (*adj.*, *s.*, *v.i.* & *v.t.*) (abr. de *"complete monumental military fuck-up"*) Ver SNAFU

commode (*s.*) Ver SHIT-STOOL

concubine (*s.*) Ver MISTRESS

concupiscence (*s.*) Ver LECHERY

condom (*s.*) Ver RUBBER

condyloma (*s.*) Ver WARTS

constipated (*adj.*) entupido; constipado; sofrendo de prisão de ventre.

constipation (*s.*) prisão de ventre; caseira; vento-virado.

contraceptive (*s.*) **1.** anticoncepcional; pílula. // **2.** Ver RUBBER

contrectation (*s.*) Ver FEEL (1)

convenience (*s.*) Ver PISS-HOUSE

cony (*s.*) Ver CUNT (1)

cooch (*s.*) **1.** Ver CROTCH // **2.** dança erótica; strip-tease; rebolado; remelexo; saçarico. Ver também CEMENT-MIXER (1); STRIP-TEASE

cookie / cookey / cookee / cooky (*s.*) Ver CUNT (1)

cookie pusher / cooky pusher (*s.*) Ver SISSY

cool out (*v.*) Ver FUCK (3)

cooz / cooze / coozie (*s.*) **1.** Ver DISH // **2.** Ver FUCK (1) // **3.** Ver CUNT (1)

cop a cherry / cop (her) cherry (*v.*) descabaçar; tirar o cabaço de/dela; quebrar o cabaço de/dela; abrir o selo de; abusar de; aproveitar-se de; arrombar; bulir em; bulir na mobília de; deflorar; desencaminhar; desgraçar; desonrar; despucelar; desvirginar; emplacar; escambichar; fazer mal a; furar; lascar; meter os tampos dentro; moçar; ofender; seduzir; tascar; tirar os tampos de; arrebentar a boca do balão. Ver também CHERRY; FUCK (3); POP (SOMEONE'S) CHERRY; RAPE (2)

cop a feel (*v.*) bolinar; sarrar; sarrear; xumbregar; apranchar; esfregar-se; fazer sabão; ir nas perninhas; tirar uma casquinha/lasquinha; tirar um coco; tirar um sarro. Ver também DRY FUCK; FEEL (2); FUDGE; NECK; PLAY GRAB-ASS

cop a jock (*v.*) Ver GIVE (SOMEONE) HEAD

coprolalia (*s.*) Ver NAMES

coprophagia / coprophagy (*s.*) Ver SCAT

coprophilia (*s.*) Ver SCAT

copulation (*s.*) Ver FUCK (1)

corksacking (*adj.*) Ver COCK-SUCKING (1)

cornhole/corn-hole (*v.t.*) Ver GREEK

cornholer (*s.*) Ver QUEER

cornholing (*s.*) Ver ASS-FUCK (1)

costive (*adj.*) Ver CONSTIPATED

costiveness (*s.*) Ver CONSTIPATION

cotton-picking (*adj.*) Ver FUCKING

couch audition (*s.*) entrevista onde o/a candidato/a a um emprego faz sexo com o possível empregador.

courtesan / courtezan (*s.*) cortesã; puta de alto bordo; hetera; respeitosa. Ver também BITCH; RICH BITCH

couz / couzie / couzy (*s.*) **1.** Ver CUNT (1) // **2.** Ver DISH // **3.** Ver FUCK (1)

cover (one's) ass (*v.*) eximir-se de responsabilidade; livrar a cara; dar com os quartos de lado; tirar o cu da reta/seringa. Ver também PUT (ONE'S) ASS ON THE LINE; TURN TAIL

cow (*s.*) Ver BITCH

crab / crabs (*s.*) chato (1); carango; piolho-das-virilhas; piolho-ladro.

crab-louse (*s.*) Ver CRAB

crack (*s.*) **1.** racha. Ver também CUNT (1) // **2.** rego; regueira. Ver também ASS (1 & 2); CLEAVAGE

cracking nuts (*s.*) Ver JERKING OFF

Cram it! (*int.*) Ver STICK IT!; NAMES

cranny hunter (*s.*) Ver COCK

crap (*s.*) **1.** Ver SHIT (1) // **2.** babaquice; asneira; besteira; disparate. Ver também BULLSHIT (1) // (*v.i.*) **3.** Ver SHIT (3) // **4.** cagar pela boca; dizer babaquices. Ver também BULLSHIT (2) // **all that (kind of) crap** etc. e tal; os cambaus; o escambau; o diabo a quatro; o caralho a quatro. // **Come off that crap!** Corta essa! Comigo não! Eu, hein? Tá boa, santa? // **to shoot (the) crap** Ver BULLSHIT (2) // **to take a crap** Ver SHIT (3)

crap list (*s.*) Ver SHIT LIST

crapper (*s.*) Ver SHITTER

crappy (*adj.*) Ver CHEAPSHIT; CHICKENSHIT (3)

crawl (*v.t.*) Ver FUCK (3) (uso masculino)

cream (*s.*) **1.** Ver COME (1) // (*v.i. & v.t.*) **2.** Ver COME (3)

cream (one's) jeans (*v.*) esporrar nas calças; não se aguentar de tesão. Ver também COME (3); DREAM AND CREAM

creamstick (*s.*) Ver COCK

crib (*s.*) **1.** Ver WHOREHOUSE // **2.** Ver PAD

Crisco disco (*s.*) boate ou danceteria gay. Ver também FRUIT STAND; JAG HOUSE

crock of shit (*s.*) Ver SHIT (2); BULLSHIT (1)

cropper (*s.*) degringolada; revertério; trombicada; trumbicada; tubulação. Ver também BAD SHIT (2); ROYAL FUCKING // **to come a cropper** cair do cavalo; entrar pelo cano; ferrar-se; foder-se; sifu; trombicar-se; trumbicar-se.

cross-dressing (*s.*) travestismo; transformismo. Ver também GENDERFUCK (1)

crotch (*s.*) **1.** (**perineum** *s.* períneo, perneu) entreperna; vão das pernas. // **2.** Ver CUNT (1); Ver também BEAVER; BUSH; SCRATCH; SNATCH

crud (*s.*) **1.** porra ressequida, grudada no corpo ou na roupa; nódoa de porra. Ver também COME (1) // **2.** Ver DOSE

cruise (*v.i. & v.t.*) circular em local movimentado, à procura de parceiro sexual; bater calçada; fazer viração; bordejar; caçar; campar; paquerar; pegar; rondar (uso predominantemente homossexual). Ver também HUSTLE (1); PLAY CHECKERS; STREETWALK

cruising (*s.*) caçação; engate; paquera; paqueração; pegação; ronda; trotuar; viração (uso predominantemente homos-

sexual). Ver também LOLLIPOP STOP; MEAT RACK; TEAROOM QUEEN; TEA TRADE

crum / crumb (*s.*) porcalhão; escroto. Ver também DIPSHIT (2); FILTHY (2); SLOB

crush (*s.*) rabicho; embeiçamento; gamação; paixonite. Ver também STUCK ON (SOMEONE) // **to have a crush on** (someone) enrabichar-se por (alguém); gamar em/por (alguém).

crusher (*s.*) gostosão; pão. Ver também BOILERMAKER

cryptohomo (*s.*) Ver CLOSET QUEEN

cuckold (*s.*) **1.** corno; corno manso; cornudo; aspudo; boi; cabrão; chifrudo; coerão; enfeitado; galheiro; galhudo; guampudo; irmão de são cornélio; manso; minotauro; mumu. Ver também WEAR THE BREECHES // (*v.t.*) **2.** cornear; cabrear; chifrar; enfeitar; botar chifre em; costurar pra fora; lavar roupa fora; mijar fora do penico. Ver também CHEAT; PLAY AROUND (2); SAVE IT

cuff (one's) meat (*v.*) Ver JERK (2)

culture (*s.*) palavra código em classificados e na imprensa pornô para designar preferência sexual. Ver ENGLISH CULTURE; FRENCH CULTURE; GREEK CULTURE; ROMAN CULTURE; TURKISH CULTURE

cum (*s.*) Ver COME (1) // **pre-cum** líquido pré-coital masculino; lacrimejo.

cummfu (*adj., s., v.i. & v.t.*) (abr. de *"complete utter magnificent military fuck-up"*) Ver SNAFU

cum-slurper (*s.*) bebe-porra; chupengole; chupingole. Ver também COCKSUCKER (1); SHIT-EATER

cunnie / cunny (*s.*) Ver CUNT (1)

cunnilingue (*v.t.*) Ver MUFF-DIVE

cunnilingus / cunnilinctus (*s.*) Ver CUNT-LAPPING

cunt (*s.*) **1.** (**vagina** *s.* vagina; **vulva** *s.* vulva) boceta; buceta; áfrica; aranha; babaca; bacalhau; bacorinha; bainha; balseira; barata; baú; bichana; bichochota; bixoxota; boca do corpo; bombril; borboleta; brecha; brecheca; buça; buçanha; buraco; caranguejeira; carnemijada; chana; chavasca; checa; checheca; chibiu; chincha; chochota; chota; cona; cono; concha; crica; ferida; gaveta; greta; greta-garbo; grila; grota; gruta; gruta do amor; inhanha; lacraia; lasca; manteigueira; margarida; marmota; mosca; negócio; nhaca; nhanha; nica; ninho de rola; pachacha; pachocho; pachoucho; pachucha; palha de aço; papoula; papuda; parque de diversões; parte; parte central; pássara; passarinha; pastel de pelo; peladinha; pereca; periquita; periquito; perseguida; peteca; pichana; pito; pixana; pixota; pomba; pombinha; popoca; precheca; prexeca; procurada; quirica; racha; rata; tabaca; tabaco; taturana; ursa; xana; xarifa; xeca; xereca; xexeca; xibiu; xinxa; xota; xoxota; xuxa; zezinha. // **2.** Ver DISH // **3.** Ver MINX (abr. C)

cuntface (*s.*) Ver SON OF A BITCH

cunthead (*s.*) Ver SON OF A BITCH

cunt-lapping (*s.*) (**cunnilingus** *s.* cunilíngua) minete; mangarosa; mimi; trombada. Ver também BLOW JOB; FRENCH (1)

cuntmobile (*s.*) carro de cafetão; automóvel muito vistoso/extravagante; frescomóvel.

cupcakes (*s.pl.*) Ver ASS (2)

cure the blind (*v.*) chupar pau não circuncidado; dar beijo no queijo. Ver também BLOW (3); GIVE (SOMEONE) HEAD; SUCK (1)

curse (*s.*) **1.** (**menstruation** *s.* menstruação) chico; arenga; bandeira vermelha; bode; boi; catamênio; desmantelo; embaraço; escorrência; incômodo; lua; menarquia; menorreia; mênstruo; mês; paquete; pingadeira; prestação; regras; trezentos e um. // (=first) (**menarche** *s.* menarca) matança do frango/pinto. Ver também LUKE // (*v.i. & v.t.*) **2.** Ver CUSS

curtain (*s.*) / **curtains** (*pl.*) Ver FORESKIN

cush (s.) Ver FUCK (1)

cuss (v.i. & v.t.) amaldiçoar; praguejar; putear; xingar. Ver também NAMES; PLAY THE DOZENS

cuss word/curse word (s.) palavrão; pachouchada; palavrada; palavra-cabeluda; turpilóquio. Ver também NAMES

cut (adj. & s.) circunciso; circuncidado. Ver também FORESKIN

cut a fart (v.) Ver FART (2)

cut (someone) a new asshole (v.) Ver CHEW (SOMEONE'S) ASS OUT

cut ass (v.) cair fora; sair fora; escapulir; fugir; escafeder-se; arrancar-se; pirulitar-se; safar-se; cair no mundo; capar o gato. Ver também TURN TAIL

cuzzy (s.) 1. Ver FUCK (1) // 2. Ver CUNT (1)

daddle (*v.i.*) fazer roçadinho; fazer rala-rala; bater (os) pratos; praticar o tribadismo (diz-se de lésbicas). Ver também BELLY-FUCK

daddler (*s.*) roçadeira; roçona; pratilheira; saboeira; tríbade. Ver também LES; RUBBING

daddy & son (*s.*) prática sadomasoquista homossexual na qual os parceiros simulam o relacionamento autoritário e punitivo de pai para filho (abr. DS)

daisy (*s.*) Ver QUEER

daisy chain (*s.*) sexo grupal; coito simultâneo envolvendo muitas pessoas; suruba; surubada; trenzinho. Ver também SWINGING; THREESOME

daisy duck (*s.*) Ver CATAMITE

dalliance (*s.*) paquera; paqueração; galinhagem; gavionice. Ver também FLIRTATION; FRUITINESS (1); SATYRIASIS; WOMAN CHASING

dally (*v.i. & v.t.*) namoricar; paquerar; gandaiar; vadiar. Ver também FLIRT; FRUIT (3); SWING

dame (*s.*) Ver MINX

Dammit! / Damn it! (*int.*) Ver FUCK IT!

dang / dange (*adj.*) **1.** Ver SEXY // (*s.*) **2.** Ver COCK

dange broad (*s.*) negra ou mulata sensual; cabrocha. Ver também DISH

dangle queen (*s.*) exibicionista; tarado. Ver também INDECENT EXPOSURE; QUEEN

dangler (*s.*) Ver DANGLE QUEEN

dark meat (*s.*) negro tesudo; crioulo gostosão. Ver também BOILERMAKER; DINGE QUEEN

darned (*adj.*) Ver FUCKING (1)

day the eagle shits, the (*s.*) dia do pagamento; peidei (a águia simboliza o Estado americano enquanto patrão ou empregador).

day-tripper (*s.*) Ver COCK TEASER

dead ass (*s.*) **1.** Ver ASSHOLE (2) // (*v.*) **2.** Ver CUT ASS

de-ball (*v.t.*) castrar; capar; emascular.

deep shit (*s.*) Ver BAD SHIT (2); SHIT CREEK

deep-throat (*v.t.*) chupar (pau) introduzindo até o fundo da garganta; engolir (a) cobra; fazer chupetinha de talo. Ver também BLOW (3); COCKSUCKING (2); SUCK (1)

defecate (*v.i.* & *v.t.*) Ver SHIT (3)

defecation (*s.*) Ver SQUAT (1)

deflower (*v.t.*) Ver COP A CHERRY

deliver (*v.t.*) partejar; fazer o parto de (um bebê); aparar; pegar. Ver também ABORT; ABORTIONIST; KNOCK UP; LABOR; MISCARRY // **to be delivered of** dar à luz; parir; esbarrigar.

de-nut (*v.t.*) Ver DE-BALL

depravity (*s.*) Ver LECHERY

diamonds (*s.pl.*) Ver BALLS (1)

diarrhea (*s.*) Ver GYPPY TUMMY

dick (*s.*) Ver COCK // **clipped dick** Ver CUT // **limp-dick** broxa; impotente.

dick-brained (*adj.*) despirocado; abilolado; aloprado. Ver também NUTTY

dick cheese (*s.*) Ver COCK CHEESE

dickhead (*s.*) Ver SON OF A BITCH // **2.** pessoa estúpida, idiota.

dick it up (*v.*) praticar atos homossexuais (diz-se de homens); transar com outro homem; viajar (com). Ver também ASS-FUCK (2); GREEK

dicklicking (*s.*) Ver COCKSUCKING (2)

dicky licker (*s.*) Ver COCKSUCKER (1)

diddle (*v.i.*) **1.** Ver JERK (2) // (*v.i.* & *v.t.*) **2.** Ver FUCK (3)

diddling (*s.*) **1.** Ver JERKING OFF // **2.** Ver FUCK (3)

diddly-shit (*adj.*) **1.** Ver CHICKENSHIT (3) // (*s.*) **2.** Ver BULLSHIT (1); CHICKENSHIT (2); SHIT (2)

diesel dyke (*s.*) Ver DYKE; LES

dike (*s.*) Ver DYKE

dildo (*s.*) consolo; consolo de viúva; consolador; godemichê; maria sapatão; valverde. Ver também COCK; MILKING MACHINE

dillydally (*v.i.*) Ver SHILLY-SHALLY

ding-a-ling (*s.*) Ver COCK

dingbat (*s.*) Ver COCK

ding-dong (*s.*) Ver COCK

dinge queen (*s.*) homossexual que prefere negros. Ver também DARK MEAT; QUEEN; SNOW QUEEN

dingle-dangle (*s.*) Ver COCK

dingus (*s.*) Ver COCK

dink (*s.*) Ver COCK

dipshit (*s.*) **1.** Ver ASSHOLE (2) // **2.** escroto; grosso; porco. Ver também CRUM; SLOB

dip (one's) wick (*v.*) Ver FUCK (3) (uso masculino)

dirk (*s.*) Ver COCK

dirt (*s.*) Ver LECHERY

dirty (*adj.*) Ver LECHEROUS

dirty dozens, to play the (*v.*) duelar verbalmente; trocar insultos pesados; xingar a mãe reciprocamente (diz-se de duas pessoas que esportivamente travam desafio improvisando xingamentos cada vez mais baixos). Ver também NAMES

dirty old man (*s.*) **1.** Ver LECHER // **2.** Ver AUNT (3)

dirty story (*s.*) piada suja; piada de bocagem; piada do Bocage.

dirty trick (*s.*) golpe baixo; jogo sujo; sujeira; sacanagem; safadeza; filhadaputagem; filhadaputice. Ver também ROYAL FUCKING // **to play a dirty trick on** cagar em (alguém); foder (2); sacanear (3).

disgorge (*v.i. & v.t.*) Ver PUKE (2)

dish (*s.*) (=woman as a sexual object) gostosa; gostosona; avião; boa; boazuda; bocetuda; bucetuda; calcinha; certinha; chuchu; comível; enxuta; feita no torno; gata; gatona; lagosta; máquina; material; mulherão; pedaço (de mau caminho); peixão; potranca; quartau; rabo de saia; tabacuda; tesão; tesouro; uva; violão. Ver também BAIT; COLD BISCUIT; DANGE BROAD; MAKE (1); PIN-UP GIRL; SEXY; SHAFTS; STACKED; SWEATER GIRL; TRADE; WOLFESS

dishonorable discharge / dishonourable discharge (*s.*) Ver JERKING OFF // ejaculação precoce.

dive (*s.*) antro; baiuca; espelunca; inferninho. Ver também JOINT; WHOREHOUSE

do (*s.*) Ver SHIT (1)

Does a bear shit in the woods? / Does a wooden horse have a hickory dick? (*int.*) O que você acha? Tá na cara! (réplica a quem faz uma pergunta de resposta óbvia)

dog (*s.*) Ver BITCH; MINX

dog days (*s.pl.*) Ver CURSE (1)

dog fashion (*s.*) cachorrinho; posição de cachorro (no coito hetero ou homo). Ver também ASS-FUCK (1); BUGGERY (1); SODOMY; STAND UP AND TAKE A BOW; TOPPING IT OFF

dog-fuck (*v.t.*) praticar ativamente o coito na posição canina; foder como cachorrinho; fazer cachorrinho. Ver também ASS-FUCK (2)

doggone (*adj.*) **1.** Ver FUCKING (1) // (*int.*) **2.** Ver SHIT (4)

doggy (*adj.*) diz-se da posição canina no coito, hetero ou homo. Ver também DOG FASHION

dog style (*s.*) Ver DOG FASHION

do it (*v.*) Ver FUCK (3)

dokus (*s.*) Ver ASS (2)

dolloping the wiener weener (*s.*) Ver JERKING OFF

done (*s.*) Ver BITCH

dong (*s.*) Ver COCK // **to flong (one's) dong** Ver JERK (2)

doniker / donnicker (*s.*) Ver SHITTER

donkey dick (*s.*) Ver HORSE COCK // **2.** pessoa estúpida, idiota.

Don't give me that shit! (*int.*) Pra cima de mim, não! Não me venha com essa! Tá boa, santa? Ver também COME OFF THAT CRAP!; MY ASS!; SHIT FOR THE BIRDS

doodle (*s.*) Ver COCK

doodle-shit / doodley-shit (*s. & adv.*) nada; neres; patavina; picas; porra nenhuma. Ver também FLYING FUCK; FUCK-ALL; SHITHOUSE FULL

dork (*s.*) Ver COCK **1.** pessoa estúpida, idiota

dose (*s.*) **1.** (**venereal disease** *s.* doença venérea) doença do mundo; doença da rua; carregação; carrego; fogagem; mal de barraca; mal de vênus. Ver também CLAP; SIFF (2); WARTS // (*v.t.*) **2.** Ver BURN

dosed (*adj.*) infectado por doença venérea; galicado; engalicado; bombardeado; chumbado; engonocado; malinado. Ver também CLAPPED-UP; SIFF (1)

doss (*s.*) Ver WHOREHOUSE

dosshouse (*s.*) Ver WHOREHOUSE

double-clutcher (*s.*) Ver MOTHERFUCKER

double-clutching (*adj.*) Ver MOTHERFUCKING

double-gaited (*adj.*) bissexual; gilete; faca e bainha. Ver também SWING BOTH WAYS; SWITCH-HITTER

douche bag/bagger (*s.*) Ver GHOUL

down the line (*adv.*) na zona; nas bocas; na boemia; na via-sacra. Ver também ON THE STREET

doxy (*s.*) **1.** Ver BITCH // **2.** Ver MISTRESS

drab (*s.*) Ver BITCH

drag (*adj.*) **1.** travestido. // (*s.*) **2.** vestuário feminino usado por travestis. Ver também CROSS-DRESSING // (*v.i.*) **3.** travestir-se.

drag ass (*v.*) **1.** Ver CUT ASS // **2.** estar na/numa fossa; estar na/numa pior; estar num bagaço, baqueado, esbagaçado; apagar o pavio. Ver também FUCKED OUT; GET (ONE'S) ASS IN A SLING // **3.** agir morosamente, fazer algo de má vontade; fazer corpo-mole

drag party (*s.*) festa de travestis; festa gay com traje fantasia.

drag-queen (*s.*) homossexual que usa roupas femininas; trava; traveco; travesti. Ver também GENDERFUCK (2); KNOBBER; QUEEN; TRANSEXUAL

drawers (*s.pl.*) ceroulas. Ver também SKIVVY // **in/into (someone's) drawers** numa boa com (alguém); no bem-bom com (alguém); na maciota com (alguém); deitando e rolando com (alguém); transando com (alguém).

dream and cream (*v.*) ter fantasias sexuais; excitar-se mentalmente. Ver também CREAM (ONE'S) JEANS; WET DREAM

dreck / drek (*s.*) Ver SHIT

drip (*s.*) **1.** Ver PAIN IN THE ASS (1) (diz-se de pessoa) // **2.** Ver CLAP

droopers (*s.pl.*) Ver TITS

drop beads / drop hairpins (*v.*) **1.** sondar alguém a fim de descobrir se é entendido. // **2.** trair-se no falar, revelando ser entendido; dar bandeira; soltar plumas. Ver também SISSIFY

drop (one's) load (*v.*) Ver COME (3)

Drop your cocks and grab your socks! (*int.*) Todo mundo fora da cama! Acordem! Levantem! (ordem informal para despertar, comum entre militares) Ver também PISS CALL

dry fuck (*s.*) **1.** sarro; malho; amasso; casquinha; coco; marmelada; roçado; roçadinho. Ver também COCK TEASER; FEEL (1); FOREPLAY; NECKING; PETTING // **2.** coitus interruptus; trepada sem orgasmo ou sem prazer; pincelada. Ver também WHAM-BAM (2) // (*v.t.*) **3.** sarrar; sarrear; amassar; bolinar; malhar; pincelar; ir nas perninhas; tirar um coco/sarro. Ver também BELLY-FUCK; COP A FEEL; GO THE LIMIT; NECK

dry fucker (*s.*) sarrista; bolinador; ceboleiro. Ver também COCK TEASER; FINGERFUCKER; MASHER

dry hump (*s.*) Ver DRY FUCK

dry run (*s.*) **1.** coito com preservativo; trepada de camisinha; bala embalada. // (*v.t.*) **2.** trepar de camisinha; usar preservativo ao trepar com; exigir (do parceiro) que use preservativo. Ver também BAREBACK; BAREBACK RIDER; SAFESEX

duck (*s.*) Ver BEDPAN // **daisy duck** Ver CATAMITE

duck-butt (*s.*) Ver PEEWEE (1)

duck's ass (*s.*) cu de pato (corte de cabelo masculino). (abr. DA)

duff (*s.*) Ver ASS (2)

dufus-ass (*s.*) Ver ASSHOLE (2)

dumb-ass (*adj.*) **1.** chato (3); cacete; caceteador; caceteante; morrinha; sacal. // (*s.*) **2.** Ver ASSHOLE (2)

dummy, to beat the / to flog the (*v.*) Ver JERK (2)

dump a load (*v.*) cagar; dar uma cagada. Ver também SHIT (3); GYPPY TUMMY

dusty butt (*s.*) Ver PEEWEE (1)

Dutch widow (*s.*) Ver BITCH

dyke / dike (*s.*) fanchona; machona; sapatão; lésbica machuda. Ver também LES // **molly dyke** Ver WIFE

dykey (*adj.*) Ver BUTCH (1)

eagle shits, the day the (*s.*) Ver DAY THE EAGLE SHITS

easy make (*s.*) **1.** Ver MAKE (1) // **2.** Ver DISH; MINX

eat (*v.t.*) Ver BLOW (3); SUCK (1)

eat at the Y (*v.*) Ver MUFF-DIVE

eat hair pie (*v.*) Ver MUFF-DIVE

eatin' stuff (*s.*) Ver DISH

eat (someone) out (*v.*) Ver CHEW (SOMEONE'S) ASS OUT

eat shit (*v.*) **1.** Ver BROWN-NOSE (2); SUCK (2) // **2.** Ver TAKE SHIT

eat (someone) up with a spoon (*v.*) Ver EAT

eff (*s.*) **1.** Ver FUCK (1 & 2) // (*v.t.*) **2.** Ver FUCK (3 & 4) // (*int.*) **3.** Ver FUCK OFF (5)

effeminacy (*s.*) Ver SISSINESS

effeminate (*adj. & s.*) **1.** Ver SISSY // (*v.i. & v.t.*) **2.** Ver SISSIFY

effete (*adj.*) **1.** estéril; infecundo (diz-se do homem). Ver também FANCY PANTS; LIMP-DICK // **2.** Ver IMPOTENT

effeteness (*s.*) **1.** esterilidade; infecundidade; ferro frio. Ver também SISSINESS // **2.** Ver IMPOTENCE

effing (*adj. & adv.*) Ver FUCKING

eff off (*v.*) Ver FUCK OFF

eff-off (*s.*) Ver FUCK-OFF

ejaculation (*s.*) Ver SHOT (1)

enema (*s.*) lavagem; adjutório; chá de bico; chuca; clister; enema.

English culture (*s.*) Ver SADIE-MAISIE (1)

enob (*s.*) Ver BONE; COCK

eonism (*s.*) Ver CROSS-DRESSING

equipment (*s.*) Ver BASKET (2). Ver PUDENDA

erection (*s.*) Ver HARD-ON

eruct / eructate (*v.i.*) Ver BURP (2)
eructation (*s.*) Ver BURP (1)
Eskimo pie (*s.*) mulher frígida; geladeira. Ver também BARREN; COLD; HOT PATOOTIE
estrum / estrus (*s.*) Ver HEAT
eunuch (*s.*) capado; eunuco; roncolho. Ver também CAPON; GELDING (2)

evil (*adj.*) Ver SEXY
excrement (*s.*) Ver SHIT (1)
extracurricular activity (*s.*) Ver CHEATING
eyes (*s.pl.*) Ver TITS
eyes like pissholes in the snow (*s.pl.*) olhos fundos, injetados ou pisados; olho de peixe morto.

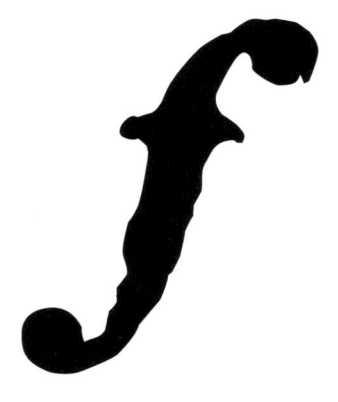

face-fucking (s.) Ver THRUSTING

fag (s.) Ver QUEER

fag bag (s.) mulher casada com bicha; boceta-dentada; corça. Ver também FAG HAG; SISTER ACT

fag-bait (v.t.) discriminar, hostilizar ou perseguir homossexuais.

fag baiting (s.) anti-homossexualismo; homofobia; discriminação, hostilidade ou perseguição aos homossexuais. Ver também GAY LIB; OUTING

faggart (s.) Ver QUEER

faggot (s.) Ver QUEER

faggotry (s.) Ver GAYNESS

faggot's moll (s.) Ver FAG HAG

faggoty (adj.) Ver SISSY; LACY

fag hag (s.) mulher hetero que procura companhia de bichas; racha-bicheira; boceta-maquiada. Ver também FAG BAG; FISH; SISTER ACT

fairy (s.) Ver QUEER

fairy lady (s.) Ver LES

faithful (adj.) fiel (ao cônjuge). Ver também CHEATER; SAVE IT // to be faithful to one's husband recatar-se; resguardar-se; não ver o padeiro. // to be faithful to one's wife comer feijão com arroz; não riscar (o fósforo) fora da caixa; ser galo de um terreiro só.

fallen woman (s.) Ver BITCH

fall off the apple tree (v.) perder a virgindade; perder o cabaço; perder o cabresto; ser descabaçada/-do; não mostrar os panos. Ver também GO ASTRAY

fall off the roof (v.) ficar de chico; menstruar; pagar prestação; hastear a bandeira vermelha. Ver também COME AROUND; CURSE; GET/HAVE THE RAG ON

fall (flat) on (one's) ass (*v.*) Ver GO TO POT

faloosie (*s.*) Ver MINX

family jewels, the (*s.pl.*) Ver BALLS (1): Ver também DIAMONDS; FUTURE; PUDENDA

fancy-free (*adj.*) Ver FOOTLOOSE

fancy man (*s.*) **1.** Ver PARAMOUR // **2.** Ver PONCE (1)

fancy pants (*s.*) **1.** Ver SISSY // **2.** homem estéril; café-requentado; ferro-frio. Ver também EFFETE; LIMP-DICK

fancy woman (*s.*) **1.** Ver MISTRESS // **2.** Ver BITCH

fanny (*s.*) **1.** Ver ASS (2) // **2.** Ver CUNT (1)

fart (*s.*) **1.** (flatus *s.* flato; **flatulence / flatulency** (*s.*) flatulência; peido; bufa; descuido; farpa; gases; pum; traque; ventosidade. // (=noiseless) bufa; fona; serena; surda; surdina. // (=noisy) breque; peidorra; traque. Ver também WHISTLE BREECHES // (*v.i. & v.t.*) **2.** peidar; soltar gases; soltar traque; dar de si. // (=continually) peidorrar; estar de escapamento aberto. Ver também BREAK WIND // old fart / silly fart / stupid fart Ver SON OF A BITCH

fartface (*s.*) Ver SON OF A BITCH (1)

fatherfucker (*s.*) Ver MOTHERFUCKER

fatherfucking (*adj.*) Ver MOTHERFUCKING

faunet / faunlet (*s.*) ninfeto; frangote; adolescente desejado por homossexuais mais velhos; efebo. Ver também BAIT; CHICKEN (2); NYMPHET; PEG BOY (1)

fay (*adj.*) Ver GAY

feces (*s.pl.*) Ver SHIT (1)

feel (*s.*) **1.** (**contrectation** *s.* contrectação) bolina (1); bolinação; bolinagem; amasso; casquinha; coco; esfregação; fuxicação; mão-boba; marmelada; perfumaria; roçadinho; roçado; sabão; sarro; siririca; xumbregação. Ver também DRY FUCK (1); FINGERFUCKING; FOREPLAY; JERKING OFF // (*v.t.*) **2.** bolinar; masturbar. Ver também DRY FUCK (3); FINGERFUCK; FUDGE // **to cop a feel** bolinar; sarrar; sarrear; amassar; xumbregar; fazer sabão; tirar uma casquinha/lasquinha; tirar um sarro.

feel up (*v.*) Ver FEEL (2)

feet-stink (*s.*) chulé (2). Ver também TOEJAM

fellate (*v.t.*) Ver BLOW (3); GIVE (SOMEONE) HEAD; SUCK (1)

fellatio (*s.*) Ver COCKSUCKING (2)

fellator (*s.*) Ver COCKSUCKER (1)

fellatrice (*s.*) felatriz; chupadora; chupadeira; chupeteira;

chupa-pica; chupa-rola. Ver também COCKSUCKER (1); FRIC-ATRICE; VEGETARIAN

fem / femme (*s.*) Ver LES

fiddle-fart (around) (*v.*) Ver FUCK OFF (2)

fiddlefucking (*adj.*) Ver FUCKING

fig (*s.*) Ver CUNT (1) // **not to care/give a fig for** Ver NOT GIVE A FUCK

filth (*s.*) Ver LECHERY

filthy (*adj.*) **1.** Ver LECHEROUS // **2.** escroto; nojento; porcalhão. Ver também CRUM; DIPSHIT (2)

finger (*s.*) **1.** gesto obsceno com o dedo médio esticado e os demais encolhidos; pirete. Ver também BIRD (3) // (*v.t.*) **2.** Ver FINGERFUCK // **to give (someone) the finger** Ver BIRD (3); FUCK (4)

fingerfuck (*v.i. & v.t.*) masturbar o parceiro/a parceira; estimular manualmente; acariciar; bolinar; futucar; sacanear; tocar siririca. Ver também FEEL (2); GOOSE (2); HOLD A BOWLING BALL; JERK (2); JERK (SOMEONE) OFF

fingerfucker (*s.*) bolinador; masturbador; sarrista. Ver também DRY FUCKER

fingerfucking (*s.*) **1.** futucação; mão-louca. Ver também FIST-FUCKING; POSTILLIONING // **2.** siririca. Ver também FEEL (1); GOOSE (1)

finger job (*s.*) Ver FINGER-FUCKING (2)

fire blanks (*v.*) foder sem emprenhar, quando o casal quer filho (diz-se do homem estéril quando trepa com mulher). Ver também FUCK (3)

fish (*s.*) mulher hetero; racha; rachada. Ver também FAG HAG // **to have a bit of fish** Ver FUCK (3) // **to go to a fish market** Ver WHORE (3)

fish business (*s.*) Ver PANDERAGE

fish monger (*s.*) **1.** Ver MADAM // **2.** Ver PIMP (1)

fishmonger's daughter (*s.*) Ver BITCH

fishwife (*s.*) Ver FAG BAG

fishy (*adj.*) bacalhoeiro (diz-se do corpo ou das partes genitais da mulher, quando seu cheiro é forte); bacalhoeira (diz-se da boceta); catinguento; caxinguento. Ver também STINKY

fistfucking (*s.*) prática sadomasoquista que consiste na inserção da mão e até do antebraço no reto do parceiro; futucação do ânus com todos os dedos da mão; mão-louca. Ver também FINGERFUCKING; POSTILLIONING (abr. FF)

fisting (*s.*) Ver FISTFUCKING

fisting off (*s.*) Ver JERKING OFF

fist off (*v.*) Ver JERK (2)

flamer (*s.*) Ver CAMP (2); QUEER

flaming (*adj.*) Ver CAMP (1)

flaming asshole/fruitbar (*s.*) Ver CAMP (2); QUEER

flanquette (*s.*) Ver SCISSORS

flash house (*s.*) Ver WHOREHOUSE

flash woman (*s.*) Ver BITCH

flat-ass (*adj. & adv.*) total(mente). Ver também SHIT (5)

flatbacker (*s.*) Ver BITCH

flatulence / flatulency (*s.*) Ver FART (1)

flatus (*s.*) Ver FART (1)

flavor (*s.*) Ver DISH

flesh flick (*s.*) Ver SKIN FLICK

flesh-peddler (*s.*) **1.** Ver PIMP (1) // **2.** Ver BITCH

fleshpot (*s.*) Ver WHOREHOUSE

flies (*s.pl.*) Ver FLY

flipping (*adj.*) Ver FUCKING (1)

flirt (*v.i. & v.t.*) paquerar; namoricar; gavionar; flertar. Ver também DALLY; FRUIT (3)

flirtation (*s.*) paquera; paqueração; namorico; flerte. Ver também DALLIANCE; FRUITINESS (1); WOMAN CHASING

flit (*s.*) **1.** Ver SISSY // **2.** Ver QUEER

flitty (*adj.*) **1.** Ver SISSY; LACY // **2.** Ver GAY

flogging the dummy/poodle (*s.*) Ver JERKING OFF

flog the dummy/poodle (*v.*) Ver JERK (2)

flog the meat sausage (*v.*) Ver JERK (2)

flong (one's) dong (*v.*) Ver JERK (2)

floosie / floozie / floozy / floogy / flugie / faloosie (*s.*) Ver MINX

flower (*s.*) Ver QUEER

fluff / fluffhead (*s.*) Ver MINX

flugie (*s.*) Ver MINX

flute / fluter (*s.*) Ver COCKSUCKER (1); QUEER

fly (*s.*) braguilha; gaiola. Ver também SKIVVY

fly, to let (*v.*) mijar; dar uma mijada. Ver também PISS (2); LEAK

fly ball (*s.*) Ver QUEER

flying bravo (*adj.*) Ver UNWELL

flying fuck (about), a (*s.*) a mínima (pra) (sempre na negativa: *"I don't give a flying fuck about..."* = "Não estou nem aí pra...", "Estou cagando e andando pra...") Ver também DOODLE-SHIT; FUCK; FUCK-ALL; NOT GIVE A FUCK; NOT GIVE A FUCK FOR NOTHING/ANYTHING; PISS ON (SOMEONE/SOMETHING) // **Go take a flying fuck at a rubber duck! / Go take a flying fuck at a rolling doughnut!** Ver FUCK YOU!; NAMES

fly the red flag (*v.*) Ver HAVE THE RAG ON

foop (*v.i.*) praticar atos homossexuais; abicharar; ser falso à bandeira/ao corpo; perder os documentos. Ver também SISSIFY

fooper (*s.*) Ver QUEER

footloose (and fancy-free) (*adj.*) sem compromisso amoroso; não

comprometido; livre e desimpe-
dido; solteirinho da silva; livre,
leve e solto; desentupido. Ver
também FREE TRADER

foot smell (*s.*) chulé (2). Ver também TOEJAM

foreplay (*s.*) carícias prelimina-
res; estimulação prévia ao ato
sexual; aquecimento. Ver também DRY FUCK (1); FEEL (1);
NECKING; PETTING

foreskin (*s.*) (**prepuce** *s.* prepúcio)
courinho; gorro; pele; bico de
chaleira; capa de guarda-chuva;
cachupeleta; chapéu. Ver também
CUT; UNCUT; PHIMOSIS; WHANG-
STRING

fork (*v.t.*) Ver FUCK (4)

forking (*adj.*) Ver FUCKING (1)

Fork you! (*int.*) Ver FUCK YOU!

fornicate (*v.i.*) Ver FUCK (3)

fornication (*s.*) Ver FUCK (1)

foul-mouth (*s.*) boca-suja; desbocado; puteador. Ver também
NAMES

foulmouthed (*adj.*) desbocado;
desbragado. Ver também FOUL-
MOUTH

four-letter word (*s.*) Ver CUSS
WORD; TABOO WORD; NAMES

fox (*s.*) Ver DISH

foxy (*adj.*) Ver SEXY (diz-se da
mulher)

frail eel (*s.*) Ver DISH

frail job (*s.*) **1.** Ver DISH // **2.** Ver
MINX // **3.** (=sexual intercourse
with a woman) Ver FUCK (1)

frame (*s.*) Ver BOILERMAKER

freak (*s.*) **1.** desbundado; baratinado; alienado; bicho-grilo;
hippie. Ver também NUT; SCREW-
BALL // **2.** Ver QUEER // **peek
freak** Ver VOYEUR // **rim freak**
Ver RIMMER // **size freak** Ver SIZE
QUEEN

freak out (*v.*) **1.** desbundar; ba-
ratinar-se; alienar-se; tornar-se
hippie; optar por estilo ou meio
de vida alternativo. Ver também
SCREW AROUND (2) // **2.** Perder
a compostura; ter um ataque de
nervos, ter um troço.

freak-out (*s.*) desbunde; alie-
nação; comportamento anticonvencional. Ver também
NUTTINESS

freak trick (*s.*) putanheiro barra-pesada; cliente abrutalhado,
agressivo ou violento (de prostituta). Ver também ROUGH
TRADE; SADIE-MAISIE (2); TOP

free show (*s.*) espiadela furtiva
ou flagrante de nudez da mulher, aproveitando o descuido
desta ao sentar-se, despir-se etc.;
brechação. Ver também PEEP
SHOW (1); SPREAD BEAVER (2)

free trade (*s.*) sexo sem remuneração; trepada grátis; galinhagem; promiscuidade; amor
livre. Ver também FRUITINESS
(1); TRADE

free trader (*s.*) aquele ou aquela que trepa de graça; dadeira;

galinha; pessoa promíscua. Ver também FOOTLOOSE; HUSTLER
French (s.) **1.** coito oral; orogenitalismo. Ver também AROUND THE WORLD; BLOW JOB; COCK-SUCKING (2); CUNT-LAPPING; HALF-AND-HALF; RIMMING; SCROTILINGUS; SIXTY-NINE; THREE-WAY; THRUSTING // **2.** Ver ROUGH STUFF (1); NAMES // (v.i. & v.t.) **3.** praticar coito oral; chupar; engolir cobra; fazer minete. Ver também BLOW (3); GREEK; SUCK (1) // **Pardon my French!** Com perdão da palavra! Com licença da má palavra! (abr. FR)
French culture (s.) Ver FRENCH (1)
French job (s.) Ver BLOW JOB
French kiss (s.) **1.** Ver FRENCH (1) // **2.** beijo de língua; linguado.
French letter/safe/tickler (s.) Ver RUBBER
French postcard (s.) foto de sacanagem; gravura pornográfica. Ver também BEAVER SHOT; CHEESECAKE (2); TITS-AND-ASS
French way (s.) Ver FRENCH (1)
frenum (s.) Ver WHANG-STRING
fricatrice (s.) fricatriz; prostituta especializada em masturbação do órgão masculino; masturbadora. Ver também FELLATRICE
frig (v.t.) **1.** Ver FUCK (4) // **2.** Ver FINGERFUCK // (s.) **3.** Ver RUBBING
frigging (adj.) Ver FUCKING

frigidity (s.) frigidez; geladeira; geladura. Ver também HOT-PANTS (1); HOTS; IMPOTENCE
frit (s.) Ver QUEER
frog queen (s.) homossexual de origem franco-canadense ou que prefere parceiros franceses. Ver também QUEEN
frottage (s.) Ver BELLY-FUCKING
fruit (s.) **1.** (=promiscuous person) galinha (2); indivíduo gaiteiro/gandaieiro/saído/surubeiro. Ver também SWINGER (1) // **2.** Ver QUEER // (v.i.) **3.** (=to be promiscuous) galinhar. Ver também DALLY; FLIRT; PLAY AROUND; SWING // **overripe fruit** Ver AUNT (3)
fruitcake (s.) **1.** Ver QUEER // **2.** foto de nu masculino sugestivamente homossexual; foto de travesti ou nu andrógino. Ver também BEEFCAKE; CHEESECAKE (2)
fruit fly (s.) Ver FAG HAG
fruitiness (s.) **1.** galinhagem; promiscuidade. Ver também RABBIT HABIT // **2.** bichice; desmunhecação; frangagem; frescura; veadagem; viadagem. Ver também GAYNESS; SISSINESS
fruit picker (s.) (=a heterosexual who occasionally seeks out homosexuals) bofe (3); machão enrustido. Ver também CLOSET QUEEN; FRUIT (2); QUEER
fruit stand (s.) bar gay. Ver também CRISCO DISCO; JAG HOUSE

fruity (*adj.*) **1.** promíscuo; galinha. // **2.** Ver GAY; LACY; QUEER

fubar (*adj.*, *s.*, *v.i.* & *v.t.*) (abr. de "*fucked up beyond all recognition*") Ver SNAFU

fubb (*adj.*) (abr. de "*fucked up beyond (all) belief*") Ver SNAFU (1)

Fubis! (*int.*) (abr. de "*Fuck you, buddy, I'm shipping out!*") Ver NAMES

fuck (*s.*) **1.** (**coitus** *s.* coito; **copulation** *s.* cópula; **fornication** *s.* fornicação) foda (1); balancê; bate-virilha; bem-bom; bimbada; bombada; cacetada; caqueado; chanfrada; choque-choque; chuchada; cipoada; coisa-feia; comão; cravada; dormida; enfiada; fornicada; fueirada; fumo; lascada; marretada; martelada; metida; mocada; molhada no biscoito; nicada; penachada; pernada; picirica; piço; pincelada; pingolada; pinguelada; pirocada; pistolada; porcaria; pregada; ripada; saliência; sarrafada; tabacada; trancada; transa; trepada; vadiação; vadiagem; vaivém; xoque-xoque; xuxada; aquilo. // (=sexual intercourse with a girl/woman) metida; piçada; pissada. // **2.** parceiro; transa; cobertor de orelha. Ver também BELLY TO BELLY; FLYING FUCK; IN THE BOX; QUICKIE; SEX JOB; VANILLA SEX // (*v.t.*) **3.** foder

(1); fuder; afagar a palhinha; andar com; balançar a roseira; bombar; caquear; carimbar; chacoalhar o saco; chamar na chincha; chuchar; coisar; copular com; dar banho na macaca; dar uma; dar uma bimbada/metida/piçada/pinocada/pissada/quentinha/trepada; dar uma surra de boceta/pica em; dar um comão; deitar com; descarregar a bateria; dormir com; embilocar; embiocar; embutir; encavar; encestar; enfiar; enforcar o gato/judas; esgaçar; fazer amor; fazer aquilo; fazer choque-choque/xoque-xoque; fazer neném; fazer saliência; folgar; gandaiar; ir nela; ir pra cama com; jambrar; jogar com duas bolas; lascar; limpar o cavalo; lixar; mandar o bernardo às compras; mandar o carocho; marretar; martelar; misturar as pernas/os pelos; mocar; nicar; pinar; pingolar; pinocar; pirocar; pôr pra jambrar; pôr-se em (alguém); procurar tatu; queimar a periquita; sair com; sarrafar; suar junto; trancar-se em (alguém); transar com; trepar; trocar o óleo; trombicar; trumbicar; vadiar; xuxar. // (=to have sexual intercourse with a girl/woman) afogar o ganso; afogar/molhar o bagre/biscoito/gato/jegue/judas/pavio; amolar a faca; amolar o canivete/ferro; bimbar; botar; botar o ganso de molho; cascar; chamar na chincha; cobrir; comer; dar um pau na máquina; derrubar; executar; faturar; ir nela; largar o pau; lascar; lascar o cano; machear; mandar brasa; meter; papar; passar; passar a faca; passar na cara; passar nas armas; passar nos peitos; passar o ferro/fumo/lápis/pau; piçar; pissar; pôr-se em; possuir; sentar a pua; tampar; tascar; traçar. // (=to have sexual intercourse with a whore) putear (2); chavascar (2). Ver também CHANGE (ONE'S) LUCK; COP A CHERRY; FIRE BLANKS; GOOSE (2); JUMP THE GUN; REAM // **4.** (=to deceive/defeat/treat someone unfairly) foder (2); ferrar; sacanear; botar na bunda (de); chamar na chincha; enrabar (2). Ver também PISS ON (SOMEONE); TRICK (5) // **5.** (=to damage) esculachar; esculhambar; estragar. Ver também FUCK OFF (4); SNAFU (3) // **ass-fuck** enrabação; sodomia. // **bunny fuck** Ver QUICKIE // **cluster fuck** coito onde a mulher é penetrada simultaneamente por dois homens; sanduíche; dobradinha. // **dry fuck** sarro; malho; amasso; casquinha; roçado; roçadinho; pincelada. // **flying**

fuck Ver NOT GIVE A FUCK // **gang fuck** Ver GANG BANG // **goat fuck** Ver SNAFU (2) // **Holy fuck!** Ver NAMES // **not to give a fuck / not to care a fuck** não dar a mínima; estar cagando; não estar nem aí. // **not to give a fuck for nothing/anything** estar mandando tudo à merda; querer que o mundo se foda; não dar bola pra torcida; não fazer caso de conveniências ou riscos; não medir as consequências. // **rat fuck** excêntrico; anticonvencional; fora dos padrões. // **Take a flying fuck!** Ver NAMES // **tit fuck** coito entre os seios; espanhola. // **to throw a fuck into (someone)** Ver FUCK (3)

fuck, the (*s.*) caralho; merda; porra (como termo enfático/expletivo depois de *what, when, where, who, how*: "*What the fuck is happening inside there?*" = "Que caralho está acontecendo lá dentro?"; "*Who the fuck is this guy?*" = "Quem diabo é esse cara?"). Ver também HELL, THE

fuckable (*adj.*) Ver SEXY

Fuck a duck! (*int.*) **1.** Cacete! Cacilda! Caralho! Caramba! Puta merda! // **2.** Foda-se! Merda! À merda! Vá à merda! Ver também NAMES

fuck-all (*s. & pr.*) nada; neres; nicas; patavina; picas; pívia; porra nenhuma; merda nenhuma. Ver também DOODLE-SHIT; FLYING FUCK; SHIT-ALL

fuck around (*v.*) **1.** Ver FUCK OFF (2 & 3) // **2.** zoar; zonear; gandaiar. Ver também MESS (3); SCREW AROUND (1 & 2)

fucked (*adj.*) **1.** fodido (2); ferrado; frito; esculachado; esculhambado; escangalhado. Ver também FUCKED UP (1); SCREWED, BLEWED, AND TATTOOED (1); SNAFU (1) // **2.** baratinado; bodeado; dopado; drogado; grogue. Ver também FUCKED UP (2)

fucked and far from home (*adj.*) Ver FUCKED BY THE FICKLE FINGER OF FATE

fucked by the fickle finger of fate (*adj.*) perseguido pelo azar; na merda; na/numa pior; fodido e mal pago; sem lenço e sem documento(s). Ver também ON (ONE'S) ASS; SAD SACK OF SHIT

fucked out (*adj.*) baqueado; esbagaçado; num bagaço; esbodegado. Ver também DRAG ASS (2)

fucked over (*adj.*) **1.** revistado (pela polícia). // **2.** espancado; surrado; violentado; seviciado. // **to be fucked over** levar um cacete; levar nas fuças; levar ferro; levar porrada.

fucked up (*adj.*) **1.** embananado; cagado; melado; fodido; ferrado; esculachado; esculhambado. Ver também FUCKED (1); HALF-ASSED (2); SNAFU (1) //

2. baratinado; encucado; dopado. Ver também FUCKED (2)

fuckee (*s.*) parceiro passivo no coito; fodido. Ver também FUCKER

fucker (*s.*) **1.** parceiro ativo no coito; fodedor. Ver também FUCKEE // **2.** Ver MOTHERFUCKER

fuck film (*s.*) filme pornô; filme de sexo explícito. Ver também HARDCORE; SKIN FLICK

fuckhead (*s.*) Ver SON OF A BITCH

fucking (*adj.*) **1.** (=damned) de merda (1); raio/diabo/diacho de; a porra de; desgraçado; desgranhento; desgranhudo; duma figa; filha da puta; fiadaputa. // **2.** (=difficult/hard) fodido (1); de foder; de lascar; de pocar o ovo. // **3.** (=despicable) de merda (2). Ver também MOTHERFUCKING (1) // (*adv.*) **4.** (=very) pra cacete; pra caralho; paca; pacas. Ver também BLANKETY-BLANK; LIKE HELL (1) // **to take the fucking cake** ser o cúmulo/ um absurdo; ser o ó da nação.

Fucking-A! (*int.*) É isso aí! Só! Falou! Ver também BET (ONE'S) ASS!; HOT SHIT (4); SURE AS SHIT!

Fuck it! (*int.*) Foda-se! Dane-se! Que se foda! Que se dane! À merda! Às favas! Pros diabos! Ver também NAMES

fuck (someone's) mind (*v.*) Ver MIND-FUCK

fuck off (*v.*) **1.** Ver JERK (2) // **2.** bundar (2); coçar o saco; gandaiar; vadiar; sentar a bunda. Ver também BUM (4); SCREW AROUND (1); SIT THERE WITH (ONE'S) FINGER/THUMB UP (ONE'S) ASS // **3.** agir como porra-louca; ser irresponsável. Ver também CLEAN UP (ONE'S) SHIT; GET (ONE'S) SHIT TOGETHER; GO APE; HAVE (ONE'S) HEAD UP (ONE'S) ASS; NUT; SCREW AROUND (2); SCREWBALL // **4.** cagar (2); melar; fazer cagada; embananar; embocetar; esculachar; esculhambar. Ver também FUCK (5); MESS (3); SCREWUP; SNAFU (3) // **5.** Ver CUT ASS // (*int.*) **6.** Sai fora! Larga o/do meu pé! Ver também NAMES

fuck-off (*s.*) Ver ASSHOLE (2) (abr. FO)

fuck (someone) over (*v.*) **1.** revistar; dar busca (diz-se da polícia); dar uma geral. // **2.** Ver ROUGH (SOMEONE) UP (1)

Fuck the Army! (*int.*) Ver FUCK IT! (abr. FTA)

fuck up (*v.*) Ver FUCK OFF (2, 3 & 4)

fuck-up (*s.*) **1.** Ver ASSHOLE (2) // **2.** Ver SCREWBALL; SCREW-UP

fucky (*adj.*) Ver FUCKING

Fuck you! (*int.*) Foda-se! Vá se foder! Vá tomar no cu! Ver também NAMES; YOUR ASS IS GRASS!

fudge (*v.i. & v.t.*) estimular manualmente o parceiro/a parceira; masturbar; bolinar; sacanear; dar uma mãozinha pra; tocar punheta ou siririca em. Ver também COP A FEEL; FEEL (2); JERK (2); JERK (SOMEONE) OFF // **Oh fudge!** Ai meu saco! Saco! (vale também como eufemismo para expressões exclamativas onde entre o termo fuck) Ver também BLANKETY-BLANK; NAMES

full of piss and vinegar (*adj.*) em forma; dando no couro; tinindo; tesudo; arreitado; arretado. Ver também IMPOTENT; PECKER (2)

full of shit / full of crap / full of bull (*adj.*) boiando; equivocado; por fora; diz-se de alguém alheio aos fatos, que não está com nada. Ver também HALF-ASSED (1)

fumtu (*adj., s., v.i. & v.t.*) (abr. de *"fucked up more than usual"*) Ver SNAFU

funch (*s.*) Ver QUICKIE

fur (*s.*) **1.** Ver CUNT (1) // **2.** Ver BEAVER (2)

furburger (*s.*) **1.** Ver CUNT (1) // **2.** Ver DISH

furniture / a nice little piece of furniture (*s.*) Ver DISH

fur pie (*s.*) **1.** Ver CUNT (1) // **2.** Ver CUNT-LAPPING

future (*s.*) Ver BALLS (1); BASKET (1 & 2)

futy (*s.*) **1.** Ver CUNT (1) // (*v.i.*) **2.** Ver FUCK (3) // **3.** Ver FUCK OFF (2)

futz (*s.*) **1.** Ver CUNT (1) // (*v.i. & v.t.*) **2.** Ver FUCK (3)

futz around (*v.*) **1.** Ver FUCK OFF (2 & 3) // **2.** Ver FUCK (3)

futzed up (*adj.*) Ver FUCKED UP

gaff (*s.*) Ver WHOREHOUSE

gal officer (*s.*) Ver LES

game hen/pullet (*s.*) Ver BITCH

gang bang (*s.*) estupro em grupo de uma pessoa; festa ou orgia onde uma mulher é fodida por vários homens; curra; barrela; geral. Ver também CLUSTER FUCK; PULL A TRAIN; RAPE (1); TRAIN (1);

gang fuck (*s.*) **1.** Ver GANG BANG // (*v.t.*) **2.** foder (em grupo) uma pessoa; currar; dar uma geral em. Ver também PULL A TRAIN; RAPE (2); TRAIN (2)

gang rape (*s.*) **1.** Ver GANG BANG // (*v.t.*) **2.** Ver GANG FUCK (2) gang shag (*s.*) Ver GANG BANG

gang shay (*s.*) Ver GANG BANG

gash (*s.*) **1.** Ver CUNT (1) // **2.** Ver DISH // **3.** Ver FUCK (1)

gay (*adj. & s.*) entendido; homossexual (homem ou mulher); relativo a ou próprio de homossexuais (sem conotação pejorativa). Ver também OUT (OF THE CLOSET); QUEER; SISSY; STRAIGHT; WATER CHESTNUT

gay-bashing (*s.*) Ver FAG BAITING

gay lib (*s.*) militância homossexual; política homossexual; movimento homossexual. Ver também BROWN FAMILY; FAG BAITING; OUTING; WOMEN'S LIB

gayness (*s.*) (**homosexualism** *s.* homossexualismo; **homosexuality** *s.* homossexualidade) bichice; veadagem; viadagem; desmunhecação; frangagem; inversão; panasquice; paneleirice; qualiragem; santa causa (sem conotação pejorativa). Ver também CAMPING; FRUITINESS (2); LESBIANISM; QUEER

gayola (*s.*) dinheiro extorquido de homossexuais, como chantagem ou suborno; comissão/caixinha paga à polícia por donos de casas noturnas, bordéis, etc. que exploram homossexualismo; pedágio.

gay power (*s.*) Ver GAY LIB

gazoo (*s.*) Ver ASS (1 & 2)

gazook (*s.*) Ver PEG BOY (1)

gee-gee (*s.*) **1.** Ver ASS (1) // **2.** Ver CUNT (1)

geek (*s.*) artista de circo que faz números grotescos ou escabrosos, tais como mastigar insetos vivos, ingerir dejetos, chafurdar na imundície etc.; escroto; pirado; tarado; degenerado; depravado. Ver também KINK (2); SCAT; SHIT QUEEN; WATERSPORTS

geld (*v.t.*) capar; castrar; desvirilizar; emascular. Ver também CAPON; EUNUCH

gelding (*s.*) **1.** capadura; castração; emasculação. // **2.** capado; capão; naifo. Ver também CAPON; EUNUCH

genderfuck (*s.*) **1.** travestismo avacalhado ou caricatural; uso de roupas e maquiagem femininas pelo homem que, ao mesmo tempo, mantém atributos masculinos como pelos, barba ou bigode; transformismo andrógino. Ver também CROSS-DRESSING // **2.** o transformista que performa o gênero andrógino. Ver também DRAG-QUEEN; KNOBBER; TRANSEXUAL

genitalia (*s.*) Ver PUDENDA

genitals (*s.pl.*) Ver PUDENDA

gentleman of the back door (*s.*) Ver QUEER

george (*v.t.*) Ver HONEYFUGGLE (1); PICK UP

get a broom in/up (one's) ass/tail (*v.*) Ver BROOM IN/UP (ONE'S) TAIL/ASS, TO GET/HAVE A

get a bug up (one's) ass (*v.*) Ver HAVE A BUG UP (ONE'S) ASS

get/have a little on the side (*v.*) Ver CHEAT

get any (*v.*) Ver FUCK (3)

get (one's) ashes hauled (*v.*) Ver FUCK (3) (uso masculino)

get (one's) ass in a sling (*v.*) estar na merda, na/numa pior, na fossa; estar dois dedos abaixo de cu de cachorro. Ver também DRAG ASS (2); ON (ONE'S) ASS

get (one's) ass in gear (*v.*) Ver GET THE LEAD OUT OF (ONE'S) ASS

get/go down on (someone) (*v.*) cair de boca em (alguém); chupar. Ver também BLOW (3); FRENCH (3); SUCK (1)

get down to the nitty-gritty (*v.*) abordar o problema; retomar o assunto; ir ao que interessa; voltar à vaca-fria; levantar o pau mole.

get in / get into (the vagina) (*v.*) Ver FUCK (3) (uso masculino)

get it off (*v.*) **1.** Ver JERK (2) // **2.** Ver COME (3) // **3.** Ver FUCK (3)

get it on (*v.*) (=to become aroused sexually) entesar-se; assanhar-se; endireitar; esquentar-se; ouriçar-se; ficar de pau duro; levantar (o pau). Ver também HARD-ON; HAVE A BONE/ROD ON; HAVE LEAD IN (ONE'S) PENCIL; TURN (SOMEONE) ON

get it up (*v.*) (=to achieve/hold an erection) entesar-se; ficar de pau duro. Ver também HARD-ON; HAVE A BONE/ROD ON; HAVE LEAD IN (ONE'S) PENCIL; STAY

get (one's) nuts cracked (*v.*) Ver FUCK (3) (uso masculino)

get (one's) nuts/rocks off (*v.*) Ver COME (3)

get over (someone) (*v.*) Ver FUCK (3)

Get screwed! (*int.*) Ver FUCK YOU!; NAMES

get (one's) shit together (*v.*) levar vida regrada; ser cuidadoso/ criterioso/meticuloso/zeloso. Ver também CLEAN UP (ONE'S) SHIT; FUCK OFF (3); SCREW AROUND (2)

get the horn (*v.*) Ver GET IT ON

get the lead out of (one's) ass/ pants (*v.*) apressar-se; aviar-se; despachar-se; afobar-se; ter bicho-carpinteiro. Ver também HAVE LEAD IN (ONE'S) ASS/PANTS; SIT THERE WITH (ONE'S) FINGER/ THUMB UP (ONE'S) ASS // (imperativamente) Pau na máquina! Ferro na boneca! Manda brasa! Ver também NAMES

get the rag on (*v.*) estar/ficar de chico; menstruar; pagar prestação; hastear a bandeira vermelha. Ver também COME AROUND; CURSE (1); FALL OFF THE ROOF

get the red ass (*v.*) emputecer-se; enfurecer-se; enraivecer-se; lixar-se. Ver também HAVE A BUG UP (ONE'S) ASS (2); KICK ASS AND TAKE NAMES; PISS UP A STORM; SHIT A BRICK; SHIT GREEN/BLUE (2)

get the shitty end of the stick (*v.*) Ver COME A CROPPER; GO TO POT

ghoul (*s.*) mulher feia; assombração; bagulho; bruxa; bucho; mocreia; xaveco. Ver também COLD BISCUIT

gig / giggy (*s.*) **1.** Ver ASS (1) // **2.** Ver CUNT (1)

gigi / gee-gee (*s.*) **1.** Ver ASS (1) // **2.** Ver CUNT (1)

gigolo (*s.*) gigolô; homem (jovem) que vive à custa de prostituta ou da amante/mulher de outro; macorongo. Ver também OLD MAN; PANDER; PIMP (1); PONCE (1)

ginch (*s.*) **1.** Ver DISH // **2.** Ver CUNT (1)

ginchy (*adj.*) Ver SEXY (diz-se da mulher)

ginger (*s.*) Ver MUD-KICKER (2)
girl (*s.*) **1.** Ver CANNED GOODS //
2. Ver QUEER // **B-girl** ratuína;
puta rampeira. // **call-girl** puta
que marca encontros por fone. //
charity girl Ver MINX // **V-girl** puta
podre; carniça; escarradeira de
hospital. // **working girl** Ver BITCH
GIs (*s.*) Ver GYPPY TUMMY
GI shits (*s.*) Ver GYPPY TUMMY
gism (*s.*) Ver COME (1)
give a flying fuck about (*v.*) li-
gar pra; importar-se com; inte-
ressar-se por (usualmente na
negativa). Ver também FLYING
FUCK; FUCK
give (someone) head (*v.*) chupar
(pau); chuchar; felar; fazer um
broche; fazer um guloso; fazer
uma chupeta. Ver também BLOW
(3); CURE THE BLIND; SUCK (1)
give it to (someone) (*v.*) Ver
FUCK (3)
give (her) some head (*v.*) Ver
FUCK (3) (uso masculino)
give (someone) the bird (*v.*) Ver
BIRD (3); FUCK (4)
give (someone) the finger (*v.*)
Ver BIRD (3); FUCK (4)
give (someone) the goose (*v.*)
Ver FUCK (4); GOOSE (2)
give (someone) the shaft (*v.*) Ver
FUCK (4)
give (someone) the time (*v.*) Ver
FUCK (3)
glans (*s.*) Ver HEAD (1)
globes (*s.pl.*) Ver TITS

glory (*s.*) Ver GLORY HOLE
glory hole (*s.*) buraco da pica
dura; buraco da picha dura; orifício em porta ou parede inter-
na de mictório público, bordel,
sauna etc. por onde se introduz
o pênis a fim de manter con-
tactos sexuais anônimos. Ver
também HOLE
goalie (*s.*) Ver BUTTON
go all the way (*v.*) Ver GO THE
LIMIT
go ape / go ape shit (*v.*) despirocar; desbundar; despentelhar;
agir como porra-louca; fazer
porra-louquice. Ver também
APE SHIT; FUCK OFF (3); SCREW
AROUND (2); SHIT (5)
go astray (*v.*) desencaminhar-se;
dar o mau passo; perder-se; cair
na gandaia; cair na vida; cair no
mundo; chorar na rampa; moçar; sentar praça; prostituir-se
(diz-se da mulher). Ver também
FALL OFF THE APPLE TREE; LEAD
ASTRAY; LOOSE (1); WHORE (2)
goat (*s.*) Ver LECHER
goat fuck/screw/rope (*s.*) Ver
SNAFU (2)
goatskin (*s.*) Ver FORESKIN
goat's milk (*s.*) Ver COME (1)
gobble (*v.i. & v.t.*) Ver SUCK (1)
gobbler (*s.*) **1.** Ver KINK (2) //
2. Ver QUEER // **3.** Ver COCK-
SUCKER (1); CLIT-LICKER
go both ways (*v.*) Ver SWING
BOTH WAYS

go down and do tricks (*v.*) Ver BLOW (3); SUCK (1)

go/get down on (someone) (*v.*) cair de boca em (alguém); chupar. Ver também BLOW (3); FRENCH (3); SUCK (1)

Go fuck/impale yourself! (*int.*) Ver FUCK YOU!; FUCK OFF!

go-go girl (*s.*) dançarina seminua (em casas noturnas). Ver também NUDIE (2); STRIPPER; TOPLESS

go grousing (*v.*) Ver WHORE (3)

go in the loose (*v.*) gandaiar; galinhar; andar na gandaia; viver na galinhagem; levar vida desregrada. Ver também BALL (3); FRUIT (3); PLAY AROUND

golden shower (*s.*) Ver WATER-SPORTS

gonif / goniff (*s.*) Ver QUEER

gonorrhea (*s.*) Ver CLAP

good shit (*s.*) moleza; mamão com açúcar; café pequeno; bembom (1); sopa; boa vida; boa sorte. Ver também PISS ON ICE

goody-goody (*s.*) **1.** Ver SISSY // **2.** cu-doce (2); fresco; fricoteiro; luxento; dengoso; manhoso; afetado; cheio de nove-horas; cheio de nós pelas costas. Ver também AIRS

go off (*v.*) Ver COME (3 & 4)

gooh (*s.*) Ver BITCH

goose (*s.*) **1.** futucação (2); dedada. Ver também BIRD (3); FINGERFUCKING (1); POSTILLION-ING // (*v.t.*) **2.** enfiar ou tentar enfiar o dedo no cu de alguém, por gozação ou provocação; futucar. Ver também FINGERFUCK; FUCK (4); REAM

goose, to give (someone) the (*v.*) Ver GOOSE (2); FUCK (4)

goose-bumps (*s.*) cagaço; medo; pavor; susto; arrepio de medo; calafrio. Ver também BALLS (2); CHICKEN (3); PUCKER

goose-bumpy (*adj.*) apavorado; medroso; com cagaço; com o cu na mão; pedindo penico. Ver também BALLSY (2); CHICKEN (3); GOOSEY; PUCKER-ASSED

goose-pimples (*s.*) Ver GOOSE-BUMPS

goosey (*adj.*) sensível na região anal; suscetível de ser futucado. Ver também GOOSE (2); GOOSE-BUMPY

Go piss up a rope! (*int.*) Ver FUCK YOU!; NAMES

Go pound salt up your ass! (*int.*) Vá tomar no cu! Vá se foder! Ver também NAMES

Go shit in your hat! (*int.*) Ver SHIT IN YOUR HAT!

Go take flying fuck at a rolling dough nut! / Go take a flying fuck at a rubber duck! (*int.*) Ver FUCK YOU!; NAMES

go the limit/route (*v.*) ir fundo; ir com tudo; ir ao que interessa; deixar de lero-lero (diz-se da mulher ou do casal em relação ao ato sexual). Ver também COCK TEASER; DRY FUCK (3)

go to a fish market (*v.*) Ver WHORE (3)

go to bed with (someone) (*v.*) Ver FUCK (3)

Go to hell! (*int.*) Ver FUCK YOU!

go to (the) pot (*v.*) foder-se; danar-se; entrar pelo cano; fornicar-se; lixar-se; trombicar-se; trumbicar-se; se foder; sifu; levar ferro; levar fumo; levar no cu; tomar no cu. Ver também COME A CROPPER

government-inspected meat (*s.*) homossexual que faz carreira ou presta serviço militar. Ver também ANGEL FOOD; SEAFOOD

grab-ass / grabarse (*s.*) chamego (2); sarro (2); amasso; malho; marmelada; casquinha; lasquinha. Ver também NECKING // **to play grab-ass** tirar um sarro; sarrear.

granny-jazzer (*s.*) Ver MOTHER-FUCKER

gravy giver (*s.*) Ver COCK

Greek (*v.i. & v.t.*) bundar (1); praticar coito anal; // (=to penetrate) besourar; comer (o) cu (de); comer jiló; empurrar a janta; enrabar; meter no reguinho; socar no rabo; sodomizar. // (=to be penetrated) dar o cu; dar o rabo; absorver o/um prejuízo; acolher; aduchar; agasalhar a rola/o croquete; amortecer a queda; anistiar o/um rebelde; apagar a/uma vela; apanhar a estrela; apascentar o bode; armar em patacho; atirar pela culatra; atirar pros queijos; atracar de popa; cair com os quartos; deixar cair o guardanapo; encarar a coisa de outro ângulo; engolir cobra/espada; entrar em vara; entubar; entubar uma brachola; esconder; estender a toalha; fazer das tripas coração; fazer gaiola; levantar o problema; levar ferro; levar fumo; levar na bunda; levar na caixa; levar na tampa; levar no cu; levar um cacete; lordear; papar na caixa; patrocinar um vate; pegar a baba; perder os documentos; queimar (a) rodinha/rosca; rastejar com mochila; sentar; sentar na boneca/cenoura; ser falso à bandeira/ao corpo; sustentar um agudo; tomar nas pregas; tomar no cu; valorizar um espadim. Ver também ASS-FUCK (2); BUGGER (4); BUNG HOLE (2); CATCH; DICK IT UP; FRENCH (3); HALF-AND-HALF; PITCH; THE IRISH WAY; THREE-WAY (abr. GR)

Greek culture (*s.*) Ver ASS-FUCK (1)

Greek fashion (*s.*) Ver ASS-FUCK (1)

Greek way (*s.*) Ver ASS-FUCK (1)

green-ass (*adj.*) novato; bisonho; inexperiente; ingênuo; fedendo a cueiro; peixe-fresco. Ver também SITTER (1)

gripe (one's) ass/balls (*v.*) chatear(-se); cacetear; pentelhar; dar no saco (de); encher/torrar o saco (de); foder a paciência (de). Ver também BREAK (ONE'S) BALLS; PAIN IN THE ASS; PISS OFF (1)

grope (*v.i. & v.t.*) Ver COP A FEEL; FEEL (2)

grope-in (*s.*) Ver GROUP-GROPE

gross (*adj.*) Ver LECHEROUS

gross out (*v.*) putear (1); cagar pela boca; descompor; destratar. Ver também CHEW (SOMEONE'S) ASS OUT; NAMES; RAZZ (2)

ground rations (*s.pl.*) Ver FUCK (1)

group-grope (*s.*) bolina ou sarro grupal; suruba leviana. Ver também SHAG; SWINGING

groupie (*s.*) puta de auditório; puta de camarim; macaca; tiete. Ver também BITCH

growl (*s.*) Ver CUNT (1)

growl biter (*s.*) Ver CLIT-LICKER

grunt (*v.i.*) Ver SHIT (3) (eufemismo adulto dirigido à criança)

gun (*s.*) Ver COCK // **to jump the gun** copular antes do casamento (diz-se de noivos/namorados); avançar o sinal.

gun moll (*s.*) Ver MOLL

gunsel / guntzel (*s.*) Ver FAUNET; PEG BOY

gutter, to have (one's) mind in the (*v.*) ser obcecado por obscenidades; ter o sexo na cabeça; só pensar naquilo.

gyppy tummy (*s.*) (**diarrhea** *s.* diarreia) caganeira; borra; desarranjo; destempero; soltura do ventre. Ver também CALL; DUMP A LOAD; SHIT (1 & 3); SHITS

hair burger (*s.*) **1.** Ver CUNT (1) // **2.** Ver CUNT-LAPPING

hair pie (*s.*) **1.** Ver BEAVER; BUSH // **2.** Ver CUNT-LAPPING // **to eat hair pie** Ver MUFF-DIVE

half-and-half (*s.*) comes e bebes; serviço completo; chupeta e foda; de frente e por trás (uso de prostitutas). Ver também BELLY TO BELLY; FRENCH; GREEK; MISSIONARY POSITION; THREE-WAY

half-assed (*adj.*) **1.** mal-informado; ignorante; inexperiente; por fora. Ver também FULL OF SHIT // **2.** feito nas coxas; feito mal e porcamente; imperfeito; incompleto; precário; mal-acabado. Ver também BUNGLING; FUCKED UP (1)

half-mast (*s.*) ereção parcial; meio pau; bandeira a meio pau; mala frapê. Ver também HARD-ON

hammer (*s.*) **1.** Ver DISH // **2.** Ver COCK

hand job (*s.*) masturbação praticada por uma pessoa em outra; mãozinha. Ver também CIRCLE JERK; JERKING OFF

hang-down (*s.*) Ver COCK

hangover (*s.*) (=fat buttocks) bundaça; bundana; bundona; bilha; porta-malas. Ver também ASS (2)

hanky-panky (*s.*) Ver CHEATING

hard (*adj.*) **1.** duro; ereto (diz-se do pênis). Ver também HARD-ON// (*s.*) **2.** pau (duro). Ver também COCK; HEAD (2); LONG-ARM INSPECTION

hard-ass (*s.*) Ver RUFFIAN (1)

hardcore (*adj. & s.*) (de) sexo explícito; (de) sacanagem pesada; pornografia/pornográ-

fico. Ver também FUCK FILM;
LECHERY; ROUGH STUFF (1);
SEXPLOITATION; X-RATED

hard-off (s.) Ver COLD BISCUIT

hard-on (s.) (**erection** s. ereção)
tesão (1); arretamento; fogo;
pau duro; pito aceso; ranço;
surto; tusa. Ver também GET IT
ON; GET IT UP; HALF-MAST;
IMPOTENCE; IRISH TOOTHACHE
(2); LEAD IN (ONE'S) PENCIL;
PRIAPISM; SATYRIASIS; STAY; TENT;
TURN-ON // **piss hard-on** ereção
matutina; tesão de mijo.

hard up (adj.) necessitado de
atividade sexual (diz-se do homem); carente de sexo; atrasado; seco; apeado; a perigo. Ver
também HOT (1)

harlot (s.) Ver BITCH

harlotry (s.) Ver LIFE

harridan (s.) Ver AUNT (1)

hat, in (one's) (adv.) Ver SHIT IN
YOUR HAT!

haul (one's) ashes (v.) Ver FUCK (3)
(uso masculino)

haul ass (v.) Ver CUT ASS

have (v.t.) Ver FUCK (3) (uso
masculino); MAKE

have a bit of fish (v.) Ver FUCK (3)

have a bone/rod on (v.) estar/fi-
car de pau duro; ter uma ereção;
endireitar; estar com o ferro em
brasa; estar de barraca armada;
estar de pau feito. Ver também
GET IT ON; GET IT UP

**have a broom in/up (one's) ass/
tail** (v.) Ver BROOM IN/UP (ONE'S)
TAIL/ASS, TO GET/HAVE A

have a bug up (one's) ass/nose (v.)
1. Estar ou sentir-se incomodado; incomodar-se (com algo
ou alguém). Ver também APE
SHIT; GO APE // **2.** Ser ou estar
irascível/suscetível/melindroso.
Ver também GET THE RED ASS;
SHIT A BRICK; SHIT GREEN/BLUE

have a shit fit (v.) Ver SHIT A
BRICK; SHIT GREEN/BLUE

have (one's) ass in a sling (v.)
estar na merda, na/numa pior,
na fossa; estar dois dedos abaixo
de cu de cachorro. Ver também
DRAG ASS (2); ON (ONE'S) ASS

have (someone's) ass a sling (v.)
pôr/deixar (alguém) na merda,
na rua/numa pior, na fossa; pôr/
deixar (alguém) dois dedos
abaixo de cu de cachorro; ferrar;
foder (2).

have (one's) banana peeled (v.)
Ver FUCK (3) (uso masculino)

**have (someone) by the balls/
tail/short hairs/curlies/knickers**
(v.) ter (alguém) sob domínio ou
controle; ter (alguém) preso pelo rabo; ter todas as armas ou
trunfos contra (alguém); dar (a
alguém) água de cu lavado. Ver
também FUCK (4); HAVE (SOME-
ONE/SOMETHING) BY THE SHORT
HAIRS

have (someone/something) by the short hairs (*v.*) ter (alguém) sob domínio ou controle; considerar que (algo) está no papo; ter (algo) como favas contadas. Ver também HAVE (SOMEONE) BY THE BALLS

have (one's) head up (one's) ass (*v.*) agir estupidamente; ser desastrado/inepto/desatento/desligado; fazer cagada; ter merda na cabeça. Ver também FUCK OFF (3 & 4)

have it off (*v.*) Ver FUCK (3) (uso masculino)

have lead in (one's) ass/pants (*v.*) ser impassível/apático/indolente/preguiçoso; não tirar a bunda do lugar. Ver também GET THE LEAD OUT OF (ONE'S) ASS/PANTS; SIT THERE WITH (ONE'S) FINGER/THUMB UP (ONE'S) ASS

have lead in (one's) pencil (*v.*) **1.** (=to have an erection) entesar-se; levantar (o pau); estar de barraca armada; estar com o ferro em brasa; estar de pau duro. Ver também GET IT ON; GET IT UP; HARD-ON; STAY // **2.** ser potente; dar no couro.

have (one's) mind in the gutter (*v.*) ser obcecado por obscenidades; ter o sexo na cabeça; só pensar naquilo.

have (one's) nuts cracked (*v.*) Ver FUCK (3) (uso masculino)

have shit for brains (*v.*) Ver HAVE (ONE'S) HEAD UP (ONE'S) ASS

have the horn (*v.*) Ver GET IT ON

have the hots for (someone) (*v.*) desejar (alguém) sexualmente; sentir tesão por (alguém); ter tesão em (alguém). Ver também HOT; HOT FOR

have the rag on (*v.*) estar de chico; estar de bode; menstruar; pagar prestação. Ver também COME AROUND; CURSE (1); FALL OFF THE ROOF

have the world by the balls (*v.*) Ver PISS ON ICE

hawk (*s.*) catarro; escarro; pigarro; frango; gosma. Ver também SNOT

hawk out (*v.*) escarrar; gosmar; expectorar; pigarrear.

head (*s.*) **1.** (glans *s.* glande) chapeleta; cabeça; cabecinha; bálano. Ver também COCK // **2.** pau (duro). Ver também HARD (2); HARD-ON // (*v.i. & v.t.*) **3.** Ver GIVE (SOMEONE) HEAD; SUCK (1)

head, to give (her) some (*v.*) Ver FUCK (3) (uso masculino)

head cheese (*s.*) Ver COCK CHEESE

head job (*s.*) Ver BLOW JOB

headlights (*s.pl.*) Ver BUBS (1)

heart (*s.*) **1.** Ver HEAD (1) // **2.** Ver HEAD (2); HARD-ON

heat (*s.*) (oestrum/oestrus/estrum/estrus *s.* estro) cio das fêmeas; alvoroço; calor. Ver também RUT // **to be in/on heat** estar no cio (diz-se da fêmea).

he-ing and she-ing (*s.*) **1.** Ver FUCK (1) // (*adj & adv.*) **2.** (=having sexual intercourse) deitando e rolando; pintando e bordando; pintando o sete/o caneco/o faneco/a saracura; botando/ pondo pra quebrar; mandando ver (diz-se do casal). Ver também IN/INTO (SOMEONE'S) DRAWERS/ PANTS; IN THE BOX

hell (*s.*) **1.** Ver DIVE; JOINT // (*int.*) **2.** Ver SHIT (4) // **as hell** Ver LIKE HELL // **Go to hell!** Ver FUCK YOU!; NAMES // **like hell** desbragadamente; doidamente; intensamente; demais da conta; uma barbaridade; pra caralho; pacas. // **Like hell!** O cacete! O caralho! Uma ova! Aqui, ó! // **To hell with you!** Vá à merda! Vá pro inferno! Vá pro diabo que o carregue.

hell, the (*s.*) diabo (como termo enfático/expletivo depois de what, when, where, who, how: **"What the hell is happening in there?"** = "Que diabo está acontecendo lá dentro?"). Ver também FUCK, THE

hell-hole (*s.*) Ver DIVE; JOINT

helter-skelter (*s.*) **1.** rebuceteio; rebosteio; pega pra capar; cu de boi; salve-se quem puder; deus nos acuda. Ver também SHIT HITS THE FAN; SNAFU (2);

UPROAR // (*adv.*) **2.** Ver PELL-MELL (2)

hemorrhoids (*s.pl.*) Ver LILIES OF THE VALLEY; PILES

hickey / hickie (*s.*) mancha ou marca de mordida/chupada na pele; chupão; periquito.

hockey / hocky / hooky / hookey (*s.*) **1.** Ver SHIT (1) // **2.** Ver come (1)

hold a bowling ball (*v.*) estimular sexualmente a mulher com o polegar e o indicador, simultaneamente, no clitóris e no ânus. Ver também FINGER-FUCK

hole (*s.*) **1.** Ver ASS (1) // **2.** Ver CUNT (1) // **3.** Ver DISH // **4.** Ver FUCK (1) // **asshole** Ver ASS (1) // **bung hole** Ver ASS (1) // **glory hole** buraco da pica dura. // **keyhole** buraco da fechadura. // **peephole** buraco indiscreto; vigia; olho mágico. // **shit-hole** Ver ASS (1) // **to brown hole / to bung hole / to corn hole** Ver GREEK

holes and poles (*s.pl.*) educação sexual; curso ou disciplina sobre sexo. Ver também BIRDS AND THE BEES

Holy cow! / Holy fuck! / Holy shit! (*int.*) Puta merda! Puta que (o) pariu! Ver também NAMES

homo (*adj. & s.*) (=homosexual of either sex) Ver GAY; LES; QUEER

homophobia (*s.*) Ver FAG BAITING
homosexual (*adj. & s.*) Ver GAY
homosexualism / homosexuality (*s.*) Ver GAYNESS
honey-fuck (*v.i. & v.t.*) foder com criança; foder com ninfeta; seduzir (menina) com ternura. Ver também COP A CHERRY
honey-fucking (*s.*) foda com criança ou entre crianças; foda ingênua, inocente, romântica (tipo Romeu & Julieta); sedução feita com ternura. Ver também FUCK (1); HONEYFUGGLING; MOLESTATION
honeyfuggle / honeyfogle (*v.i. & v.t.*) **1.** seduzir; cantar; paquerar; levar no bico; possuir; descabaçar. Ver também COP A CHERRY; PICK UP // **2.** femear; gandaiar; gavionar. Ver também PLAY AROUND (1); TOMCAT (2); WHORE (3) // **3.** Ver HONEY-FUCK
honeyfuggling (*s.*) **1.** sedução; cantada. Ver também PASS; PICKUP (1) // **2.** foda carinhosa e envolvente; foda prolongada e gratificante; picaço; surra de boceta; surra de pica. Ver também WHAM-BAM (2) // **3.** Ver HONEY-FUCKING
honey man (*s.*) Ver PONCE (1)
honeypot (*s.*) Ver CUNT (1)
hoodlum (*s.*) Ver RUFFIAN (1)
hook / hooker (*s.*) Ver BITCH
hookshop (*s.*) bordel barato. Ver também WHOREHOUSE

hooky (*s.*) **1.** Ver SHIT (1) // **2.** Ver COME (1)
hooligan (*s.*) Ver RUFFIAN (1)
hootchee / hotchee (*s.*) Ver COCK
hootchie-cootchie / hoochie-coochie / hoochy-coochy (*s.*) **1.** Ver COOCH (2); CEMENT-MIXER (1) // **2.** Ver CEMENT-MIXER (2); STRIPPER
hooters (*s.pl.*) Ver TITS
horn (*s.*) Ver HARD-ON // **to get/ have the horn** Ver GET IT ON
horny (*adj.*) **1.** Ver HOT (1) // **2.** Ver HOT (2)
horse (*v.i. & v.t.*) **1.** Ver FUCK (3) // **2.** Ver FUCK (4) // **3.** Ver CHEAT (diz-se do homem)
horse cock (*s.*) linguiça, salame, salsichão ou outro frio de formato cilíndrico.
horse's ass (*s.*) **1.** porra-louca; indivíduo insensato/inconsequente/irresponsável. Ver também SCREWBALL // **2.** indivíduo grosso/sem tato/sem desconfiômetro/sem simancol/sem vaselina/sutil como um cassetete/sutil como um elefante. Ver também ASSHOLE (2); SCREW-UP
horseshit (*s.*) **1.** Ver BULLSHIT (1) // **2.** Ver CHICKENSHIT (2) // (*int.*) **3.** Ver HOLY SHIT!; SHIT (4)
hot (*adj.*) **1.** (=excited) tesudo; entesado; armado; assanhado; atrasado; arreitado; retado; enjaneirado; fogoso; queijudo

(diz-se do homem); assanhada; fogosa; molhada; molhadinha (diz-se da mulher). Ver também HARD UP; HOT-PANTS; HUNKY // **2.** (=exciting) Ver LECHEROUS

hot-dog (*v.t.*) Ver GREEK

hot-dogging (*s.*) Ver ASS-FUCK (1)

hot for (someone/something) (*adj.*) a fim de (alguém/algo); afinzão de; baboso por; se babando todo por; louco por; doidinho por (alguém); louco pra; doidinho pra (fazer algo/foder com alguém). Ver também APE SHIT

hot-pants (*s.*) **1.** tesão (2); fogo; fogo no rabo; pito aceso; rabo aceso; saliência; secura; tusa; ouriço; arretamento; assanhamento. Ver também FRIGIDITY; HARD-ON; IMPOTENCE; SATYRIASIS; TURN-ON // **2.** Ver LECHER (diz-se do homem)

hot patootie (*s.*) mulher ou garota sensual/ardente/fogosa; fogareiro. Ver também ESKIMO PIE; WET DECK

hot rocks/nuts (*s.*) Ver HOT-PANTS (1)

hots, the (*s.*) Ver HOT-PANTS (1) // **to have the hots for (someone)** desejar (alguém) sexualmente; sentir tesão por (alguém); ter tesão em (alguém).

hot shit (*adj.*) **1.** quente; massa; porreta; arretado; retado; caralhal; da porra; do cacete; do caralho; do peru; do piru. Ver também BITCHING // **2.** gostoso; chamegoso; charmoso. Ver também SEXY // (*s.*) **3.** gostosão; pica-grossa; o tal; o bamba; o batuta; o maioral. Ver também BALLSY (2); BOILERMAKER // (*int.*) **4.** É isso aí! Demais! Que barato! Ver também FUCKING-A! // to be (real) hot shit não ser pouca porcaria; feder e fazer barulho.

hot spot (*s.*) **1.** barra-pesada (1). Ver também RED-LIGHT DISTRICT // **2.** Ver DIVE; JOINT

hot stuff (*adj.*) **1.** Ver HOT SHIT // (*s.*) **2.** Ver HOT SHIT (3) // **3.** Ver LECHER; LECHERY; Ver também ROUGH STUFF

hot-tailed (*adj.*) Ver DOSED

hot to trot (*adj.*) Ver HOT (1)

how is it hanging? / How they hanging? (*int.*) Como vai essa força? Como vai essa bizarria? (alusão aos testículos do homem a quem a saudação é dirigida)

hump (*v.i. & v.t.*) Ver FUCK (3) // **dry hump** Ver DRY FUCK

humpery (*s.*) Ver FUCK (1)

humpy (*adj.*) Ver SEXY

hung (*adj.*) ajumentado; acavalado; bate-estaca; bem-dotado; calçado; mangalhudo; membrudo; picudo; taludo; jegue; jumento. Ver também COCK; SIZE QUEEN; STRONGER THAN PIG SHIT

hung like a bull (*adj.*) Ver HUNG

hunk (*s.*) **1.** Ver DISH // **2.** Ver BOIL-ERMAKER

hunky (*adj.*) mulherengo; femeeiro; tesudo (diz-se do homem atraído/obcecado por mulher). Ver também HOT (1)

husband (*s.*) **1.** Ver PIMP (1) // **2.** homossexual ou lésbica que assume o papel masculino numa relação a dois; chofer de caminhão. Ver também LES; QUEER; WIFE

husband swapping (*s.*) Ver SWINGING (2)

hussy (*s.*) Ver MINX

hustle (*v.i.* & *v.t.*) **1.** fazer a vida; batalhar; bater calçada; dar bandeira; fazer rua; fazer trotuar; michetar; girar (a) bolsinha; rodar (a) bolsinha; trabalhar no desvio; virar-se; andar ao fanico; andar/viver no engate. Ver também BASH; CRUISE; PUT OUT; SCORE (3); STREETWALK; TRICK (4); WHORE (2) // **2.** alcovitar; cafetinar. Ver também PIMP (3); PONCE (2)

hustler (*s.*) **1.** Ver BITCH // **2.** (=male whore) michê (1); puto; caubói; cowboy; call-boy; taxiboy; rapaz de programa. Ver também FREE TRADER; JOCKER; KNOBBER; QUEER

hymen (*s.*) Ver CHERRY (2)

I'll be damned/danged/darned/jiggered/hanged/hornswoggled/a monkey's uncle/switched if...! (*int.*) Ver I'LL BE FUCKED IF...!

I'll be dipped in shit if...! (*int.*) Ver I'LL BE FUCKED IF...!

I'll be fucked if...! (*int.*) Caralhos me fodam se...! Carrascos me currem se...! Estrupícios me estuprem se...! Macacos me mordam se...! Raios me partam se...! Quero ser um mico de circo se...! (exclamações de inconformismo, indignação ou determinação) Ver também NAMES

impotence (*s.*) (=loss of sexual power) broxura; impotência; fraqueza genesíaca. // (=occasional/momentary) broxada. // (=in old men) o fim da picada. Ver também FRIGIDITY; HARD-ON; HOT-PANTS (1)

impotent (*adj.*) broxa; arriado; borocochô; borocoxô; cocoroca; frouxo; impotente. Ver também ALTER COCKER; FULL OF PISS AND VINEGAR; LIMP-DICK; PISS-PROUD // impotent man broxa; caiador; caieiro; ferro-velho; fósforo-queimado. // to be impotent broxar; dar chabu; mijar no(s) pé(s); não dar no couro. // to become impotent because of age pendurar a(s) chuteira(s); apagar o pavio; enrolar a bandeira; estar de facho apagado; estar marcando/marcar seis e meia; fechar a cancela; não dar mais no couro.

in, to get (*v.*) Ver FUCK (3) (uso masculino)

in Adam's pajamas (*adj.*) Ver BAREASS

in a delicate/interesting condition (*adj.*) Ver KNOCKED UP

in-and-out (*s.*) Ver FUCK (1)

In a pig's ass/ear/eye! (*int.*) Ver MY ASS!

indecent exposure (*s.*) exibicionismo. Ver também DANGLE QUEEN; STREAKING; VOYEURISM

in/into (someone's) drawers/pants (*adj. & adv.*) numa boa com (alguém); no bem-bom com (alguém); na maciota com (alguém); deitando e rolando com (alguém); transando com (alguém). Ver também HE-ING AND SHE-ING (2); IN THE BOX

infatuate (*v.t.*) enrabichar; embeiçar; fisgar. Ver também TURN (SOMEONE) ON

infatuation (*s.*) Ver CRUSH

infidelity (*s.*) Ver CHEATING

in (one's) hat (*adv.*) Ver SHIT IN YOUR HAT!

inosculation (*s.*) Ver COCK-SUCKING (2)

in-sisters (*s.pl.*) dois amigos íntimos que mantêm relacionamento supostamente homossexual; amiguinhos. Ver também SISTER ACT

interfemoral (*adj.*) intercrural (diz-se do coito praticado entre as coxas).

interfemoral intercourse (*s.*) Ver BELLY-FUCKING; BUTTOCKRY

in the altogether (*adj.*) Ver BAREASS

in the box (*adj.*) (=having sexual intercourse) na maciota; no macio; no bem-bom; numa boa (uso masculino). Ver também BOX; FUCK (1); HE-ING AND SHE-ING (2); IN/INTO (SOMEONE'S) DRAWERS/PANTS

in the closet (*adj.*) Ver CLOSETY // **to be in the closet** enrustir; falsificar os documentos.

intimacy (*s.*) intimidade; liberdades; chamego; transa. Ver também ON THE MAKE

intrauterine device (*s.*) Ver LOOP; PUSSY BUTTERFLY (abr. IUD)

inversion (*s.*) Ver GAYNESS

invert (*s.*) Ver QUEER

Irish confetti (*s.*) Ver COME (1)

Irish mutton (*s.*) Ver SIFF (2)

Irish root (*s.*) Ver COCK

Irish shave (*s.*) Ver SQUAT (1)

Irish toothache (*s.*) **1.** Ver PREGNANCY // **2.** priapismo; ereção persistente. Ver também HARD-ON; SATYRIASIS

Irish way, the (*s.*) coito anal heterossexual (supostamente praticado para evitar a gravidez). Ver também ASS-FUCK (1); GREEK

Irish whist (*s.*) Ver FUCK (1)

irrumation (*s.*) Ver THRUSTING

it (*pr. & s.*) aquilo (como eufemismo para fuck em expressões tipo *to do it*, *to make it*, ou para *cock*, *cunt*, etc.).

itch (*s.*) Ver CHARGE; TURN-ON
it off, to get (*v.*) **1.** Ver JERK (2) //
2. Ver COME (3) // **3.** Ver FUCK (3)
it on, to get (*v.*) (=to become sexually aroused) entesar-se; assanhar-se; ouriçar-se; levantar (o pau). Ver também HARD-ON; HAVE A BONE/ROD ON; HAVE LEAD IN (ONE'S) PENCIL; TURN (SOMEONE) ON

it to (someone), to give (*v.*) Ver FUCK (3)
it up, to get (*v.*) (=to achieve/hold an erection) entesar-se. Ver também ARD-ON; HAVE A BONE/ROD ON; HAVE LEAD IN (ONE'S) PENCIL; STAY
it with (someone), to make (*v.*) Ver FUCK (3)

jackass (*s.*) Ver ASSHOLE (2)

jacket (*s.*) Ver RUBBER

jacking off (*s.*) Ver JERKING OFF

jack off (*v.*) **1.** Ver JERK (2) // **2.** Ver COME (3)

jack-off (*s.*) Ver ASSHOLE (2)

jack (someone) off (*v.*) Ver JERK (SOMEONE) OFF

jade (*s.*) Ver MINX

jag house (*s.*) bordel masculino; puteiro de bichas; casa de prostituição homossexual. Ver também CRISCO DISCO; FRUIT STAND; WHOREHOUSE

jail bait (*s.*) ninfeta; garota menor de idade. Ver também NYMPHET

jam (*adj. & s.*) **1.** heterossexual; careta; bofe; macho (uso entendido). Ver também STRAIGHT // **2.** Ver CUNT (1) // (*v.t.*) **3.** Ver FUCK (3)

janey (*s.*) Ver CUNT (1)

janfu (*adj., s., v.i. & v.t.*) (abr. de "*Joint Army-Navy fuck up*") Ver SNAFU

jang (*s.*) Ver COCK

jaw artist (*s.*) Ver COCKSUCKER (1)

jazz (*s.*) **1.** Ver CUNT (1) // **2.** Ver DISH // **3.** Ver FUCK (1) // (*v.i. & v.t.*) **4.** Ver FUCK (3)

jazz it (*v.*) Ver FUCK (3)

jealousy (*s.*) ciúme; dor de cotovelo; dor de corno; cabeça inchada; mal dos chifres; roedeira. Ver também CHEATING

jelly (*s.*) Ver CUNT (1)

jelly-roll (*s.*) **1.** Ver FUCK (1) // **2.** Ver CUNT (1) // **3.** Ver DISH // **4.** Ver WHOREMONGER

jerk (*s.*) **1.** punheteiro; masturbador; onanista; da gloriosa; mão-cabeluda; quiromaníaco;

sacana. // (*v.i.*) **2.** bater punheta; tocar punheta; tocar bronha; punhetar-se; masturbar-se; onanizar-se; apontar o lápis; debulhar a espiga/o milho; descabelar o palhaço; descascar a banana/mandioca; descascar o palmito; empanar o croquete; empinar a pipa; estrangular o sabiá; fazer uma sebastiana; matar zezinho; pecar na mão; pelar o ganso/sabiá; socar pilão; tocar a gloriosa; tocar o furriel; tocar trombone de vara. Ver também FINGERFUCK; FUDGE

jerking off (*s.*) (**masturbation** *s.* masturbação) punheta; bronha; automasturbação; cinco contra um; giribide; gloriosa; onanismo; parrusca; pívia; quiromania; rua da palma, número-cinco; sarâmbia; sebastiana; segóvia; sigoga; vício solitário. Ver também CIRCLE JERK; FEEL (1); HAND JOB; POCKET POOL; WET DREAM (abr. JO)

jerking the gherkin (*s.*) Ver JERKING OFF

jerk off (*v.*) **1.** Ver JERK (2) // **2.** Ver FUCK OFF (2 & 4)

jerk-off (*s.*) **1.** Ver JERK (1) // **2.** Ver ASSHOLE (2); HORSE'S ASS; SCREWBALL

jerk (someone) off (*v.*) masturbar (alguém); punhetar (alguém); bater/tocar punheta em/pra (alguém); dar uma mãozinha pra (alguém). Ver também FINGERFUCK; FUDGE

jerry (*s.*) Ver POT

jewels, the family (*s.pl.*) Ver BALLS (1); Ver também DIAMONDS; FUTURE; PUDENDA

Jezebel (*s.*) Ver BITCH

jiggling bone (*s.*) Ver COCK

jig-jig (*s.*) Ver FUCK (1)

jing-jang (*s.*) **1.** Ver COCK // **2.** Ver CUNT (1) // **3.** Ver FUCK (1)

jism (*s.*) Ver COME (1)

jive (*s.*) Ver FUCK (1)

jive-ass (*s.*) Ver BULLSHIT (1)

jizz / jizzum (*s.*) Ver COME (1)

job (*s.*) **1.** Ver SQUAT (1) // (*v.t.*) **2.** Ver FUCK (4) // **blow job** chupeta; minete; coito oral; orogenitalismo. // **finger job** Ver FINGERFUCKING (2) // **frail job** Ver DISH; MINX; FUCK (1) // **French job** Ver BLOW JOB // **hand job** masturbação praticada por uma pessoa em outra; mãozinha. // **head job** Ver BLOW JOB // **knob job** Ver COCKSUCKING (2) // **mouth job** Ver BLOW JOB // **rim job** Ver RIMMING // **sex job** Ver MINX; WET DECK; Ver também BALL; FUCK (1) // **shack job** caso; amiga; amigação. // **snow job** Ver PASS // **torch job** Ver ENEMA

jock (*s.*) Ver COCK

jock / jockstrap (*s.*) sunga; suporte atlético. Ver também SKIVVY

jockam / jockum (*s.*) Ver COCK

jocker (*s.*) homossexual desocupado ou vagabundo que vive da mendicância do companheiro; catacu; gigolô de mendigo; sodomita parasita. Ver também HUSTLER (2); PONCE (1); QUEER

joe (*s.*) Ver SHITTER

Joe Shit the Ragman (*s.*) soldado; soldado raso; reco; milico; penico; pinico.

john (*s.*) **1.** Ver SHITTER // **2.** Ver TRICK (1) // **3.** Ver CHAMPAGNE TRICK; OLD MAN

Johnny Trots (*s.*) Ver GYPPY TUMMY

Johnson (*s.*) Ver COCK

Johnson bar (*s.*) Ver DILDO

joint (*s.*) **1.** antro; baiuca; espelunca; inferninho. Ver também DIVE; WHOREHOUSE // **2.** Ver COCK // **call-joint** Ver CALL-HOUSE // **chippie-joint** Ver WHOREHOUSE // **nautch-joint** Ver WHOREHOUSE // **rib-joint** Ver WHOREHOUSE

jones (*s.*) Ver COCK

joy house (*s.*) Ver WHOREHOUSE

joy knob (*s.*) Ver COCK

joystick (*s.*) Ver COCK

jugs (*s.pl.*) Ver TITS

juke (*s.*) Ver WHOREHOUSE

juke house (*s.*) Ver WHOREHOUSE

jump (*v.t.*) Ver FUCK (3)

jumping-off place (*s.*) cu do mundo; cu de judas; cu do conde; beleléu; cafundó; casa do chapéu; puta que (o) pariu; quinto(s) dos infernos.

jump the gun (*v.*) copular antes do casamento (diz-se de noivos/namorados); adiantar o serviço; almoçar a janta; avançar o sinal; comer o lanche antes do recreio; pisar no sacramento. Ver também FUCK (3)

jump through (one's) ass (*v.*) agir com presteza diante duma dificuldade; ser rápido e rasteiro; virar-se. Ver também BUST (ONE'S) ASS

Kate (s.) Ver BITCH

kazoo (s.) Ver ASS (1 & 2)

keester / keister / keyster / kiester / kister (s.) Ver ASS (2)

kelsey (s.) Ver BITCH

kept man (s.) Ver GIGOLO; PONCE (1)

kept woman (s.) teúda; teúda e manteúda; filial; casa militar; a outra. Ver também MISTRESS; MOLL; OLD LADY (3); OLD MAN

keyhole (s.) buraco da fechadura. Ver também HOLE; PEEP; PEEPHOLE

kick-ass (adj.) **1.** rude; grosseiro; grosso; violento; abrutalhado; bruto. Ver também STOMP-ASS // **2.** do caralho; do cacete; muito bom; excepcional; excelente. Ver também HOT SHIT.

kick (someone's) ass (v.) **1.** Ver CHEW (SOMEONE'S) ASS OUT // **2.** Ver FUCK (4)

kick ass and take names (v.) impor-se; mostrar autoridade; perder a tolerância; engrossar; bater com o pau na mesa; pôr o pau na mesa. Ver também GET THE RED ASS; SHIT GREEN/BLUE (2)

kick in the ass (s.) recusa; decepção; dispensada; taboca; revertério; pé na bunda; chute no rabo. Ver também BAD SHIT (2)

kick the bucket (v.) morrer; apagar o pavio; bater/dar com o rabo na cerca; dar o peido mestre; ir pra puta que (o) pariu; secar o mucumbu. (No inglês, como no português, a sinonímia para *to die* é vasta porém não necessariamente chula.)

kick the shit out of (someone) (*v.*) Ver BEAT THE SHIT OUT OF (SOMEONE)

kink (*s.*) **1.** (**perversion** *s.* perversão) tara; aberração; desvio sexual. Ver também LECHERY; SADIE-MAISIE (1); VANILLA SEX // **2.** tarado; depravado; pervertido; transviado. Ver também GEEK; LECHER; MOLESTER; SADIE-MAISIE (2); SHIT-EATER; SHIT QUEEN; TURK

kinky (*adj.*) tarado; aberrante; pervertido. Ver também LECHEROUS; MESS (1)

kiss-ass (*adj.*) **1.** lambeta; lambeteiro; puxa-saquista. // (*s.*) **2.** puxa-saquismo; adulação; bajulação. Ver também ASS-KISSING // **3.** Ver ASS-KISSER (2)

kiss (someone's) ass (*v.*) Ver LICK (SOMEONE'S) ASS

kissing fish (*s.*) Ver LES

Kiss my ass! (*int.*) Ver FUCK YOU!; NAMES

knit (*v.i.*) Ver JERK (2) (uso homossexual masculino)

knitting (*s.*) Ver JERKING OFF (uso homossexual masculino)

knob (*s.*) Ver COCK

knobber (*s.*) travesti prostituto; travesti de viração. Ver também DRAG-QUEEN; GENDERFUCK (2); HUSTLER (2)

knob job (*s.*) Ver COCKSUCKING (2)

knobs (*s.pl.*) Ver BUBS; TITS

knocked up (*adj.*) prenhe; grávida; embaraçada; embarrigada; de barriga; embuchada; magoada de amor; magoadinha; ocupada; pejada; pronta. // **to be knocked up** ganhar/apanhar/pegar barriga; embarrigar; embuchar; engravidar.

knockers (*s.pl.*) Ver BUBS

knock off (*v.*) **1.** Ver FUCK (3) // **2.** Ver SCORE (3); TRICK (4)

knock up (*v.*) emprenhar; encher; engravidar; embarrigar; embuchar; tornar grávida ou prenhe. Ver também DELIVER; PREGNANCY

kosher (*adj.*) Ver CUT

labor / labour (*s.*) trabalho de parto; dores do parto; puxo. Ver também ABORTION; DELIVER; MISCARRIAGE // **to be in labor** sentir as dores do parto.

lacy (*adj.*) amaricado; abichado; bichoso. Ver também MINTIE (1); SISSY

lady-killer (*s.*) Ver WOLF (1)

laid, relaid, and parlayed (*adj.*) Ver SCREWED, BLEWED, AND TATTOOED

lapland (*s.*) Ver CUNT (1)

lapping (*s.*) Ver CUNT-LAPPING

lascivious (*adj.*) Ver LECHEROUS

lasciviousness (*s.*) Ver LECHERY

lat (*s.*) Ver SHITTER

latrine (*s.*) Ver SHITTER

lay (*s.*) **1.** Ver FUCK (1) // **2.** Ver FUCK (2) // **3.** Ver DISH // (*v.t.*) **4.** Ver FUCK (3)

lay a fart (*v.*) Ver FART (2)

lead astray (*v.*) desencaminhar; prostituir; transviar. Ver também COP A CHERRY; GO ASTRAY; TURN (SOMEONE) OUT

lead in (one's) pencil, to have (*v.*) **1.** (=to have an erection) entesar-se; levantar (o pau). Ver também GET IT ON; GET IT UP; HARD-ON; STAY // **2.** ser potente; dar no couro.

lead out of (one's) ass/pants, to get the (*v.*) apressar-se; aviar-se; despachar-se; afobar-se; ter bicho-carpinteiro. Ver também SIT THERE WITH (ONE'S) FINGER/THUMB UP (ONE'S) ASS // (imperativamente) Pau na máquina! Ferro na boneca! Manda brasa! Ver também NAMES

leak (*s.*) **1.** mijada; mijadela; micção. Ver também PISS (1) // (*v.i. & v.t.*) **2.** Ver PISS (2) // **to take a leak** dar uma mijada.

leather (*adj. & s.*) sadomasoquista; fetichista do couro; coureiro; relativo ao sadomasoquismo ou ao fetichismo do couro. Ver também BONDAGE & DISCIPLINE; ROUGH TRADE; RUBBER QUEEN; SADIE-MAISIE (2)

leather & levis (*s.*) estilo de vestuário masculino que combina o uso de jaquetas de couro com calças jeans, inspirado na "juventude transviada" dos anos 50 e adotado por michês e sadomasoquistas (abr. LL)

leather stretcher (*s.*) Ver COCK

lecher (*s.*) sacana (1); brejeiro; devasso; frascário; libertino; maganão; putanheiro; safado; transviado. Ver também ALTER COCKER; BEAVER-SHOOTER; CHERRY PICKER; JERK (1); KINK (2); MOLESTER; SWINGER; VOYEUR

lecherous (*adj.*) sacana (4); brejeiro; concupiscente; cupidinoso; cúpido; debochado; depravado; desbragado; despudorado; devasso; escrachado; frascário; impudico; indecoroso; lascivo; libertino; libidinoso; licencioso; lúbrico; luxurioso; magano; obsceno; pornográfico; transviado; voluptuoso. Ver também KINKY; LOOSE; OFF-COLOR; X-RATED

lechery / lecherousness (*s.*) (**concupiscence** *s.* concupiscência; **depravity** *s.* depravação; **lasciviousness** *s.* lascívia; **libertinism** *s.* libertinagem; **libidinousness** *s.* libidinagem; **licentiousness** *s.* licenciosidade; **lubricity** *s.* lubricidade; **pornography** *s.* pornografia) sacanagem (1); brejeirice; deboche; devassidão; escracho; gandaia; impudicícia; luxúria; maganagem; maganice; marafa; obscenidade; pacholice; pimenta; putaria; rapioca; rebaixolice; safadagem; safadeza; safadismo; soltura; volúpia; voluptuosidade; aquilo. Ver também CHEEK; FUCK (1); HARDCORE; KINK (1); LOOSE MORALS; NAMES; PRUDERY; SADIE-MAISIE (1); SOFTCORE; X-RATED

left-handed (*adj.*) Ver GAY

les (*s.*) (**lesbian** *s.* lésbica) bate-pratos; fanchona; fancha; fissureira; fressureira; fufa; greludona; maria sapatão; mona; moquetona; pacona; paraíba; pitomba; sapata; sapatão; sapatona. // (=one who plays the male role) chofer de caminhão; fanchona; machoa; machona; madrinha; marida; marimacho; sapatão; virago. // (=one who plays the female role) gal; lady; mina; sandalinha; sapatilha. // (=one who engages in tribadism) pratilheira; roçadeira; roçona; saboeira; tríbade. Ver também

BABY-BUTCH; BUTCH; CLOSET DYKE; DADDLER; DYKE; HUSBAND (2); TIT KING; WEAR BOXER SHORTS; WIFE

lesbian (*adj. & s.*) Ver LES

lesbianism (*s.*) fanchonice; fanchonismo; fressura; lesbianismo; safismo; sapataria; sapateado. Ver também GAYNESS; RUBBING

lesbine (*s.*) Ver LES

lesbo (*s.*) Ver LES

let a fart (*v.*) Ver FART (2)

let fly (*v.*) mijar; dar uma mijada. Ver também LEAK; PISS (2)

let the hair down (*v.*) Ver COME OUT

leucorrhea (*s.*) flores-brancas; leucorreia.

lewd (*adj.*) Ver LECHEROUS

lewdness (*s.*) Ver LECHERY

lez / lezzie (*s.*) Ver LES

libertine (*s.*) **1.** Ver LECHER // (*adj.*) **2.** Ver LECHEROUS

libertinism (*s.*) Ver LECHERY

libidinous (*adj.*) Ver LECHEROUS

libidinousness (*s.*) Ver LECHERY

licentious (*adj.*) Ver LECHEROUS

licentiousness (*s.*) Ver LECHERY

lick (someone's) ass (*v.*) adular/ bajular (alguém); puxar o saco de (alguém); arrastar o cu na areia (pra alguém). Ver também BROWN-NOSE (2); SUCK (2); TAKE SHIT

life, the (*s.*) (**prostitution** *s.* prostituição) vida; a doce vida; batalha; engate; fado; marafa; meretrício; mundo; má vida; vida airada; vida alegre; vida fácil; viração. Ver também BITCH; BOTTLE; ON THE STREET; PANDERAGE; TRICK // **change of life** menopausa.

lightfooted (*adj.*) Ver GAY

like a brick craphouse/shithouse, built (*adj.*) Ver STACKED

like hell (*adv.*) **1.** desbragadamente; doidamente; intensamente; demais da conta; uma barbaridade; pra caralho; pacas. Ver também FUCKING (4) // (*int.*) **2.** O cacete! O caralho! Uma ova! Uma pinoia! Aqui, ó! Ver também AS SHIT; NAMES; WORTH A DAMN

like pigs in shit (*adv.*) numa boa; com a vida que pediu/pediram a Deus; no bem-bom; na maciota. Ver também PISS ON ICE

Like shit! (*int.*) Ver LIKE HELL (2)

like shit through a tin horn (*adv.*) sem esforço; com a maior facilidade; com uma perna às costas; mais mole/moleza que piroca de cocoroca. Ver também BALL-BREAKER

lilies of the valley (*s.pl.*) hemorroidas (uso homossexual). Ver também PILES

lily (*adj.*) **1.** Ver LACY // (*s.*) **2.** Ver QUEER; SISSY

limp-dick (*s.*) broxa; arriado; borocochô; borocoxô; caiador;

caieiro; cocoroca; ferro-velho; fósforo-queimado; frouxo; pneu-murcho. Ver também EFFETE; FANCY PANTS; IMPOTENT

limp wrist (*adj. & s.*) desmunhecado; bicha-louca; pintosa. Ver também MINTIE (1); QUEER; SISSY

limp-wristed (*adj.*) Ver LACY

little brother (*s.*) Ver COCK

lizzie / lizzy (*s.*) Ver QUEER

load (*s.*) **1.** merda, na expressão TO DUMP A LOAD // **2.** porra, na expressão TO DROP (ONE'S) LOAD; Ver também UNLOAD

lobcock (*s.*) Ver COCK

lollipop (*s.*) Ver COCK

lollipop stop (*s.*) local de trotuar ou caçação homossexual, geralmente à beira de rodovia ou avenida; bichódromo. Ver também CRUISING; MEAT RACK

lone dove/duck (*s.*) Ver BITCH

long-arm inspection (*s.*) exame médico do pênis ereto (uso militar). Ver também HARD; SHORT-ARM INSPECTION

loo (*s.*) Ver SHITTER

look like ten pounds of shit in a five-pound bag (*v.*) estar malvestido/molambento/esmolambado/andrajoso/maltrapilho/enxovalhado; enxovalhar-se. Ver também WITH BALLS ON

loop (*s.*) diu; dispositivo intrauterino. Ver também PUSSY BUTTERFLY

loose (*adj.*) **1.** perdida; descabaçada; moça; passada. Ver também ASTRAY; MINX // **2.** Ver LECHEROUS; Ver também FRUIT (1)

loose morals (*s.pl.*) maus costumes; costumes dissolutos; imoralidade. Ver também LECHERY

louse (*s.*) Ver SON OF A BITCH

lousy (*adj.*) Ver FILTHY (2)

love (*s.*) Ver CRUSH; FUCK (1) // **the love that dare not speak its name** Ver ASS-FUCK (1); GAYNESS; LESBIANISM // **to make love** Ver FUCK (3)

love affair (*s.*) Ver AFFAIR

love juice (*s.*) Ver COME (1)

lovelace (*s.*) Ver LECHER

lovemaking (*s.*) Ver FUCK (1)

love-muscle (*s.*) Ver COCK

lubricious (*adj.*) Ver LECHEROUS

lubricity (*s.*) Ver LECHERY

lucky pierre (*s.*) homem ativo/passivo que fica entre dois outros numa relação a três; coluna do meio; gilete; ensanduichado. Ver também CLUSTER FUCK; QUEER; SWITCH-HITTER; THREESOME

lues (*s.*) Ver SIFF (2)

luke (*s.*) líquido vaginal; suor vaginal; fluido lubrificante; molho. Ver também COME (1); CURSE; PRE-CUM

lung-hammock (*S.*) Ver BRA

lungs (*s.pl.*) Ver TITS

lust (*s.*) Ver LECHERY

lustful (*adj.*) Ver LECHEROUS

mack / mac (*s.*) Ver PIMP (1)
mackerel (*s.*) **1.** Ver PIMP (1) // **2.** Ver MADAM
mackman (*s.*) Ver PIMP (1)
madam (*s.*) cafetina; caftina; abadessa; abelha mestra; alcoveta; alcoviteira; lena; madama; mãezinha; mordoma; proxeneta. Ver também PIMP (1)
maiden (*adj. & s.*) Ver CANNED GOODS; CHERRY (1)
main queen (*s.*) bichona; homossexual notório ou manjado. Ver também QUEEN; QUEER
make (*s.*) **1.** comida (diz-se da mulher). Ver também DISH; MINX // (*v.t.*) **2.** comer; possuir (mulher): cantar; faturar; ganhar; papar; seduzir; traçar. Ver também COP A CHERRY; FUCK (3); HONEYFUGGLE (1); MAKE A PASS AT (SOMEONE); MAKE TIME WITH (SOMEONE); PICK UP // (*v.i.*) **3.** Ver SHIT (3) // **on the make** oferecida (diz-se da mulher); assanhado; gaiteiro; confiado (diz-se do homem). // **to be on the make** dar confiança; dar bola; dar liberdades; facilitar aproximação ou contato sexual (diz-se da mulher).
make a pass at (someone) (*v.*) dar/passar uma cantada em (alguém); dar em cima de (alguém); engatar; engraçar-se com/pro lado de (alguém); tomar liberdades com (alguém). Ver também HONEYFUGGLE (1); MAKE (2); MAKE TIME WITH; MOLEST; PICK UP
make a pit stop (*v.*) Ver PISS (2); TAKE A LEAK

make it with (someone) (*v.*) Ver FUCK (3)

make love (*v.*) Ver FUCK (3)

make out (*v.*) **1.** Ver NECK // **2.** Ver FUCK (3); MAKE (2)

make-out artist (*s.*) Ver WHORE-MONGER (1)

make time with (someone) (*v.*) ter êxito na conquista; sair-se bem na cantada; comer; derrubar; engatar; executar; faturar; ganhar; papar; traçar; levar (alguém) pra cama. Ver também MAKE (2); MAKE A PASS AT; MOLEST; PICK UP

mama (*s.*) **1.** Ver DISH // **2.** Ver LES

mammyjammer / **mammyrammer** / **mammy-hopper** (*s.*) Ver MOTHERFUCKER

man chaser (*s.*) Ver MINX; WOLFESS

man cheese (*s.*) Ver COCK CHEESE

man-root (*s.*) Ver COCK

manual labor / **manual labour** (*s.*) Ver JERKING OFF

man with a paper ass (*s.*) pessoa medíocre; sujeito que não cheira nem fede. Ver também ASSHOLE (2); CHICKENSHIT (2)

maracas (*s.pl.*) Ver TITS

marbles (*s.pl.*) Ver BALLS (1)

mare (*s.*) Ver BITCH

marge (*s.*) Ver LES

Mary (*s.*) **1.** Ver QUEER // **2.** (=female homosexual) Ver LES

mash (*s.*) Ver SHACK-JOB (3)

masher (*s.*) bolinador; bolineiro; bolina (2); ceboleiro;

mão-boba (3). Ver também DRY FUCKER

massage parlor / **massage parlour** (*s.*) casa de massagem; bordel estabelecido sob a fachada de fisioterapia do tipo "relax for men". Ver também CALL-HOUSE; RAP CLUB; WHOREHOUSE

masturbate (*v.t.*) **1.** Ver FEEL (2); FINGERFUCK; FUDGE // (*v.i.*) **2.** Ver JERK (2)

masturbation (*s.*) Ver JERKING OFF

meat (*s.*) **1.** Ver FUCK (1) // **2.** Ver DISH; MAKE (1) // **3.** Ver CUNT (1) // **4.** Ver COCK // **blind meat** pênis não circuncidado; chaleira. // **dark meat** negro sensual. // **government-inspected meat** homossexual que serve nas forças armadas. // **pig-meat** Ver AUNT (1); SITTER (1) // **to beat the meat** Ver JERK (2) // **white meat** Ver DISH (diz-se de branca).

meat rack (*s.*) local de pegação/caçação (uso homossexual); ponto; passarela. Ver também CRUISING; LOLLIPOP STOP

melon (*s.*) Ver TITS

menarche (*s.*) Ver CURSE (=first)

menopause (*s.*) Ver CHANGE OF LIFE

menses (*s.pl.*) Ver CURSE (1)

menstruate (*v.i.*) ficar de chico; estar de chico; menstruar. Ver também FALL OFF THE ROOF; GET/HAVE THE RAG ON

menstruation (*s.*) Ver CURSE (1)

mess (*adj.*) **1.** anormal; degenerado; tarado. Ver também KINKY // (*s.*) **2.** zona (2); bagunça; mixórdia; chiqueiro. Ver também SNAFU (2) // (*v.t.*) **3.** zonear; bagunçar; emporcalhar. Ver também FUCK AROUND (2); FUCK OFF (4)

mess (around) with (*v.*) Ver FUCK (3)

messy (*adj.*) zoneado; bagunçado; emporcalhado. Ver também ASS BACKWARDS; SNAFU (1)

middle leg (*s.*) Ver COCK

milk (*v.t.*) Ver JERK (2)

milking machine (*s.*) vibrador; masturbador vibratório; punheta automática. Ver também DILDO

milksop (*s.*) Ver SISSY

mind-fuck (*v.t.*) violentar (3); ganhar (alguém) no grito; convencer na marra; coagir; impor; manipular; fazer a cabeça de; usar (alguém).

mind fucker (*s.*) **1.** manipulador; aproveitador; abusado. // **2.** bananosa; coisa preta; dor de cabeça; motivo de preocupação. Ver também BAD SHIT (2)

mink (*s.*) **1.** Ver BEAVER (2) // **2.** Ver DISH // **3.** Ver LECHER

mintie (*adj.*) **1.** desmunhecado; bandeiroso; pintoso; ostensivamente efeminado (diz-se do homem); masculinizada; ma-

chuda; virago (diz-se da mulher). Ver também BUTCH; LACY; LIMP WRIST; SISSY // (*s.*) **2.** Ver DYKE; GAY; LES; QUEER

minx (*s.*) (=coquettish/promiscuous woman) galinha; cadela; égua; vaca; alça de caixão; bucharote; cachorra; janeleira; oferecida; programeira; rabalegre; saída; saliente; sapeca; sirigaita; vassoura. Ver também B-GIRL; BITCH; COME ACROSS; FRUIT (1); LOOSE (1); MAKE (1); ON THE MAKE; WET DECK; WOLFESS

miscarriage (*s.*) aborto acidental; parto prematuro. Ver também ABORTION; LABOR

miscarry (*v.i.*) sofrer aborto; perder a barriga; dar à luz prematuramente. Ver também ABORT; DELIVER

misogynist (*s.*) Ver WOMAN-HATER

missionary position (*s.*) papai mamãe; coito heterossexual convencional (homem por cima da mulher). Ver também BELLY TO BELLY; FUCK (1); HALF-AND-HALF; SHOT DOWNSTAIRS; THREE-WAY; VANILLA SEX

missionary work (*s.*) cantada ou paquera de um homossexual dirigida a um heterossexual; fazeção de cabeça; aliciamento; catequese. Ver também PASS; PICKUP (1)

mistress (s.) (**concubine** s. concubina) amigada; amiga; amante; amásia; a outra; barregã; bicicleta; caseira; chantra; china; companheira; contrabando; costela; encosto; espingarda; faneca; fêmea; filial; franjosca; garina; manceba; murixaba; muruxaba; pêssega; puxavante; rapariga. Ver também KEPT WOMAN; MOLL; PARAMOUR

mo-fo (s.) Ver MOTHERFUCKER

mola (s.) Ver QUEER

molest (v.t.) tomar liberdades com; dar em cima de; engraçar-se com/pro lado de; abusar (sexualmente) de; violentar. Ver também MAKE A PASS AT (SOMEONE); MAKE TIME WITH (SOMEONE); PICK UP

molestation (s.) **1.** pedofilia; corrupção de menores. Ver também HONEY-FUCKING // **2.** liberdades; confiança; assédio/violência sexual; violação. Ver também PASS; RAPE (1)

molester (s.) indivíduo que toma liberdades com/dá em cima de (alguém) contra a vontade da pessoa; indivíduo confiado/gaiteiro; oferecido; bicão. Ver também CHEEKY; KINK (2); LECHER // **child molester** corruptor de menores; pedófilo.

moll (s.) companheira de bandido; mulher de malandro; barbiana; jurema. Ver também BITCH; KEPT WOMAN; MISTRESS //

faggot's moll Ver FAG HAG

molly (s.) Ver QUEER

mollycoddle (s.) Ver SISSY

molly dyke (s.) Ver WIFE; LES

molly house (s.) Ver JAG HOUSE

mommy-hopper (s.) Ver MOTHERFUCKER

monkey (s.) Ver CUNT (1)

monthlies (s.pl.) Ver CURSE (1)

moose (s.) Ver BITCH

mother (s.) **1.** Ver SISSY // **2.** Ver QUEER // **3.** líder ou porta-voz de um grupo gay. // **4.** Ver MOTHERFUCKER

motherfucker (s.) pessoa nojenta/desprezível; escroto; safardana; filho/filha da puta; badamerda; bardamerda; berdamerda. Ver também SON OF A BITCH (abr. MF)

motherfucking (adj.) **1.** escroto; nojento; asqueroso. Ver também FUCKING (3) // **2.** Ver FUCKING (1)

mothergrabber (s.) Ver MOTHERFUCKER

mothergrabbing (adj.) Ver MOTHERFUCKING

mothering (adj.) Ver MOTHERFUCKING

mother-jumper (s.) Ver MOTHERFUCKER

mother-lover (s.) Ver MOTHERFUCKER

motorscooter (s.) Ver MOTHERFUCKER

mount (*v.t.*) Ver FUCK (3) (uso masculino)

mouth job (*s.*) Ver BLOW JOB

muckmouth (*s.*) Ver FOUL-MOUTH

muckracker (*s.*) pornógrafo; escritor ou jornalista especializado em assuntos imorais. Ver também ROUGH STUFF (1)

muck up (*v.*) Ver FUCK UP

mucus (*s.*) Ver HAWK; SNOT

mud-kicker (*s.*) **1.** Ver BITCH // suadeira; puta mancomunada com ladrão ou chantagista. Ver também BADGER

muff (*s.*) **1.** Ver CUNT (1) // **2.** Ver BEAVER (2)

muff-dive (*v.t.*) fazer minete (em); praticar cunilíngua (em); atrombar; cair de queixos; chupar manga-rosa; fazer mimi (em); fuçar; trombar. Ver também BLOW (3)

muff diver (*s.*) Ver CLIT-LICKER

muffer (*s.*) Ver CLIT-LICKER

muffet (*s.*) Ver CUNT (1)

muffins (*s.pl.*) Ver BUBBIES

mug / mugg (*s.*) **1.** face; cara; fuça; fuças. Ver também SHIT-EATING GRIN // **2.** otário; trouxa. Ver também SUCKER (3) // (*v.t.*) **3.** Ver

ROUGH (SOMEONE) UP // **4.** dar um arrocho em (alguém) (1); assaltar/roubar com violência.

mugging (*s.*) arrocho (2); assalto com violência. Ver também ROUGH STUFF (2)

muh-fuh (*s.*) Ver MOTHERFUCKER

musical beds (*s.pl.*) Ver RABBIT HABIT

mutton (*s.*) Ver BITCH // **coming (one's) mutton** Ver JERKING OFF // **Irish mutton** Ver SIFF (2) // **to be fond of (one's) mutton** ter o sexo na cabeça; ser putanheiro (diz-se do homem). // **to hawk (one's) mutton** Ver HUSTLE (1); STREET-WALK (diz-se da mulher). // **to return/go back to (one's) muttons** voltar à vaca-fria; levantar o pau mole.

mutton-monger (*s.*) Ver WHORE-MONGER

My ass! (*int.*) O cacete! O caraças! O caralho! Uma ova! Uma pinóia! Uma porra! Ver também NAMES; DON'T GIVE ME THAT SHIT!

My ass is grass! (*int.*) Tô/Tou ferrado/fodido! Ver também TOUGH SHIT!

nail (*v.t.*) Ver FUCK (3)

naked (*adj.*) Ver BAREASS

name-calling (*s.*) puteação; bocagem; palavrão; xingação; xingamento. Ver também ASSBITE; NAMES; PISSING CONTEST (2)

names (*s.pl.*) (coprolalia *s.* coprolalia) puteação; palavrão; nome feio; baixo calão; baixaria; bocagem; chularia; chulice; destempero; esculacho; esculhambação; pachouchada; palavra-cabeluda; palavrada; porcaria. Ver também BLANKETY-BLANK; CUSS WORD; FOULMOUTH; LECHERY; RAP; ROUGH STUFF (1); SASS (1); SCURRILITY (2); TABOO WORD // to call (someone) names putear (1); cascar; destratar; esculachar; esculhambar; dizer/falar cobras e lagartos pra (alguém); dar uma chupada/um esporro em (alguém); mandar (alguém) à merda/às favas etc. (ver abaixo). // to kick ass and take names impor-se; mostrar autoridade; pôr o pau na mesa // Exclamações de admiração/surpresa: Fuck a duck! Hell's bells! Holy cats! Holy cow! Holy fuck! Holy shit! Hot damn! Hot shit! Well I never! Well now! Cacete! Cacilda! Caralho! Caramba! Pombas! Porra! Puta merda! Puta que (o) pariu! Putisgrila! Putz! Puxa! Puxa vida! // Exclamações de aborrecimento/irritação: Aw nuts! Balls! Dash it all! Deuce take it! Devil! Dickens! Doggone! Fuck! Fuck a duck! Hell! Hell's bells! Horse shit! Nerts! Nertz! Nuts! Oh fudge! Shit! The deuce/devil/ dickens! What the deuce/devil/ dickens/hell! What the fuck! Ai meu saco! Bolas! Cacete! Cacilda! Caralho! Chiça! Com a breca! Com os diabos! Diabo(s)! Diacho! Droga! Merda! Ora bolas! Pô Pombas! Porra! Puta merda! Puta que (o) pariu! Putz! Que diabo! Raio(s)! Saco! // Exclamações de contestação/ repúdio: Big shit! Blow it out (your asshole)! Cram it! Fuck a duck! Horse shit! In a/the pig's ass! In a/the pig's eye! In your hat! Kiss my ass! Like hell! Like shit! My ass! Ram it! Shit in your hat! Shove/Stick it! Shove/Stick it up your ass/rinctum! Up thine with turpentine! Up your ass! Up your ass with sandpaper! Up yours! You know what you can do with it! Aqui, ó! Bela merda! Bela porcaria! Enfia no cu! Grande coisa! Grande merda! Meta/Mete na bunda! Nem fodendo! No seu/teu cu! O cacete! O caralho! Uma ova! Uma pincha! Uma porra! // Exclamações de renúncia / indiferença: Dammit! Doggonit! Fuck a duck! Fuck it! Fuck the Army! I don't give a flying fuck about...! Screw it! Tough shit! À merda! Às favas! Dane-

se! Estou cagando (e andando) pra...! Foda-se! Pros diabos! Que se dane! Que se foda! // Exclamações de inconformismo / indignação / determinação: I'll be damned / danged / darned / jiggered / hanged / hornswoggled / switched / a monkey's uncle if...! I'll be dipped in shit if...! I'll be fucked if...! Caralhos me fodam se...! Carrascos me currem se...! Estrupícios me estuprem se...! Macacos me mordam se...! Raios me partam se...! Quero ser um mico de circo se...! // Epítetos xingatórios: You baker! You bastard! You bitch! You motherfucker! You son of a bitch! Your old lady's one! Seu bastardo! Seu puto! Sua puta! Seu viado do caralho! Seu/Sua fedepê! Seu/ Sua filho/filha da mãe! Seu/Sua filho/filha da puta! Seu filho duma égua! É a mãe! // Expressões de raiva/desprezo/repúdio a (alguém): Catch/Get the hell! Damn you! Fork you! Fubis! Fuck a duck! Fuck off! Fuck you! Get screwed! Go and bait yourself! Go and eat cake! Go chase yourself! Go fly a kite! Go fuck/impale yourself! Go jump in the lake! Go piss up a rope! Go pound salt up your ass! Go take a flying fuck at a rolling doughnut! Go take a flying fuck at a rubber duck! Go to blazes/hell! Go to the deuce/devil/dickens! Kiss my ass! Nuts to you! Screw you! Shit in your hat! The devil with you! To hell with you! Up your ass/brown! Up your ass with sandpaper! Up yours! Dane-se! Desinfeta! Foda-se! Pau no seu/teu cu! Sai fora! Vá à merda! Vá amolar o boi/bugiar/catar cavaco/enxugar gelo/lamber sabão/pastar/pentear macacos/plantar batata/plantar fava/pro diabo que o carregue/pro inferno/pros quintos dos infernos/se catar/se danar/tomar banho/ver se eu estou na esquina! Vai dar/encher o cu de rola/pra ponte que partiu/pra puta que te pariu/te catar/te foder/tomar no cu! Vá pra pata que o pôs/pra puta que o pariu/se foder/tomar no seu cu/tomar suco de caju! // Expressões de incitamento/comando: **Get the lead out of your ass/pants! Shit or get off the pot!** Bota pra foder! Ferro na boneca! Larga brasa! Manda brasa! Ou caga ou desocupa a moita! Ou dá ou desce! Ou fode ou sai de cima! Pau na máquina! Pé na tábua! Senta a pua! Vai fundo!

nance (*s.*) **1.** Ver SISSY // **2.** Ver QUEER

Nancy (*s.*) **1.** Ver SISSY // **2.** Ver QUEER

napkin ring (*s.*) Ver COCKRING

nastiness (*s.*) Ver LECHERY

nasty (*adj.*) Ver LECHEROUS

nature's call (*s.*) Ver CALL // **to respond to nature's call** Ver PAY A CALL

nature's scythe (*s.*) Ver COCK

nautch (*s.*) Ver CUNT (1)

nautch-joint (*s.*) Ver WHOREHOUSE

neck (*v.i. & v.t.*) sarrar; sarrear; amassar(-se); malhar (diz-se do casal). Ver também COP A FEEL; DRY FUCK (3); PLAY GRAB-ASS

necking (*s.*) sarro; malho; marmelada; agarramento; amasso; chamego; troca de carícias. Ver também DRY FUCK (1); FOREPLAY; GRAB-ASS; PETTING

nelly (*s.*) Ver QUEER

Nerts! / Nertz! (*int.*) Ver NUTS (2)

nether garments (*s.pl.*) Ver SKIVVY

netherlands (*s.pl.*) Ver PUDENDA

nice Nellie (*s.*) pudibundo; puritano; santarrão. Ver também OLD MAID; PRIG (1); PRUDE

nipple (*s.*) Ver TIT

nitty-gritty (*s.*) **1.** Ver ASS (1) // **2.** assunto básico; o que interessa; a vaca-fria; o pau mole. // **to get down to the nitty-gritty** tornar/voltar à vaca-fria; levantar o pau mole.

no better than she should be/ought to be (*adj.*) (=promiscuous) Ver MINX; ON THE MAKE

Nobody loves a wise-ass! (*int.*) Cuidado pra não morder a língua (que você morre envenenado)! (réplica a quem acaba de fazer comentário viperino ou mordaz)

nola (*s.*) Ver QUEER

nookey / nookie / nooky (*s.*) **1.** Ver CUNT (1) // **2.** Ver DISH // **3.** Ver FUCK (1)

No shit! (*int.*) Sem brincadeira! Sem sacanagem! No duro! Palavra de honra! **2.** Não diga! Não brinque! (ironicamente, em resposta a algo óbvio)// **No shit?** Sério? No duro? Tem certeza? Sem sacanagem?

No skin off (one's) ass! (*int.*) E daí? E eu com isso? Pimenta no cu dos outros não arde. Pimenta nos olhos dos outros é refresco.

notchery (*s.*) Ver WHOREHOUSE

notch-house (*s.*) Ver WHORE-HOUSE

not get (one's) balls in an uproar (*v.*) manter a calma; acalmar-se; ficar frio; sossegar o pito. Ver também BREAK/GRIPE (ONE'S) BALLS

not give a fuck (*v.*) desdenhar; menosprezar; ser indiferente (a); não dar/ligar a mínima (pra); estar cagando (e andando); estar se lixando (pra); cagar (e andar). Ver também FUCK; FLYING FUCK: PISS ON (SOMEONE/SOMETHING)

not give a fuck for nothing/anything (*v.*) não estar nem aí; querer que o mundo se foda; cagar pro mundo; estar mandando tudo à merda; não dar bola pra torcida; não fazer caso de conveniências ou riscos; não medir as consequências. Ver também FUCK; FLYING FUCK

not give a rat's ass/shit/damn/darn (*v.*) Ver NOT GIVE A FUCK

not have a pot to piss in (*v.*) estar na miséria/penúria; estar na merda; estar roendo beira de penico; estar sem um puto; não ter nem merda pra cagar. Ver também ON (ONE'S) ASS; PISS ON ICE

not know (one's) ass from (one's) elbow (*v.*) ser completamente ignorante; estar totalmente por fora; estar boiando. Ver também FULL OF SHIT; HALF-ASSED

not worth a shit (*adj.*) sem valor; barato; ordinário; fuleiro; bunda. Ver também CHEAPSHIT; CHICKENSHIT (3)

nudie (*s.*) **1.** filme ou revista de sacanagem. Ver também SKIN FLICK; SKIN MAG // **2.** dançarina de strip-tease. Ver também CEMENT-MIXER (2); GO-GO GIRL; STRIPPER; TOPLESS // **3.** show erótico; strip-tease. Ver também CIRCUS; PEEP-SHOW (2)

number (*s.*) Ver TRICK (1); ONE-NIGHT STAND (2)

number one (*s.* & *v.*) Ver PISS (1 & 2) (eufemismo infantil para comunicar necessidade de ir ao banheiro)

number two (*s.* & *v.*) Ver SHIT (1 & 3) (eufemismo infantil para comunicar necessidade de ir ao banheiro)

numb-nuts (*s.*) Ver SON OF A BITCH

nunnery (*s.*) Ver WHOREHOUSE

nut (*s.*) porra-louca; indivíduo insensato/inconsequente/irresponsável/despirocado. Ver também FREAK (1); FUCK OFF (3); SCREWBALL

nuts (*s.pl.*) **1.** Ver BALLS (1) // (*int.*) **2.** Bolas! Diabos! Raios! Essa não! Ver também NAMES // (*adj.*) **3.** Ver NUTTY // **cracking nuts** Ver JERKING OFF // **to bust (one's) nuts** fazer das tripas coração; dar tudo de si; suar os topetes; botar pra foder. // **to get (one's) nuts off** Ver COME (3) //

to have (one's) nuts cracked Ver FUCK (3) (uso masculino)

nuttiness (*s.*) insanidade; insensatez; piração; porra-louquice. Ver também FREAK-OUT

nutty (*adj.*) despirocado; despentelhado; porra-louca; abilolado; aloprado; baratinado; biruta; gira; lelé; pirado; amalucado; maluco. Ver também APE SHIT; DICK-BRAINED

nymphet (*s.*) menina púbere e sensual; ninfeta; debutante. Ver também CANNED GOODS; CHERRY (1); FAUNET; JAIL BAIT; SITTER; SQUARE BROAD

nympho (*s.*) Ver WET DECK

nymphokick (*s.*) tesão (2); fogo; pito aceso; rabo aceso. Ver também CHARGE; HOT-PANTS (1)

nymphomania (*s.*) furor uterino; ninfomania. Ver também HOT

nymphomaniac (*s.*) Ver WET DECK

O, the big (*s.*) Ver COME (2)

obscene (*adj.*) Ver LECHEROUS

oestrum / oestrus (*s.*) Ver HEAT

off (*v.t.*) Ver FUCK (3)

off-color / off-colour (*adj.*) apimentado; malicioso; picante; sugestivamente sexual; indiretamente obsceno. Ver também LECHEROUS; SOFTCORE

ogle (*s.*) **1.** olhar cobiçoso; olho comprido; grelação. Ver também BEAVER-SHOOTER; PEEP SHOW (1); VOYEUR; VOYEURISM // (*v.i. & v.t.*) **2.** comer com os olhos; deitar olho comprido; grelar.

Oh fudge! (*int.*) Ai meu saco! Saco! (vale também como eufemismo para expressões exclamativas onde entra o termo *fuck*). Ver também BLANKETY-BLANK; NAMES

old cocker/gaffer (*s.*) Ver ALTER COCKER

old faceful (*s.*) Ver BONE

old fart (*s.*) Ver SON OF A BITCH (1)

old goat (*s.*) Ver ALTER COCKER; LECHER

old lady (*s.*) **1.** mãe; genitora; lençol de baixo. // **2.** esposa; cara-metade. // **3.** amante/prostituta que sustenta gigolô; espécie; marmita. Ver também BITCH; KEPT WOMAN; OLD MAN; PONCE (1) // **Your old lady's one!** É a mãe! É o cu da mãe! É a vó! (réplica a um insulto).

old maid (*s.*) **1.** donzelona; solteirona. // **2.** pudibunda; puritano. Ver também NICE NELLIE; PRIG (1); PRUDE

old-maidish (*adj.*) pudico; puritano; pudibundo. Ver também TIGHT-ASSED

old man (*s.*) coronel; homem que sustenta amante ou que gasta com mulheres; andré; marchante; marchador. Ver também CHAMPAGNE TRICK; GIGOLO; KEPT WOMAN; OLD LADY (3); PARAMOUR; PONCE (1)

old slimy (*s.*) Ver COCK

onanism (*s.*) Ver JERKING OFF

on (one's) ass (*adj. & adv.*) na merda; na pior; numa pior; roendo beira de penico; duro; liso; quebrado; teso; sem um puto; mais duro que pau de tarado. Ver também DRAG ASS (2); FUCKED BY THE FICKLE FINGER OF FATE; GET (ONE'S) ASS IN A SLING; NOT HAVE A POT TO PISS IN; SCREWED, BLEWED, AND TATTOOED; SHIT OUT OF LUCK; SORRY-ASS

one-eyed cyclops (*s.*) Ver HEAD (1)

one-night stand (*s.*) **1.** programa; aventura; transa sem compromisso. Ver também AFFAIR; SHACK-JOB (3); TRICK (3) // **2.** parceiro avulso; cobertor de orelha. Ver também FUCK (2); SOTHER

on the make (*adj. & adv.*) oferecida (diz-se da mulher); assanhado; enjaneirado; gaiteiro; confiado (diz-se do homem). Ver também ALTER COCKER; CHEEKY; FRUIT (1); MAKE // **to be**

on the make dar confiança; dar bola; dar liberdades; facilitar aproximação ou contato sexual (diz-se da mulher). Ver também COME ACROSS; SPREAD FOR (SOMEONE); SWING

on the rag (*adj.*) Ver UNWELL

on the street (*adv.*) na vida; na prostituição; na viração. Ver também DOWN THE LINE; LIFE; RED-LIGHT DISTRICT

on the turf (*adv.*) Ver ON THE STREET

orogenitalism (*s.*) Ver BLOW JOB; COCKSUCKING (2); CUNT-LAPPING; FRENCH (1)

orgasm (*s.*) Ver COME (2)

out (of the closet) (*adj.*) assumido (diz-se do homossexual). Ver também CLOSET QUEEN; CLOSETY; GAY

outing (*s.*) dedura gem (de gays enrustidos); entregação (ao conhecimento público da homossexualidade enrustida de personalidades, como forma de pressão contra a opressão aos gays). Ver também FAG BAITING; GAY LIB

out on (one's) ass (*adj.*) descartado; rejeitado; encostado; posto de lado; jogado pra escanteio; jogado pras traças. Ver também SHITCAN OUTRAGE (*s.*) **1.** Ver RAPE (1) // (*v.t.*) **2.** Ver RAPE (2)

overripe fruit (*s.*) Ver AUNT (3)

Oxford style (*s.*) Ver BELLY-FUCKING

pad (*s.*) garçonnière de prostituta; puteiro particular; alcova; buraco.Ver também WHOREHOUSE

paddling the pickle (*s.*) Ver JERKING OFF

pain in the ass (*s.*) **1.** chato (2); fode-mansinho; pentelho; pé no saco; pela-saco; porre. Ver também ASSKICKER; DRIP; DUMBASS // **2.** chatice; pentelhação; caceteação; pinoia; porre; saco; cu. Ver também GRIPE (ONE'S) ASS

painted woman (*s.*) Ver BITCH

pair (*s.*) Ver BUBS

paleface (*s.*) (=white homosexual) Ver QUEER

pander (*s.*) **1.** Ver PIMP (1) // (*v.i. & v.t.*) **2.** Ver PIMP (3)

panderage (*s.*) cafetinagem; lenocínio; proxenetismo; alcoviteirice; alcovitice. Ver também LIFE; PIMP (1); RUFFIANISM; STABLE; TRICK

pandering (*s.*) Ver PANDERAGE

pandery (*s.*) Ver PANDERAGE

pansified (*adj.*) Ver LACY; SISSY

pansy (*adj.*) **1.** Ver LACY // (*s.*) **2.** Ver QUEER; SISSY

panther piss (*s.*) aguardente barata; suor de alambique; arrebenta-peito; mata-bicho; quebra-goela. Ver também PIG SWEAT

pantywaist (*s.*) Ver SISSY

paramour (*s.*) amásio; amante; barregão; barregueiro; companheiro; frasco; par de botas; pé de pano. Ver também MISTRESS; OLD MAN

Pardon my French! (*int.*) Com perdão da palavra! Com licença da má palavra! (exclamação de alguém que se desculpa por ter empregado palavrões) Ver também FRENCH (2)

parlor house / parlour house (*s.*) Ver WHOREHOUSE

partner swapping (*s.*) Ver SWINGING (2)

partridge (*s.*) Ver BITCH

party (*s.*) foda homérica; vadiação; vadiagem; gandaia; rapioca. Ver também BALL; FUCK (1); HONEYFUGGLING (2); SEX JOB (2) // **drag party** festa de travestis; festa gay com traje fantasia. // **stag party** festa só para homens, tipo despedida de solteiro.

party girl (*s.*) Ver BITCH

pass (*s.*) proposta indecorosa; cantada; paquera; assédio sexual. Ver também HONEYFUGGLING (1); MISSIONARY WORK; MOLESTATION; PICKUP (1) // **to make a pass at** dar/passar uma cantada em; dar em cima de; tomar liberdades com.

pasty / pastie (*s.*) tapa-mamilo; rodela de tecido usada sobre o bico do seio por dançarinas. Ver também BRA; UPLIFT

patoot / patootie (*s.*) Ver ASS (2) // **hot patootie** mulher ou garota sensual/ardente/fogosa; fogareiro.

pay a call (*v.*) fazer necessidade; ir ao banheiro; ir falar com (o) Miguel. Ver também NUMBER ONE; NUMBER TWO; TAKE A LEAK; TAKE A SQUAT

p'd off (*adj.*) Ver PISSED OFF

peacemaker (*s.*) Ver COCK

peach (*s.*) **1.** Ver DISH // **2.** Ver MINX

pecker (*s.*) **1.** Ver COCK // **2.** garoto ou rapaz espevitado/assanhado/entesado. Ver também FULL OF PISS AND VINEGAR

peckerhead (*s.*) Ver SON OF A BITCH

peddle (one's) ass (*v.*) Ver HUSTLE (1)

pederast (*s.*) Ver CATAMITE; SODOMITE

pederasty (*s.*) Ver ASS-FUCK (1); BUGGERY (1)

pedophilia (*s.*) Ver MOLESTATION

pee (*s.*) **1.** Ver PISS (1) // (*v.i.*) **2.** Ver PISS (2)

peed off (*adj.*) Ver PISSED OFF

peek freak (*s.*) Ver VOYEUR

peenie (*s.*) Ver COCK // **to pound (one's) peenie** Ver JERK (2)

peep (*s.*) buraco indiscreto; orifício para espreitar a intimidade ou a atividade sexual alheia; vigia. Ver também HOLE; KEYHOLE; PEEPHOLE

peephole (*s.*) olho mágico; vigia. Ver também HOLE; KEYHOLE; PEEP

peeping Tom (*s.*) Ver VOYEUR

peep show (*s.*) **1.** flagrante de nudez ou coito presenciado às escondidas; encenação erótica para espectadores voyeuristas; exibicionismo privado. Ver também FREE SHOW; OGLE (1); VOYEURISM // **2.** espetáculo erótico; strip-tease. Ver também CIRCUS; NUDIE (3)

peewee (*s.*) **1.** caga-baixinho; meia-foda; catatau; nanico; bostinha; merdinha; tampinha; titica de gente. // **2.** Ver WEE-WEE

peg boy (*s.*) **1.** garoto ou rapaz pederasta, que serve de objeto sexual a um sodomita; catamita; lulu; perobinho. Ver também FAUNET // **2.** homossexual que exerce o papel passivo ou feminino. Ver também QUEER

peg house (*s.*) Ver JAG HOUSE

pelican (*s.*) Ver BITCH

pell-mell (*adj. & s.*) **1.** Ver SNAFU (1 & 2) // (*adv.*) **2.** nas coxas; a trouxe-mouxe; mal e porcamente. Ver também ASS BACK-WARDS; WHAM-BAM (1)

pencil (*s.*) Ver COCK // **to have lead in (one's) pencil** Ver GET IT ON/UP

penilingus (*s.*) Ver COCK-SUCKING (2)

penis (*s.*) Ver COCK

penis butter (*s.*) Ver PRE-CUM

perform (*v.i. & v.t.*) Ver BLOW (3)

perineum (*s.*) períneo; perineu. Ver também CROTCH (1)

period (*s.*) Ver CURSE (1)

perversion (*s.*) Ver KINK (1)

pervert (*s.*) Ver KINK (2)

pet (*v.i. & v.t.*) Ver NECK

peter (*s.*) Ver COCK

peter-eater (*s.*) Ver COCKSUCKER (1)

petticoat (*s.*) **1.** Ver SLIP // **2.** VER DISH

petting (*s.*) sarro; malho; amasso; intimidades; chamego. Ver também DRY FUCK (1); FORE-PLAY; NECKING

phallus (*s.*) Ver COCK

pheasant (*s.*) Ver BITCH

philander (*v.i.*) Ver DALLY; FLIRT; FRUIT (3)

philanderer (*s.*) Ver WHORE-MONGER (1)

philandering (*s.*) Ver DALLIANCE; FLIRTATION; FRUITINESS (1)

phimosis (*s.*) bico de chaleira; bico de candeeiro; bico de lamparina. Ver também CUT; UNCUT; FORESKIN

piccolo (*s.*) pênis, como objeto de sexo oral; picolé; picolé quente. Ver também COCK

piccolo player (*s.*) Ver COCK-SUCKER (1); FELLATRICE

pick up (*v.*) cantar; convidar para um programa; passar uma cantada em. Ver também HON-EYFUGGLE (1); MAKE (2); MAKE A PASS AT; MAKE TIME WITH; MO-LEST

pick-up / pickup (*s.*) **1.** cantada; convite para um programa;

proposta indecorosa; assédio sexual. Ver também HONEY-FUGGLING (1); MISSIONARY WORK; MOLESTATION; PASS // **2.** Ver BITCH; MINX

pick up the soap (*v.*) Ver CATCH

piddle (*v.i. & v.t.*) Ver PISS (2)

pie (*s.*) Ver CUNT (1)

piece (*s.*) **1.** Ver CUNT (1) // **2.** Ver DISH // **3.** Ver FUCK (1)

piece of ass (*s.*) **1.** Ver DISH // **2.** Ver FUCK (1)

piece of shit (*s.*) Ver SHIT (2); BULLSHIT (1)

piece of tail (*s.*) **1.** Ver DISH // **2.** Ver FUCK (1)

piece of trade (*s.*) Ver BITCH; DISH

pig (*s.*) Ver MINX

pig-fucker (*s.*) Ver SON OF A BITCH

pig-meat (*s.*) **1.** Ver SITTER (1); SQUARE BROAD // **2.** Ver AUNT (1)

pig sweat (*s.*) cerveja ou bebida alcoólica de baixa qualidade. Ver também PANTHER PISS

pikestaff (*s.*) Ver COCK

pile-driver (*s.*) Ver COCK

pile of shit (*s.*) Ver SHIT (2); BULLSHIT (1)

piles (*s.pl.*) (**hemorrhoids** *s.* hemorroidas) caseira (5); rosca ruim; patrícias. Ver também LILIES OF THE VALLEY

pilgrim's staff (*s.*) Ver COCK

pimp (*s.*) **1.** cafetão; cáften; alcoveto; alcoviteiro; azeiteiro; cafifa; cafiola; cafiolo; chulo; corretor; fanchão; leno; paquete; pau de cabeleira; piranheiro; proxeneta. Ver também COCK BAWD; GIGOLO; MADAM; PANDERAGE; PONCE (1) // **2.** Ver HUSTLER (2) // (*v.i.*) **3.** cafetinar; alcovitar; explorar o lenocínio. Ver também HUSTLE (2); PONCE (2)

pimpmobile (*s.*) Ver CUNT-MOBILE

pin-up (*s.*) foto ou gravura de mulher sensual. Ver também BEAVER SHOT; CHEESECAKE (2); TITS-AND-ASS

pin-up girl (*s.*) garota propaganda; vedete atraente. Ver também CEMENT-MIXER (2); DISH; SWEATER GIRL; VITAL STATISTICS

piss (*s.*) **1.** (**urine** *s.* urina) mijo; xixi; pipi. Ver também LEAK (1) // (*v.i. & v.t.*) **2.** mijar; fazer xixi; fazer pipi; urinar; tirar água do joelho; mudar a água às azeitonas. Ver também LET FLY; TAKE A LEAK; WATERSPORTS // (*adj.*) **3.** super; pra lá de (elemento prefixado aos adjetivos cujo sentido se quer intensificar: *piss-awkward; piss-elegant; piss-ugly*) // **full of piss and vinegar** em forma; dando no couro; tinindo; tesudo. // **Go piss up a rope!** Ver FUCK YOU!; NAMES // **not to have a pot to piss in** estar na miséria/penúria; estar na merda; estar roendo beira de penico; estar sem um puto. // **panther piss** aguardente barata. // **to take a piss** dar uma mijada. // **to tickle the piss out of (someone)** deixar (alguém) alegre/contente; agradar; satisfazer; fazer (alguém) babar de gosto.

piss and wind (*s.*) farol; fita; ostentação; exibicionismo; fedor.

piss (something) away (*v.*) esbanjar; desperdiçar; malbaratar; jogar pela janela; torrar; jogar na privada.

piss-bowl (*s.*) mijadouro; bacia ou vaso em que se urina. Ver também POT

piss by the pot (*v.*) Ver CHEAT

piss call (*s.*) toque de alvorada (uso militar). Ver também DROP YOUR COCKS AND GRAB YOUR SOCKS!

piss down (someone's) back (*v.*) puxar o saco de (alguém). Ver também BROWN-NOSE (2); SUCK (2)

pissed off (*adj.*) emputecido; puto; puto da vida; p. da vida; pê da vida; pau da vida; p. dentro da roupa; fulo de raiva; furibundo; tiririca. Ver também WET HEN (2) (abr. PO)

pisser (*s.*) **1.** Ver BALL-BREAKER // **2.** diabrete; serelepe; pirralho; fedelho.

piss hard-on (*s.*) ereção matutina; tesão de mijo.

pisshead (*s.*) Ver SON OF A BITCH

piss-house (*s.*) mictório; sumidouro; mijadouro; banheiro público. Ver também SHITTER

pissing contest/match (*s.*) **1.** campeonato de mijo a distância (brincadeira de moleques). // **2.** bate-boca; altercação; atrito; destempero; desavença; discórdia; controvérsia; cu de mãe joana. Ver também ASSBITE; NAME-CALLING; UPROAR

piss in the wind (*v.*) perder tempo/esforço; perder o latim; malhar em ferro frio.

piss money against the wall (*v.*) Ver PISS AWAY

piss off (*v.*) **1.** emputecer; enfurecer; irritar; aborrecer. Ver também BREAK (ONE'S) BALLS; GRIPE (ONE'S) ASS; SHIT GREEN (2); TICKLE THE PISS OUT OF (SOMEONE) // **2.** Ver CUT ASS

piss-off (*s.*) raiva; indignação; irritação; emputecimento.

piss on (someone/something) (*v.*) desrespeitar; desfeitear; desonrar (alguém); arrastar (alguém) pela rua da amargura; dizer cobras e lagartos de (alguém); enxovalhar; fazer pouco caso de; menosprezar; ignorar; não estar nem aí pra; estar cagando pra. Ver também FUCK (4); FLYING FUCK; NOT GIVE A FUCK; RAZZ (2); SCUTTLEBUTT; SHIT ON (SOMEONE/SOMETHING)

piss on ice (*v.*) estar no bembom; estar por cima da carneseca; estar bem de vida; cagar na bandeja/baixela de prata. Ver também GOOD SHIT; LIKE PIGS IN SHIT; NOT HAVE A POT TO PISS IN

piss pins and needles (*v.*) estar com gonorreia; ter esquentamento; estar engonocado. Ver também CLAP; CLAPPED-UP

piss-pot (*s.*) Ver POT

piss-proud (*adj.*) diz-se do homem que perde a ereção no momento do ato; broxa. Ver também IMPOTENT

piss-slit (*s.*) Ver COCK CRACK

piss-stain (*s.*) mancha ou salpico de mijo; mijadela. Ver também CRUD (1)

piss through the same quill (*v.*) ser muito íntimo; ser unha e carne (com); cagar no mesmo penico (diz-se de duas pessoas).

piss up a rope (*v.*) Ver GO PISS UP A ROPE!

piss up a storm (*v.*) denunciar/protestar com alarde; soltar os cachorros; pôr a boca no mundo; botar a boca no trombone. Ver também GET THE RED ASS; SHIT A BRICK; SHIT GREEN

pissy (*adj.*) **1.** mijado; molhado; manchado ou sujo de mijo. Ver também BED-WETTER // **2.** esnobe; presunçoso; vaidoso; cagaloso; convencido; fedorento;

cheio de frescura; cheio de merda. Ver também TIGHT-ASS

pissy-ass (*adj.*) Ver PISSY (2)

pistol (*s.*) Ver COCK

pitch (*v.t.*) penetrar (no coito anal); comer (o cu de); meter (no cu de); enrabar; comer jiló; empurrar a janta; meter no reguinho; socar no rabo. Ver também ASS-FUCK (2); BUGGER (4); CATCH; GREEK

pitcher (*s.*) o enrabador; parceiro ativo no coito anal; peão. Ver também CATCHER; SODOMITE

pix (*s.*) Ver QUEER

plague (*s.*) Ver CURSE (1)

plank (*v.t.*) Ver FUCK (3)

play around (*v.*) **1.** galinhar; gandaiar; rosetar; saçaricar; vadiar; zenir; femear (diz-se do homem); sirigaitar (diz-se da mulher). Ver também COME ACROSS; FRUIT (3); GO IN THE LOOSE; HONEYFUGGLE (2); PLAY THE WANTON; PULL A TRAIN; SLEEP AROUND; SWING; WHORE (3) // **2.** pular a cerca (diz-se do homem); cornear; costurar pra fora (diz-se da mulher). Ver também CHEAT; CUCKOLD (2)

play bugle boy (*v.*) Ver BLOW (3); GIVE (SOMEONE) HEAD

play checkers (*v.*) caçar em cinema, aproveitando a penumbra para procurar assento ao lado de possíveis parceiros sexuais; fazer pegação (uso homossexual). Ver também CRUISE; TEA TRADE

play grab-ass (*v.*) tirar um sarro; sarrar; sarrear. Ver também COP A FEEL; NECK

playing solitaire (*s.*) Ver JERKING OFF

play leap frog (*v.*) Ver GREEK

playmate (*s.*) Ver BITCH

play stinky-pinky/stink-finger (*v.*) Ver FINGERFUCK

play the (dirty) dozens (*v.*) duelar verbalmente; trocar insultos pesados; xingar a mãe reciprocamente (diz-se de duas pessoas que esportivamente travam desafio improvisando xingamentos cada vez mais baixos). Ver também CUSS; NAMES

play the skin flute (*v.*) Ver GIVE (SOMEONE) HEAD; SUCK (1)

play the wanton (*v.*) galinhar; sirigaitar. Ver também PLAY AROUND (1)

play with (oneself) (*v.*) Ver JERK (2)

plough (*v.t.*) Ver FUCK (3) (uso masculino)

plover (*s.*) Ver BITCH

plow (*v.t.*) Ver FUCK (3) (uso masculino)

pluck (*v.t.*) Ver FUCK (3)

plug-tail (*s.*) Ver COCK

plum-tree-shaker (*s.*) Ver COCK

pocket pool (*s.*) automasturbação ou bolina através do bolso da calça; gesto de quem se masturba disfarçadamente (uso jocoso entre adolescentes). Ver também JERKING OFF

podiphilia (*s.*) podolatria; fetichismo dos pés. Ver também TOE QUEEN

pogey / pogie / pogue / pogy (*s.*) Ver QUEER

poke (*s.*) **1.** Ver FUCK (1) // (*v.t.*) **2.** Ver FUCK (3)

pole (*s.*) Ver COCK

pom-pom (*s.*) Ver FUCK (1)

ponce (*s.*) **1.** gigolô; rufião; macorongo; parasita de prostituta. Ver também GIGOLO; JOCKER; OLD LADY (3); OLD MAN; PIMP (1) // (*v.i.*) **2.** rufiar; parasitar; gigolotar; gimbrar; ter táxi na praça. Ver também HUSTLE (2); PIMP (3)

pong (*s.*) Ver STINK (1)

poo (*s.*) Ver SHIT (1)

poof / poofter / poove (*s.*) Ver QUEER

poontang (*s.*) **1.** Ver FUCK (1) // **2.** Ver DANGE BROAD

poop (*s.*) **1.** Ver SHIT (1) // (*v.i.*) **2.** Ver SHIT (3)

poo-poo (*s.*) **1.** Ver SHIT (1) // (*v.i.*) **2.** Ver SHIT (3)

poos (*s.pl.*) Ver SHIT (1)

poot (*s.*) **1.** Ver SHIT (1) // **2.** Ver FART (1) // (*v.i. & v.t.*) **3.** Ver FART (2)

pop (*s.*) **1.** Ver FUCK (1) // (*v.t.*) **2.** Ver FUCK (3)

pop (someone's) cherry (*v.*) tirar a virgindade de (alguém); quebrar o cabaço/cabresto de (alguém). Ver também COP A CHERRY

pop (one's) cookies (v.) Ver COME (3 & 4)

pope (s.) Ver SHIT-STOOL

pop the rocks/cookies (v.) Ver COME (3 & 4)

pork (v.t.) Ver FUCK (3)

porn / porny (adj.) Ver LECHEROUS

pornography (s.) Ver LECHERY

posterior (s.) Ver ASS (2)

postillioning (s.) foda com o dedo; futucação; bolinação; mão-louca. Ver também FEEL (1); FINGERFUCKING (1); FIST-FUCKING; GOOSE (1)

pot (s.) penico; pinico; bacio; bispote; cabungo; cadete; capitão; mijadeiro; pichorra; serviço; testemunha ocular; urinol. Ver também BEDPAN; PISS-BOWL // **not to have a pot to piss in** estar na miséria/penúria; estar na merda; estar roendo beira de penico; estar sem um puto. // **to go to pot** foder-se; danar-se. // **to piss by the pot** Ver CHEAT

potty (s.) Ver POT

pound (v.i. & v.t.) Ver FUCK (3)

pounding the pud (s.) Ver JERKING OFF

pound (one's) peenie (v.) Ver JERK (2)

pound salt up (someone's) ass (v.) Ver CHEW (SOMEONE'S) ASS OUT // **Go pound salt up your ass!** Vá tomar no cu! Vá se foder!

powder (one's) puff (v.) Ver PAY A CALL (eufemismo feminino usado jocosamente por homens)

prat / pratt (s.) Ver ASS (2)

pre-cum (s.) líquido pré-coital masculino; lacrimejo. Ver também COME (1); LUKE

preggy (adj.) Ver KNOCKED UP

pregnancy (s.) prenhez; embaraço; estado interessante; gestação; gravidez; panzina. Ver também KNOCK UP

pregnant (adj.) Ver KNOCKED UP

prepuce (s.) Ver FORESKIN

priapism (s.) tentigo; tesão-teimoso. Ver também HARD-ON; SATYRIASIS

priapus (s.) Ver COCK

prick (s.) **1.** Ver COCK // **2.** Ver SON OF A BITCH (1)

prick teaser (s.) Ver COCK TEASER (abr. PT)

pride of the morning (s.) Ver PISS HARD-ON

prig (s.) **1.** puritano; moralista. Ver também NICE NELLIE; OLD MAID; PRUDE // **2.** caga-regra; sabichão; dono da verdade. Ver também BULLSHITTER; SHIT-HEEL (1)

priggery (s.) puritanismo; moralismo. Ver também PRUDERY; PUDENCY

Princeton rub (s.) Ver BELLY-FUCKING

prissy (adj.) **1.** Ver LACY; SISSY // **2.** Ver PRUDISH privates (*s.pl.*) Ver PUDENDA

privy (*s.*) Ver SHITTER

pro (*s.*) Ver BITCH

procure (*v.i.*) Ver PIMP (3)

procurement (*s.*) Ver PANDERAGE

procurer (*s.*) Ver PIMP (1)

procuress (*s.*) Ver MADAM

promiscuity / promiscuousness (*s.*) Ver FRUITINESS (1); RABBIT HABIT

prong (*s.*) **1.** Ver FUCK (1) // **2.** Ver COCK // (*v.t.*) **3.** Ver FUCK (3)

prophylactic (*s.*) Ver RUBBER

proposition (*s.*) Ver PASS

prossie / prossy (*s.*) Ver BITCH

prostie / prosty (*s.*) Ver BITCH

prostitute (*s.*) Ver BITCH

prostitution (*s.*) Ver LIFE

prude (*s.*) puritano; pudibundo; santarrão. Ver também NICE NELLIE; OLD MAID; PRIG (1); TIGHT-ASS

prudery (*s.*) puritanismo; pudicícia; pudor; recato. Ver também LECHERY; PRIGGERY; PUDENCY

prudish (*adj.*) pudibundo; pudico; puritano. Ver também LECHEROUS; TIGHT-ASS

prushun (*s.*) Ver PEG BOY

pubis / pubes (*s.*) pente; pentelheira. Ver também BEAVER (2); BUSH (2); SHORT HAIRS

pucker (*s.*) cagaço; medo; pavor; susto. Ver também BALLS (2); GOOSE-BUMPS

pucker-assed (*adj.*) cagão; medroso; covarde; frouxo; capado.

Ver também BALLSY (2); CHICKEN (3); GOOSE-BUMPY

pud (*s.*) Ver COCK // **pounding the pud** Ver JERKING OFF

pudding (*s.*) Ver COCK

pudency (*s.*) pudicícia; pudor; decoro; recato; cabacismo. Ver também CANNED GOODS; CHERRY (2); PRIGGERY; PRUDERY; SQUARE BROAD

pudenda (*s.pl.*) partes; partes gagas; vergonhas; encomendas; genitália. Ver também BASKET (2); FAMILY JEWELS; FUTURE

pud-pulling (*s.*) Ver JERKING OFF

puka (*s.*) Ver CUNT (1)

puke (*s.*) **1.** (**vomit** *s.* vômito) vomitado; gumito; Hugo. Ver também SICKNESS // (*v.i. & v.t.*) **2.** vomitar; gumitar; arrojar; baldear; botar bezerro; botar pra fora; chamar o Hugo; deitar a carga ao mar; deitar o verbo; destripar o mico; devolver; falar pros peixes; regurgitar; virar do avesso. Ver também RETCH (2)

pukey / puky (*adj.*) Ver CHEAPSHIT; CHICKENSHIT (3)

pull (*v.i.*) Ver JERK (2)

pull a train (*v.*) galinhar; saçaricar; sirigaitar (diz-se da mulher); entregar-se sucessivamente a vários homens; deixar-se currar. Ver também COME ACROSS; FRUIT (3); GANG BANG; GANG FUCK (2); PLAY AROUND (1); PUT OUT; SLEEP AROUND; SPREAD FOR (SOMEONE); SWING; TRAIN (2)

pull off (*v.*) Ver JERK (2)
pull (someone) off (*v.*) Ver JERK (SOMEONE) OFF
pull (one's) pud (*v.*) Ver JERK (2)
pump (*v.t.*) Ver FUCK (3)
pump handle (*s.*) Ver COCK
pumping off (*s.*) Ver JERKING OFF
pump off (*v.*) Ver JERK (2)
punchboard (*s.*) Ver MINX
punk (*s.*) **1.** Ver BITCH // **2.** Ver CATAMITE; PEG BOY (1)
pure / purest pure (*s.*) Ver BITCH
push (*v.i.*) Ver FUCK (3)
puss (*s.*) **1.** Ver MINX // **2.** Ver SISSY
pussy (*s.*) **1.** Ver CUNT (1) // **2.** Ver FUCK (1) // **3.** Ver SISSY // (*adj.*) **4.** Ver HOT (1)
pussy butterfly (*s.*) tipo de DIU. Ver também LOOP
pussy-whipped (*adj.*) diz-se do marido dominado pela esposa; varunca. Ver também WEAR THE BREECHES
put (*v.t.*) Ver FUCK (3)
put (one's) ass on the line (*v.*) correr o risco; assumir a responsabilidade; segurar a barra; segurar as pontas; pegar em rabo de foguete; deixar o cu na reta. Ver também COVER (ONE'S) ASS
put out (*v.*) galinhar; entregar-se a qualquer um (diz-se da mulher); ser promíscua; não prestar; não ser flor que se cheire. Ver também BASH; COME ACROSS; FREE TRADE; HUSTLE (1); PULL A TRAIN; SLEEP AROUND; SPREAD FOR (SOMEONE); SWING
put the blocks to (someone) (*v.*) Ver FUCK (3)
put the make on (someone) (*v.*) Ver MAKE A PASS AT (SOMEONE)
putz (*s.*) Ver COCK

quail (s.) **1.** Ver DISH // **2.** Ver MINX // **3.** Ver BITCH

queen (s.) Ver QUEER // **bean queen** homossexual que prefere hispânicos. // **belly queen** homossexual que copula frente a frente com o parceiro, atritando o pênis no outro ou introduzindo entre as coxas. // **bone queen** Ver COCKSUCKER (1) // **campy queen** Ver CAMP (2) // **chicken queen** Ver CHICKENHAWK // **closet queen** bicha enrustida; enrustido. // **come queen** Ver COCKSUCKER (1) // **dangle queen** exibicionista. // **dinge queen** homossexual que prefere negros. // **drag queen** travesti. // **frog queen** homossexual que prefere franceses ou franco-canadenses. // **main queen** bichona; homossexual notório. // **rubber queen 1.** fetichista que prefere artigos de látex. // **2.** pessoa que tem fobia de doença venérea; maníaco por preservativos. // **shit queen** coprófilo. // **size queen** bicha bagageira; homossexual obcecado pelo tamanho do pênis, que procura nos parceiros dimensões sempre mais avantajadas que as de seu próprio membro. // **snow queen** homossexual que prefere brancos. // **tearoom queen** homossexual que procura parceiros em banheiros públicos; bicha banheirista. // **toe queen** bicha podólatra.

queer (s.) (**homosexual** adj. & s. homossexual) bicha; adé;

adelaide; andrógino; baitola; bandejeiro; bicha-louca; bicha-roca; bichoca; bichona; boiola; boneca; caga pra dentro; chibungo; coluna do meio; dadivoso; dendeca; domador de serpente; dondoca; doutor de ré; entendido; entubador; enxuto; falso; fanchono; frango; fresco; fronha; fruta; frutão; invertido; jiló; larilas; libélula; lúmio; macio; panasca; paneleiro; panilas; papa-pica; peba; pederasta; pêssego; pessegueiro; puto; qualira; rabeta; rabicho; ramiasco; refrigerado; roto; saparrão; tobeiro; transviado; tresvezoito; tricha; vagalume; veado; viado; vinte e quatro; xibungo. // (=active pederast) sodomita; caubói; enrabador; fanchono; gabiru; gavião; papista; peão. // (=passive pederast) catamita; caga pra dentro; dadivoso; domador de serpente; entubador; enxuto; frango; frangote; lulu; perobo; perobinho; puto; qualira; xibungo. //

(=one who plays the male role) bofe; fanchono. // (=one who plays the female role) bicha; boneca; dendeca; deslumbrada; desvairada; dondoca; tresloucada. Ver também ANGEL; AUNT (3); CATAMITE; COCK-SUCKER (1); FRUIT PICKER; GAY; HUSBAND (2); HUSTLER (2); JOCKER; LIMP WRIST; LUCKY PIERRE; MAIN QUEEN; PEG BOY; SISSY; SODOMITE; SWITCH-HITTER; TRUCK DRIVER; TURK; WATER CHESTNUT; WIFE; WOLF (3) /

/ **closet queer** Ver CLOSET QUEEN

queer baiting (*s.*) Ver FAG BAITING

quick bang (*s.*) Ver QUICKIE

quickie (*s.*) rapidinha; lasca-dinha; bitocada; uma de galo; xoque-xoque xau e bença. Ver também BUNNY FUCK; FUCK (1); HONEYFUGGLING (2); WHAM-BAM (2)

quiff (*s.*) Ver B-GIRL

quim (*s.*) **1.** Ver QUEEN // **2.** Ver CUNT (1)

rabbit habit, the (*s.*) promiscuidade; galinhagem. Ver também FRUITINESS (1)

rag (*s.*) toalhinha higiênica, usada pela mulher na menstruação; absorvente íntimo; pano para asseio pós-coital; caixeiro. Ver também ASS-WIPE; TAMPON // **to get/have the rag on** ficar/estar de chico; menstruar

raggedy-ass (*adj.*) Ver CHEAPSHIT; HALF-ASSED (2)

raggle (*s.*) Ver DISH

rail, the (*s.*) Ver SIFF (2)

raincoat (*s.*) Ver RUBBER

rake (*s.*) Ver LECHER

rakehell (*adj. & s.*) Ver LECHEROUS; LECHER

rakish (*adj.*) Ver LECHEROUS

rakishness (*s.*) Ver LECHERY

ral, the (*s.*) Ver SIFF (2)

Ram it! (*int.*) Ver STICK IT!; NAMES

rammer (*s.*) Ver COCK

randy (*adj.*) Ver HOT

rap (*v.i. & v.t.*) falar sem papas na língua; ser curto e grosso; usar linguagem destabocada. Ver também NAMES; ROUGH STUFF (1); SASS (2)

rap club (*s.*) bordel estabelecido sob a fachada de agência de acompanhantes, intérpretes, cicerones, etc. Ver também MASSAGE PARLOR; WHOREHOUSE

rape (*s.*) **1.** violação; estupro; arrocho. Ver também MOLESTATION; ROUGH STUFF (2); THRUSTING // (*v.t.*) **2.** violar; estuprar; arrebentar a boca do balão; arrochar; dar um arrocho em;

pegar; pegar de jeito; pegar na marra. Ver também COP A CHERRY; THRUST; TRAIN (2) // **gang rape** Ver GANG BANG // **to gang rape** Ver GANG FUCK (2)

rape wagon (*s.*) Ver CUNT-MOBILE

rapist (*s.*) violador; estuprador. Ver também CHERRY PICKER

rap parlor / rap parlour (*s.*) Ver RAP CLUB

rap studio (*s.*) Ver RAP CLUB

raspberry (*s.*) ruído labial, imitativo do peido, cujo efeito é tão insultuoso quanto um gesto obsceno. Ver também BIRD (3)

rat-ass (*adj.*) gasto; batido; surrado; esculachado; escu-lhambado; fodido.

rat fuck (*adj. & s.*) **1.** excêntrico; anticonvencional; aquele que está muito na sua/dele. Ver também FREAK (1); SCREWED, BLEWED, AND TATTOOED (2) // (*v.i.*) **2.** estar/ficar na sua/dele; bundar (2); estar/ficar à toa; levar na flauta. Ver também FUCK OFF (2 & 3) (abr. RF)

raunch (*s.*) **1.** Ver LECHERY // (*v.t.*) **2.** Ver FUCK (3)

raunchy (*adj.*) Ver LECHEROUS

ravish (*v.t.*) Ver RAPE (2)

ravisher (*s.*) Ver RAPIST

razz (*s.*) **1.** Ver RASPBERRY // (*v.t.*) **2.** ridicularizar; desmoralizar; gozar (2); tirar um sarro (da

cara) de (alguém). Ver também GROSS OUT; PISS ON (SOMEONE)

ream (*v.t.*) **1.** enfiar (algo) no cu de (alguém); empalar; futucar. Ver também BIRD (3); FINGER-FUCK; FUCK (4); GOOSE (2) // **2.** Ver RIM

ream (someone's) ass out / ream (someone) out (*v.*) Ver CHEW (SOMEONE'S) ASS OUT

reaming (*s.*) Ver RIMMING

rear (*s.*) **1.** Ver ASS (2) // **2.** Ver SHITTER

rear end (*s.*) Ver ASS (2)

rectum (*s.*) Ver ASS (1)

red-assed (*adj.*) Ver PISSED OFF

red-hot mamma (*s.*) Ver HOT PATOOTIE

red-lamp district (*s.*) Ver RED-LIGHT DISTRICT

red-light district (*s.*) zona (1); boca; brega; mangue; mere-trício; putal; quadrilátero do pecado; rapioca; rói-couro; rua da amargura. Ver também BACK-ALLEY; DOWN THE LINE; HOT SPOT (1); WHOREHOUSE

regurgitate (*v.i. & v.t.*) Ver PUKE (2)

rest-room (*s.*) Ver SHITTER

retch (*s.*) **1.** Ver SICKNESS // (*v.i.*) **2.** ter ânsia de vômito; engu-lhar. Ver também PUKE (2)

rhubarb (*s.*) Ver PUDENDA

rib joint (*s.*) Ver WHOREHOUSE

rice pudding (*s.*) Ver COME (1) (referindo-se a asiáticos)

rich bitch (*s.*) ricaça; dondoca; madame; perua; socialite. Ver também COURTESAN

ride (*s.*) **1.** Ver FUCK (1) // (*v.i. & v.t.*) **2.** Ver FUCK (3)

rim (*v.t.*) **1.** beijar, lamber ou chupar o ânus do parceiro; fazer cunete; carochar. Ver também BROWN-NOSE (1) // **2.** Ver FUCK (4); Ver também REAM

rim freak (*s.*) Ver RIMMER

rim job (*s.*) Ver RIMMING

rimmer (*s.*) cuneteiro; carocha; lambe-cu; papa-merda. Ver também ASS-KISSER (1); CLIT-LICKER

rimming (*s.*) (**analingus** *s.* anilíngua) cunete; carochada; botão de rosa. Ver também BLOW (3); FRENCH (1); SUCK (1)

rinctum (*s.*) Ver ASS (1)

ring (someone's) bell (*v.*) Ver TURN (SOMEONE) ON

rip-ass (*v.*) Ver BARREL ASS

rocks (*s.pl.*) Ver BALLS (1) // **to get (one's) rocks off** Ver COME (3)

rod (*s.*) Ver COCK // **to have a rod on** estar/ficar de pau duro; ter uma ereção.

roll (*s.*) **1.** Ver FUCK (1) // (*v.t.*) **2.** Ver FUCK (3) (uso masculino)

roll in the hay (*s.*) Ver FUCK (1)

Roman culture (*s.*) Ver SHAG; SWINGING (1)

root (*s.*) Ver COCK // **Irish root** Ver COCK

rosebud (*s.*) Ver ASS (1)

rough (*adj.*) Ver LECHEROUS

rough-ass (*adj.*) Ver KICK-ASS

rough stuff (*s.*) **1.** putaria; puteação; palavrão; baixaria; destempero; turpilóquio; conversa ou literatura de sacanagem. Ver também FOUL-MOUTH; HARDCORE; HOT STUFF; MUCK-RACKER; NAMES; RAP; SASS (1) // **2.** barra-pesada (3); apelação; baixaria; brutalidade; cacete; porrada; sevícias; surra; comportamento violento ou agressivo. Ver também MUGGING; RAPE (1); SADIE-MAISIE (1) // **3.** Ver LECHERY

rough trade (*s.*) parceiro sexual ativo, dominador ou sádico; barra-pesada (2); capataz; carrasco; coureiro; sadomasoca. Ver também BAD SHIT (1); FREAK TRICK; LEATHER; QUEER; RUFFIAN (1); SADIE-MAISIE (2); TOP; TURK

rough (someone) up (*v.*) **1.** dar um cacete em (alguém); cair de porrada em (alguém); encher (alguém) de porrada; ir às fuças de (alguém); cascar; seviciar; surrar; violentar. Ver também BEAT THE SHIT OUT OF (SOME-ONE); COME/GET TO BLOWS; RAPE (2) // **2.** Ver CHEW (SOMEONE'S) ASS OUT; GROSS OUT

roundheels (*s.*) Ver MINX

royal (*adj. & adv.*) direitinho; total(mente); de cabo a rabo; e tanto; em grande estilo (como termo enfático antes de diversos palavrões: "*a royal pain in the ass*" = "um chato de galocha"; "*a royal screwing*" = "uma senhora ferrada"). Ver também SHIT (5)

royal fucking, a (*s.*) ferrada; sacanagem; filhadaputagem; filhadaputice. Ver também CROPPER; DIRTY TRICK (abr. RF)

rubber (*s.*) camisinha; camisa de vênus; armadura; pneu; preservativo; preventivo; protetor; protetor higiênico. Ver também CONTRACEPTIVE

rubber boots (*s.pl.*) Ver RUBBER

rubber queen (*s.*) **1.** fetichista que prefere artigos de látex. Ver também LEATHER // **2.** maníaco por preservativos; indivíduo que tem fobia de doença venérea; rainha da camisinha (uso homossexual). Ver também QUEEN

rubbing (*s.*) (**tribadism** *s.* tribadismo) roçadinho (1); roçado;

perfumaria; rala-rala; sabão; xana com xana. Ver também BELLY-FUCKING; DADDLER; DRY FUCK (1); LESBIANISM

rub-off (*s.*) Ver RUBBING

ruffian (*s.*) **1.** (=tough guy) rufião (1); arruaceiro; barra-pesada (2); cafajeste; fadista; fodão. Ver também ROUGH TRADE // **2.** VER GIGOLO; PIMP (1)

ruffianism (*s.*) cafajestagem; cafajestice; cafajestismo; gigolotagem; rufianismo. Ver também PANDERAGE

rump (*s.*) Ver ASS (2)

rump-splitter (*s.*) Ver COCK

run around (*v.*) Ver PLAY AROUND; SLEEP AROUND

runs, the (*s.pl.*) Ver GYPPY TUMMY

rusty-dusty (*s.*) Ver ASS (2)

rut, the (*s.*) cio de animais machos (veado, bode, carneiro, etc.); berra; brama. Ver também HEAT

sac (*s.*) Ver BASKET (1)

sadie-maisie (*s.*) **1.** sadomasoquismo; sexo praticado em circunstâncias violentas/dolorosas/constrangedoras/repugnantes/humilhantes; perversão; tara. Ver também KINK (1); LECHERY; ROUGH STUFF (2); VANILLA SEX // **2.** sadomasoca; sadomasoquista; barra-pesada (2); coureiro; tarado. Ver também BOTTOM (2); FREAK TRICK; KINK (2); LEATHER; ROUGH TRADE; TOP (abr. SM)

sadomasochism (*s.*) Ver SADIE-MAISIE (1)

sad sack of shit (*s.*) pessoa azarada/desastrada; caipora; coitado. Ver também FUCKED BY THE FICKLE FINGER OF FATE; SORRY-ASS

safe (*s.*) Ver RUBBER

safer (*s.*) adepto ou praticante do sexo preventivo.

safesex (*s.*) sexo preventivo; sexo seguro; recursos preventivos ou alternativos de relacionamento sexual, que não envolvem risco de contágio venéreo ou transmissão de AIDS, como o uso de camisinha, o sexofone, a masturbação compartilhada, o fetichismo. Ver também DRY RUN

safety (*s.*) Ver RUBBER

same old shit (*s.*) a mesma merda (de sempre); o ramerrão. Ver também SHITWORK (abr. SOS)

sapfu (*adj.*, s., *v.i.* & *v.t.*) (abr. de "*surpassing all previous fuck ups*") Ver SNAFU

Sapphism (*s.*) Ver LESBIANISM
sapphistry (*s.*) Ver LESBIANISM
sass (*s.*) **1.** conversa ou linguajar inconveniente; desbocamento; baixaria. Ver também FOUL-MOUTH; NAMES; ROUGH STUFF (1); SCURRILITY // (*v.t.*) **2.** falar desbocadamente; não ter papas na língua. Ver também RAP; SMUT (2)
satyriasis (*s.*) mulheragem; femeação; garanhonice; gavionice; dom-juanismo; tentigo. Ver também DALLIANCE; HARD-ON; HOT-PANTS; IRISH TOOTHACHE (2); PRIAPISM; WOMAN CHASING
save it (*v.*) recatar-se; resguardar-se (diz-se da mulher); salvaguardar a virgindade ou a fidelidade conjugal; não ver o padeiro; ir levar (o cabaço) pra São Pedro. Ver também CANNED GOODS; CHEAT; CHERRY; CUCKOLD (2); FAITHFUL; SQUARE BROAD
scag / scank (*s.*) Ver COLD BISCUIT
scared shitless (*adj.*) Ver GOOSE-BUMPY; PUCKER-ASSED
scare (someone) shitless (*v.*) apavorar; aterrorizar; meter medo em (alguém); deixar (alguém) com o cu na mão. Ver também BREAK OUT INTO ASSHOLES
scare the (living) shit out of (someone) (*v.*) Ver SCARE (SOMEONE) SHITLESS

scarlet woman (*s.*) Ver BITCH
scat (*s.*) coprofilia; coprofagia; prazer sexual envolvendo cheiro, contato, visão ou ingestão de excrementos; saliromania. Ver também GEEK; SHIT (1); WATERSPORTS
schlang / shlang (*s.*) Ver COCK
schlong / shlong (*s.*) Ver COCK
schlontz / shlontz (*s.*) Ver COCK
schmuck / shmuck (*s.*) Ver SON OF A BITCH
schtup (*s. & v.t.*) Ver SHTUP
scissors (*s.pl.*) tesourinha; posição de coito em que os parceiros, deitados lado a lado, se enlaçam com as pernas trançadas.
score (*s.*) **1.** Ver FUCK (1) (uso masculino) // **2.** Ver TRICK (1) // (*v.i.*) **3.** michetar; engatar; fazer a vida; batalhar; faturar um freguês (diz-se da prostituta). Ver também HUSTLE (1); TRICK (4); WHORE (2)
Scotch warming pan (*s.*) **1.** Ver BITCH // **2.** Ver FART (1)
scrag / scrog (*v.t.*) Ver FUCK (3)
scratch (*s.*) **1.** Ver CUNT (1) // **2.** Ver BEAVER (2); BUSH (2); CROTCH (1)
screw (*s.*) **1.** Ver FUCK (1) // (*v.t.*) **2.** Ver FUCK (3 & 4) // **goat screw** Ver SNAFU (2) // **to throw a screw into (someone)** Ver FUCK (3)
screw around (*v.*) **1.** bundar (2); coçar o saco; ficar à toa; vadiar. Ver também BUM (4); FUCK

AROUND; FUCK OFF (2); SIT THERE WITH (ONE'S) FINGER/THUMB UP (ONE'S) ASS // **2.** desbundar; agir como porra-louca; fazer porra-louquices. Ver também FREAK OUT; FUCK AROUND; FUCK OFF (3); GET (ONE'S) SHIT TOGETHER; GO APE

screwbal (s.) porra-louca; indivíduo insensato/inconsequente/irresponsável; doidivanas; despirocado. Ver também FREAK (1); FUCK OFF (3); HORSE'S ASS (1); NUT; SCREW-UP

screwed (adj.) **1.** Ver FUCKED // **2.** Ver SHIT-FACED

screwed, blewed, and tattooed / screwed, blued, and tattooed (adj.) **1.** fodido e mal pago; sacaneado; ferrado; sem lenço e sem documento(s). Ver também FUCKED (1); ON (ONE'S) ASS; UP SHIT CREEK // **2.** escaldado; escarmentado; vacinado; calejado; despojado; desprendido; desobrigado; desembaraçado; independente de pudores ou reservas. Ver também BALLSY (2); RAT FUCK (1)

screwed up (adj.) Ver FUCKED UP

screwing (adj.) Ver FUCKING

Screw it! (int.) Ver FUCK IT!

screw off (v.) Ver FUCK OFF

screw-off (s.) Ver ASSHOLE (2); SCREWBALL; SCREW-UP

screw up (v.) Ver FUCK OFF (3 & 4)

screw-up (s.) cuzão; indivíduo que só faz cagada; borra-botas; trapalhão; desastrado; inepto. Ver também ASSHOLE (2); HORSE'S ASS; SCREWBALL

screwup (s.) cagada (2); caca; cocô; gafe; rata; melê; meleira; mixórdia; chavascada. Ver também FUCK OFF (4); SNAFU (2)

Screw you! (int.) Ver FUCK YOU!

scrotilingus (s.) titilação oral do escroto; chupação de ovo. Ver também BLOW JOB; COCK-SUCKING (2); FRENCH (1)

scrud (s.) Ver CRUD (2)

scum (s.) Ver COME (1)

scumbag (s.) **1.** Ver RUBBER // **2.** Ver ASSHOLE (2); SON OF A BITCH

scumsucker (s.) Ver COCK-SUCKER (1)

scupper (s.) Ver B-GIRL; MINX

scurrility (s.) **1.** Ver LECHERY // **2.** palavrão; puteação; baixaria; chularia; chulice; escrotidão; porcaria. Ver também NAMES; ROUGH STUFF (1); SASS (1)

scurrilous (adj.) Ver LECHEROUS

scuttlebutt (s.) fofoca; mexerico; fuxico; buchicho; rumores; boatos. Ver também PISS ON (SOMEONE)

seafood (s.) **1.** marinheiro, considerado como objeto sexual; frutão do mar; gostosão (uso homossexual). Ver também ANGEL FOOD; BAIT; BOILER-MAKER; GOVERNMENT-INSPECTED MEAT // **2.** Ver CUNT-LAPPING

seduce (*v.t.*) cantar; seduzir. Ver também COP A CHERRY; MAKE (2); PICK UP

seducement (*s.*) Ver HONEYFUGGLING (1); PICK-UP (1)

seduction (*s.*) Ver HONEYFUGGLING (1); PICK-UP (1)

semen (*s.*) Ver COME (1)

sensuality (*s.*) Ver SEX APPEAL

sewing circle (*s.*) Ver CIRCLE JERK

sex appeal (*s.*) (**sensuality** *s.* sensualidade) chamego (1); charme; atração física; poder de sedução. Ver também BITCHINESS; INTIMACY; SEXY

sex job (*s.*) **1.** Ver MINX; WET DECK // **2.** fodeção; meteção; trepação; putaria; atividade sexual intensa, prolongada ou variada; gandaia; suruba; troca-troca; vadiação; vadiagem. Ver também BALL; FUCK (1); PARTY; SHAG

sexpert (*s.*) especialista em sexo; sexólogo; terapeuta de problemas sexuais.

sexploitation (*s.*) exploração comercial do sexo; pornografia comercializada. Ver também HARDCORE; NUDIE; SKIN FLICK; SKIN MAG; SOFTCORE; STROKE HOUSE; TITS-AND-ASS

sex pot (*s.*) Ver DISH

sexual harassment (*s.*) Ver MOLESTATION (2)

sexy (*adj.*) chamegoso; chameguento; charmoso; erótico; provocante; sedutor; sensual (diz-se de pessoa ou de atributos físicos). Ver também BOILERMAKER; DISH; HOT SHIT (2); SEX APPEAL; TRADE

shack-job (*s.*) **1.** Ver MINX // **2.** Ver MISTRESS // **3.** (**concubinage** *s.* concubinato) caso; amigação; relação; transa; aventura; barreguice; cacho; escrita; igreja verde; mancebia. Ver também AFFAIR

shack up (with) (*v.*) amigar-se (com); juntar os trapos/trapinhos (com); abarregar-se; amancebar-se; amasiar-se; arranjar-se; enconar; pôr a escrita em dia; arranjar um cobertor de orelha; casar na igreja verde.

shaft (*s.*) **1.** Ver DISH // **2.** Ver CUNT (1) // **3.** corpo do pênis; talo. Ver também COCK // (*v.t.*) **4.** Ver FUCK (4)

shafting (*s.*) Ver ROYAL FUCKING

shafts (*s.pl.*) pernas femininas, quando bem torneadas. Ver também CHEESECAKE (2); DISH

shag (*s.*) suruba; orgia; bacanal; baião de quatro; festa do cabide; festinha de sacanagem; fodança; fodelança; sexo grupal; troca-troca. Ver também BALL (2); GROUP-GROPE; SEX JOB (2); STAG PARTY; SWINGING // **gang shag** Ver GANG BANG

shag ass (*v.*) Ver CUT ASS

shank (*s.*) **1.** Ver BITCH // **2.** Ver CHANK

shilly-shally (*v.i.*) embromar; enrolar; hesitar; vacilar; não atar nem desatar; não cagar nem desocupar a moita; não foder nem sair de cima. Ver também SHIT OR GET OFF THE POT

shit (*s.*) **1.** (**excrement** *s.* excremento; **feces** *s.pl.* fezes) merda (1); bosta; caca; cambrone; cocô; dejeção; dejeto(s); larada; lopes; matérias fecais; obra; poia; titica; trampa. // (=sticky/sticking) biziu; badalhoca; cagaita; filorda. Ver também TURD // **2.** (=nonsense; rubbish) babaquice; porcaria; joça; jostra; chiça. Ver também BULLSHIT (1); CHICKENSHIT (2) // (*v.i.*) **3.** cagar (1); abaixar; armar a raposa; arriar o cabaz; borrar; dar de corpo; dar uma cagada; defecar; descer o barro; descomer; enfigueirar; estercar; estrangular a cobra; evacuar; fazer cocô; fazer obra; ir no mato; medir o chão; obrar; sujar. Ver também DUMP A LOAD; PAY A CALL; SCAT; TAKE A SQUAT // (*int.*) **4.** Merda! Chiça! Droga! Diabo! Raios! Ver também NAMES // (*adj. & adv.*) **5.** total(mente); completo; completamente. Ver também APE SHIT; FLAT-ASS; GO APE SHIT; ROYAL; SHIT OUT OF LUCK; WORTH A DAMN // **as low as whale shit** Ver ON (ONE'S) ASS // **as shit** Ver LIKE HELL (1) // **bad shit** barra-pesada (2 & 3); chave de cadeia; pé-frio (diz-se de pessoa); bananosa; fria; rabo de foguete; foda (2); situação ou incumbência problemática. // **big shit** o barato; o lance; um barato; curtição. // **crock of shit** Ver BULLSHIT (1) // **deep shit** Ver BAD SHIT (2); SHIT CREEK // **Don't give me that shit!** Pra cima de mim, não! Não me venha com essa! Tá boa, santa? // **full of shit** por fora; boiando; mal-informado. // **good shit** moleza; café pequeno; bem-bom; maciota. // **Holy shit!** Puta merda! Puta que (o) pariu! // **hot shit** quente; excelente (coisa); chamegoso; atraente (pessoa); gostosão; o tal. // **I'll be dipped in shit if...!** Ver I'LL BE FUCKED IF...! // **Joe Shit the Ragman** soldado raso; penico. // **like pigs in shit** numa boa; no bem-bom; na maciota. // **like shit through a tin horn** sem esforço; com a maior facilidade; mais mole/moleza que piroca de cocoroca. // **lower than dog shit** Ver ON (ONE'S) ASS // **No shit!** Palavra de honra! No duro! Sem brincadeira! Sem sacanagem! Não diga! Não brinque! (inclusive e ironicamente) // **No shit?** Sério? No duro? Sem sacanagem? Tem certeza? // **not to give a shit** Ver NOT GIVE A FUCK // **not worth a shit** sem valor;

barato; fuleiro; bunda. // **piece/ pile of shit** Ver BULLSHIT (1) // **sad sack of shit** pessoa azarada/ desastrada; caipora; coitado. // **same old shit** a mesma merda (de sempre); o ramerrão. // **stronger than pig shit** forte como um touro; forte pra caralho. // **Sure as shit!** Claro! Certamente! Só! // **the day the eagle shits** dia de pagamento. // **to act like (one's) shit doesn't tink** dar-se ares; ter o rei na barriga; fazer-se de gostoso; fazer cu-doce; ter o cu folheado a ouro. // **to clean up (one's) shit** tomar jeito; tomar vergonha na cara. // **to eat shit** Ver BROWN-NOSE (2); SUCK (2); TAKE SHIT // **to get (one's) shit together** levar vida regrada; ser cuidadoso/ criterioso/meticuloso/zeloso. // **to have a shit fit** Ver SHIT A BRICK; SHIT GREEN // **to have shit for brains** Ver HAVE (ONE'S) HEAD UP (ONE'S) ASS // **to look like ten pounds of shit in a five-pound bag** estar malvestido/maltrapilho/molambento/esmolambado/andrajoso/enxovalhado; enxovalhar-se. // **to scare the (living) shit out of (someone)** Ver SCARE (SOMEONE) SHITLESS // **to shovel the shit** Ver BULLSHIT (2) // **to take shit** aceitar/suportar humilhação; levar desaforo pra casa; engolir sapo. // **to treat**

(someone) like shit Ver PISS ON (SOMEONE) // **up shit creek (without a paddle)** no mato sem cachorro; numa camisa de onze varas; entre a cruz e a caldeirinha; numa sinuca de bico. // **shit a brick / shit bricks** (*v.*) emputecer-se; enfurecer-se; enraivecer-se; lixar-se; ir aos arames; soltar os cachorros; ficar puto da vida; partir pra ignorância. Ver também GET THE RED ASS; HAVE A BUG UP (ONE'S) ASS; PISS UP A STORM; SHIT GREEN/BLUE

shit-all (*adj.*) o menor; o mínimo (negativamente); nenhum. Ver também FUCK-ALL // **to have shit-all money** não ter nenhum dinheiro; não ter o menor trocado; estar sem um puto.

shit-ass (*s.*) **1.** Ver MOTHERFUCKER // **2.** Ver SHIT-HEEL (1)

shitcan (*v.t.*) abandonar; descartar; deixar/pôr de lado; deixar pra lá; jogar pras traças; mandar às favas/à merda. Ver também OUT ON (ONE'S) ASS

shit creek (*s.*) bananosa; aperto; apuro; enrascada; camisa de onze varas; sinuca de bico. Ver também BAD SHIT (2); UP SHIT CREEK

shit-eater (*s.*) coprófago. Ver também CUM-SLURPER; KINK (2); SHIT QUEEN

shit-eating (*s.*) Ver SCAT

shit-eating grin (*s.*) fisionomia satisfeita; cara de páscoa; cara de quem comeu e gostou; cara de cu (à paisana). Ver também MUG (1)

shit-faced (*adj.*) bêbado; de fogo; de pileque; de porre; porrado. (No inglês a sinonímia para *drunk* e *drunkenness* é vastíssima porém não necessariamente chula, extrapolando portanto o âmbito desta obra.)

shit for the birds (*s.*) Ver BULL-SHIT (1); CRAP (2); TAKE THE FUCKING CAKE // **It's shit for the birds!** Essa não cola! Corta essa! Sem essa! O buraco é mais embaixo!

shit green, blue (*v.*) **1.** chocar-se; embasbacar-se; espantar-se; indignar-se; surpreender-se; parir; cair das nuvens; cair de quatro; ficar de queixo caído; ficar com cara de tacho. // **2.** emputecer-se; injuriar-se; lixar-se; ficar uma arara/uma fera/uma vara; ficar puto da vida; ir aos arames. Ver também GET THE RED ASS; HAVE A BUG UP (ONE'S) ASS; KICK ASS AND TAKE NAMES; PISSED OFF; PISS OFF; PISS UP A STORM; SHIT A BRICK; WET HEN (2)

shit-head (*s.*) **1.** Ver ASSHOLE (2) // **2.** Ver SHIT-HEEL (1)

shit-heel (*s.*) **1.** caga-regra; sabichão; dono da verdade;

charlatão; picareta; trambiqueiro. Ver também BULLSHITTER; PRIG (2); SMART-ASS // **2.** Ver SON OF A BITCH

shit hits the fan (*s.*) merda no ventilador; escândalo; pânico; esparramo; debandada; frege; rebosteio; rebuceteio; rolo; zona. Ver também HELTER-SKELTER (1); SNAFU (2); UPROAR

shit-hole (*s.*) Ver ASS (1)

shit hook (*s.*) Ver SHIT-HEEL (1)

shithouse full (of), a (*s.*) grande número/quantidade (de); uma cagalhada (de); uma porrada (de); um porrilhão (de). Ver também DOODLE-SHIT

shit in high cotton (*v.*) Ver PISS ON ICE

Shit in your hat! (*int.*) Aqui, ó! Vá se catar! Vai te catar! Ver também NAMES

shitkicker (*s.*) caipira; capiau; jeca; pé no chão; tabaréu.

shit list (*s.*) lista negra; rol dos queimados; pessoas com nome sujo; gente indesejável.

shitload, a (*s.*) Ver SHITHOUSE FULL

shit on (someone/something) (*v.*) mandar (algo/alguém) à merda; mandar pra puta que pariu; mandar às favas; putear. Ver também NAMES; PISS ON (SOMEONE/SOMETHING)

shit on wheels (*adv.*) com certeza; na certa; seguramente; sem dúvida; sem falta; sem erro; na maior; claro que. Ver também HOT SHIT (1); SHIT (5)

shit or get off the pot (*v.*) decidir-se; tomar uma atitude; deixar de lero-lero; fazer uma opção (uso imperativo para exortar alguém que vacila). Ver também NAMES; SHILLY-SHALLY

shit out of luck (*adv.*) numa maré de azar; desesperançado; desamparado; na pior; numa pior; numa bosta que faz gosto; na merda até o pescoço. Ver também ON (ONE'S) ASS; SHIT (5); UP SHIT CREEK (abr. SOL)

shit-pan (*s.*) Ver SHIT-STOOL

shitpot, a (*s.*) Ver SHITHOUSE FULL

shit queen (*s.*) coprófilo; coprófago. Ver também GEEK; KINK (2); QUEEN; SHIT-EATER

shits, the (*s.*) caganeira; borra; desarranjo; destempero; diarreia. Ver também GYPPY TUMMY

shit-stick (*s.*) Ver CHICKENSHIT (2); MOTHERFUCKER (diz-se de pessoa)

shit-stool (*s.*) privada (2); bacia; patente; sanita; trono; vaso; vaso sanitário. Ver também SHITTER

shitstorm (*s.*) Ver SNAFU (2)

shitter (*s.*) privada (1); banheiro; cafoto; cagatório; cambrone; cloaca; latrina; miguel; retreta; retrete; sanitário;

sentina; toalete. Ver também PISS-HOUSE; SHIT-STOOL

shitty (*adj.*) **1.** Ver LECHEROUS; OFF-COLOR // **2.** Ver CHICKEN-SHIT (3)

shitty end of the stick, the (*s.*) o lado mau/negativo duma situação ou transação; consequências adversas; ossos do ofício; barra-pesada (3); ferrada; foda (2). Ver também BAD SHIT (2) // **to get the shitty end of the stick** comer da banda podre; foder-se.

shitwork (*s.*) serviço/trabalho rotineiro/sujo/pesado; batalha; batente; faina; lida; ramerrão; trampo. Ver também SAME OLD SHIT

shlang (*s.*) Ver COCK

shlong (*s.*) Ver COCK

shlontz (*s.*) Ver COCK

shmuck (*s.*) Ver SON OF A BITCH

shoot (*v.i. & v.t.*) Ver COME (3)

shoot blanks (*v.*) Ver FIRE BLANKS

shoot (the) crap/bull (*v.*) Ver BULLSHIT (2)

shoot downstairs / shoot in the front door (*v.*) Ver SHOT; FUCK (3) (uso masculino)

shoot (one's) load (*v.*) Ver COME (3)

shoot off (*v.*) Ver COME (3)

shoot the rapids (*v.*) ejacular precocemente; chavascar; fazer nas coxas. Ver também BUNNY FUCK; COME (3); WHAM-BAM (3)

shoot (one's) wad (*v.*) Ver COME (3)

short-arm inspection (*s.*) **1.** exame médico do pênis flácido, para constatação de doença venérea (uso militar). // **2.** higiene íntima; limpeza das partes (uso masculino). Ver também LONG-ARM INSPECTION; WEENIE

short hairs (*s.pl.*) pentelhos; pelos púbicos; cuelhos; pentelheira; mabuge. Ver também BEAVER (2); BUSH (2) // **to have (someone/something) by the short hairs** ter (alguém) sob domínio ou controle; considerar que (algo) está no papo; ter (algo) como favas contadas.

shot (*s.*) **1.** (ejaculation *s.* ejaculação) esporrada; galada; descarga; polução. Ver também COME (1 & 2); LOAD (2); WET DREAM // **2.** Ver FUCK (1) // **a shot downstairs/in the front door** papai e mamãe. Ver também MISSIONARY POSITION // **a shot in the back door** enrabada; enrabadela. Ver também ASSFUCK (1) // **a shot upstairs** chupada; chupadela. Ver também COCKSUCKING (2)

shot in the ass (*s.*) Ver KICK IN THE ASS

Shove it! (*int.*) Ver STICK IT!; NAMES

shovel the shit (*v.*) Ver BULLSHIT (2)

shtup (*s.*) **1.** Ver FUCK (1) // **2.** Ver BITCH; MINX // (*v.t.*) **3.** Ver FUCK (3)

sickness (*s.*) (nausea *s.* náusea) ânsia de vômito; engulho. Ver também PUKE (1 & 2)

sidewalk susie (*s.*) Ver BITCH

siff / syph (*adj.*) **1.** galicado; engalicado; malinado; sifilítico. Ver também DOSED // (*s.*) **2.** (**syphilis** *s.* sífilis) gálico; galiqueira; lues; mal-gálico; mal de barraca; mal de coito; mal de frenga; mal de santa eufêmia; mal de são semento; mal de vênus; mal-americano/canadense/céltico/escocês/napolitano/francês/germânico/polaco/turco. Ver também DOSE

significant other (*s.*) Ver SOTHER

silly fart (*s.*) Ver SON OF A BITCH (1)

sis (*adj. & s.*) Ver SISSY

sissify (*v.i.*) amaricar-se; abicharar; efeminar-se; virar a mão; virar o disco; jogar água fora da bacia; ser falso à bandeira; perder os documentos. Ver também DROP BEADS (2); CAMP (3); FOOP; SWISH (2)

sissiness (*s.*) bichice; frescura; maricagem; panasquice; paneleirice; veadagem; viadagem. Ver também CAMPING; EFFETENESS; FRUITINESS (2)

sissy / cissy / sis (*adj. & s.*) (**effeminate** *adj. & s.* efeminado) maricas; maricão; maricona; mariquinhas; abicharado; adamado; afrescalhado; amaricado; aveadado; aviadado; boneca-deslumbrada; deslumbrado; desmunhecado; fresco; mana-rapaz; mona; paninho; papo-seco; pipi; pisa-flores; pisa-verdes; pó de arroz; salta-pocinhas; ventilado. Ver também GAY; GOODY-GOODY (2); LACY; LIMP WRIST; MINTIE (1); QUEER **sister** (*s.*) **1.** feminista. Ver também WOMEN'S LIB // **2.** (=negro homossexual) Ver QUEER

sister act (*s.*) sexo entre duas bichas ou entre uma bicha e uma racha; chibação; quebra-louça. Ver também FAG BAG; FAG HAG; IN-SISTERS; QUEER

sitter (*s.*) **1.** puta novata; debutante; meretrícula; peixe-fresco. Ver também BITCH; GREEN-ASS; NYMPHET // **2.** Ver ASS (2)

sit there with (one's) finger/ thumb up (one's) ass (*v.*) ficar impassível/indiferente/apático/ indolente/inerte; ficar (aí) plantado feito um dois de paus; andar com as mãos nas algibeiras; não tirar a bunda do lugar. Ver também BUM (4); FUCK OFF (2); GET/HAVE A BROOM IN/UP (ONE'S) ASS; GET THE LEAD OUT OF (ONE'S) ASS/PANTS; HAVE LEAD IN (ONE'S) ASS/PANTS; SCREW AROUND (1)

sit-upon (*s.*) Ver ASS (2)

sixty-nine / sixty-nining (*s.*) meia-nove; sessenta e nove; sexo oral simultâneo e recíproco. Ver também BLOW JOB; FRENCH (1) (abr. 69)

size freak (*s.*) Ver SIZE QUEEN

size queen (*s.*) bicha bagageira; homossexual obcecado pelo tamanho do pênis, que procura nos parceiros dimensões sempre mais avantajadas que as de seu próprio membro. Ver também HUNG; QUEEN

skag / skank (*s.*) Ver COLD BISCUIT

skin (*s.*) Ver RUBBER

skin flick (*s.*) filme pornô. Ver também FUCK FILM; HARDCORE; NUDIE (1); SEXPLOITATION; SOFTCORE

skin flute (*s.*) Ver COCK // **to play the skin flute** Ver GIVE (SOMEONE) HEAD; SUCK (1)

skin mag (*s.*) revista de sacanagem; revista pornográfica. Ver também HARDCORE; NUDIE (1); SEXPLOITATION; SOFTCORE; TIJUANA BIBLE

skivvy / skivvies / skiwies (*s./pl.*) roupa de baixo; trajes menores; roupas íntimas. Ver também BOXER SHORTS; BRIEFS; DRAWERS; FLY; JOCK; SLIP; UNDIES; UNDERPANTS; UNION SUIT

sklook (*v.i. & v.t.*) **1.** Ver GET IT ON; TURN (SOMEONE) ON // **2.** Ver FUCK (3)

sklooking (*s.*) Ver HOT-PANTS (1)

slacks (*s.pl.*) Ver LES

slattern (*s.*) Ver BITCH

sleaze (*s.*) **1.** Ver SHIT (2) // **2.** Ver SON OF A BITCH // (*v.i.*) **3.** Ver PLAY AROUND; SLEEP AROUND

sleazy (*adj.*) Ver FILTHY; LECHEROUS

sleep around (*v.*) galinhar; zenir; ser promíscuo; trepar com qualquer um/uma. Ver também PLAY AROUND (1); SWING

sleep (with) (*v.*) Ver FUCK (3)

slip (*s.*) combinação; anágua. Ver também SKIVVY

slit (*s.*) Ver CUNT (1)

slob (*s.*) porcalhão; escroto. Ver também CRUM; DIPSHIT (2)

slut (*s.*) Ver BITCH; MINX

smart-ass (*s.*) caga-regra; sabichão; dono da verdade. Ver também BULLSHITTER; SHIT-HEEL (1)

smegma (*s.*) Ver COCK CHEESE

smooch (*v.i.* & *v.t.*) Ver NECK

smut (*s.*) **1.** Ver ROUGH STUFF (1) // (*v.t.*) **2.** desbragar; tornar sacana. Ver também SASS (2)

smuttiness (*s.*) Ver ROUGH STUFF (1)

smutty (*adj.*) Ver FOULMOUTHED; LECHEROUS

snafu (abr. de "*situation normal — all fucked up*" = "tudo certo como dois e dois são cinco") (*adj.*) **1.** cagado; melado; embananado; enrolado; escula-

chado; esculhambado; zona-do. Ver também ASS BACKWARDS; FUCKED (1); FUCKED UP; MESSY (1); PELL-MELL // (*s.*) **2.** mixórdia; melê; meleira; bananosa; cagada (2); esculacho; esculhambação; zona (2). Ver também HELTER-SKELTER (1); MESS (2); SHIT HITS THE FAN; SCREWUP // (*v.i.* & *v.t.*) **3.** cagar (2); fazer cagada; embananar; embocetar; zonear. Ver também FUCK (5); FUCK OFF (4)

snake ranch (*s.*) **1.** Ver DIVE; JOINT // **2.** Ver WHOREHOUSE

snapper (*s.*) **1.** Ver CUNT (1) // **2.** Ver FORESKIN

snapping the twig (*s.*) Ver JERKING OFF

snatch (*s.*) **1.** Ver CUNT (1) // **2.** Ver BEAVER (2); BUSH (2); CROTCH (1)

snot (*s.*) (**mucus** *s.* muco) ranho; monco; pingo. Ver também HAWK

snotty (*adj.*) **1.** ranhoso; moncoso; ranhento. // **2.** Ver PISSED OFF // **3.** Ver MOTHERFUCKING (1)

snow job (*s.*) Ver PASS

snow queen (*s.*) homossexual que prefere brancos. Ver também DINGE QUEEN; QUEEN

so-and-so (*s.*) Ver SON OF A BITCH (vale como eufemismo também para outros palavrões xingatórios como *bastard* ou *motherfucker*); Ver também BLANKETY-BLANK; NAMES; WHAT'S-HIS-ASS

sodomite (*s.*) (=active pederast) sodomita; besouro; bundeiro; caubói; cuzeiro; enrabador; fanchono; papista; peão. Ver também BUGGER (1); CATA-MITE; PITCHER; QUEER; TURK

sodomy (*s.*) enrabação; fanchonice; sodomia. Ver também ASS-FUCK (1); BUGGERY (1); DOG FASHION; STAND UP AND TAKE A BOW

soft-ass (*adj.*) débil; frágil; inócuo; ineficaz; chove não molha; frouxo.

softcore (*adj. & s.*) levemente obsceno; pornografia leve ou simulada; sexo não explícito. Ver também LECHERY; OFF-COLOR; SEXPLOITATION

sonabitchu (*s.*) Ver SON OF A BITCH

son of a bitch (*s.*) **1.** filha/filho da puta; filho da mãe; filho duma égua; fedepê; badamerda; bardamerda; berdamerda; bastardo; sobita. Ver também MOTHERFUCKER; NAMES // **2.** foda (2); rabo de foguete. Ver também BAD SHIT (2) // (*adj.*) **3.** Ver FUCKING (1 & 2) (abr. SOB) SON-OF-A-BITCHING (*adj.*) Ver FUCKING (1)

son of a gun (*s.*) Ver SON OF A BITCH

son of a so-and-so (*s.*) Ver SON OF A BITCH

sorry-ass (*adj.*) deplorável; desgraçado; mísero; coitado. Ver também ON (ONE'S) ASS; SAD SACK OF SHIT

sother (*s.*) parceiro fixo; companheiro; caso; encosto (uso homossexual). Ver também ONE-NIGHT STAND (2)

soul sauce (*s.*) Ver COME (1) (referindo-se a negros)

spank the monkey (*v.*) Ver JERK (2)

sperm (*s.*) Ver COME (1)

spew (*s.*) **1.** Ver PUKE (1) // (*v.i. & v.t.*) **2.** Ver PUKE (2)

spicy (*adj.*) Ver LECHEROUS; OFF-COLOR

spitter (*s.*) Ver COCK (referindo-se ao momento da ejaculação)

split (*s.*) Ver CUNT (1)

split beaver (*s.*) Ver SPREAD BEAVER

sporting house (*s.*) Ver WHORE-HOUSE

spread beaver (*s.*) **1.** boceta arreganhada; foto pornô em que a mulher abre as pernas. Ver também BEAVER SHOT; CUNT (1) // **2.** brechação; ato de espiar as partes ou roupas íntimas da mulher descuidada. Ver também FREE SHOW; VOYEURISM

spread for (someone) (*v.*) ir pra cama com (alguém) por amor e/ou dinheiro (diz-se da mulher); entregar-se; abrir as pernas. Ver também COME ACROSS; ON THE MAKE; PULL A TRAIN; PUT OUT

spue (*s.*) **1.** Ver PUKE (1) // (*v.i.* & *v.t.*) **2.** Ver PUKE (2)

spunk (*s.*) **1.** Ver COME (1) // (*v.i.*) **2.** Ver COME (3)

square broad (*s.*) moça direita; mulher inexperiente/ingênua/não prostituída/não iniciada; mulher pura/certinha/honesta/pudibunda/pudica/recatada. Ver também CANNED GOODS; CHERRY (1); NYMPHET; PUDENCY; SAVE IT; SITTER (1);

squat (*s.*) **1.** (defecation *s.* defecação) cagada (1); dejeção; evacuação. // (*v.i.*) **2.** Ver DUMP A LOAD; SHIT (3) // **3.** Ver BUM (4); FUCK OFF (2) // **to take a squat** dar uma cagada; dar de corpo.

squeeze off (*v.*) Ver JERK (2)

squeezing off (*s.*) Ver JERKING OFF

squirrel (*s.*) Ver CUNT (1)

stable (*s.*) putaréu; ajuntamento ou grupo de putas; a classe das prostitutas; elenco de putas de um bordel ou sob as ordens do mesmo cafetão; femeaço; gado; putame; putedo; quengada. Ver também PANDERAGE; PIMP (1); WHOREHOUSE; WOMENFOLK

stacked (*adj.*) bem servida de corpo; feita no torno; fornida; gostosa. Ver também DISH

stag film (*s.*) Ver FUCK FILM

stag party (*s.*) festa só para homens, tipo despedida de solteiro. Ver também SHAG

stand around with (one's) finger up (one's) ass (*v.*) Ver SIT THERE WITH (ONE'S) FINGER/THUMB UP (ONE'S) ASS

stand up and take a bow (*v.*) ficar em posição de cata-cavaco ou cata-tostão. Ver também ASS-FUCK (1); BUGGERY (1); DOG FASHION; SODOMY; TOPPING IT OFF

starfucker (*s.*) Ver GROUPIE

star-gazer (*s.*) Ver COCK

stay (*v.i.*) (=to maintain an erection) entesar-se; estar/ficar de pau duro. Ver também GET IT ON; GET IT UP; HARD-ON; HAVE LEAD IN (ONE'S) PENCIL

stench (*s.*) fedor (1); aca; catinga; cheirete; cheirum; fartum; fedentina; inhaca; nhaca; morrinha. Ver também BODY ODOR; STINK (1)

stews (*s.pl.*) Ver WHOREHOUSE

Stick it! (*int.*) À merda! Às favas! Ao diabo com (algo)! Pega e enfia! Faça bom proveito! Ver também NAMES; STICK IT UP YOUR ASS!; UP YOUR ASS!

Stick it/(something) up your/(one's) ass! (*int.*) Enfia no cu! Pega (algo) e enfia no cu! (resposta negativa desaforada de quem é perguntado se aceita, quer, concorda com ou gosta de algo); Ver também NAMES; STICK IT!; UP YOUR ASS!

stink (*s.*) **1.** fedor (1); fedentina; mau cheiro. Ver também

STENCH // (*v.i.*) **2.** feder; cheirar mal; catingar; tresandar; trescalar. // **to act like (one's) shit doesn't stink** dar-se ares; ter o rei na barriga; fazer-se de gostoso; fazer cu-doce; ter o cu folheado a ouro.

stinkard (*s.*) Ver SON OF A BITCH

stinker (*s.*) Ver SON OF A BITCH

stink-finger, to play (*v.*) Ver FINGERFUCK

stinky (*adj.*) fedido; fedorento; fétido; catinguento; catingoso; catingudo. Ver também FISHY; TOE-JAMMED

stinky-pinky, to play (*v.*) Ver FINGERFUCK

stomp-ass (*adj.*) violento; brutal; levado na base da porrada (diz-se de atitude ou comportamento). Ver também KICK-ASS

stonies (*s.pl.*) Ver HARD-ON

stool (*s.*) **1.** Ver SHIT-STOOL // **2.** Ver SQUAT (1) // (*v.i.*) **3.** Ver SHIT (3) // **straining at stool** (**tenesmus** *s.* tenesmo) puxo (1)

straight (*s.*) heterossexual; careta; bofe. Ver também GAY; JAM

streaking (*s.*) ato de correr nu em público; chispada. Ver também INDECENT EXPOSURE

street, on the (*adv.*) na vida; na prostituição; na viração. Ver também DOWN THE LINE; LIFE; RED-LIGHT DISTRICT

streetwalk (*v.i. & v.t.*) batalhar; bater calçada; fazer a vida; fazer rua; fazer trotuar. Ver também CRUISE; HUSTLE (1)

streetwalker (*s.*) Ver BITCH

streetwalking (*s.*) Ver LIFE

stripper (*s.*) dançarina de striptease; prostituta de cabaré. Ver também CEMENT-MIXER (2); GO-GO GIRL; NUDIE (2)

strip-tease / strip (*s.*) número de desnudamento; parte de show erótico em que a vedete se despe. Ver também CEMENT-MIXER (1); CIRCUS; COOCH (2); NUDIE (3); PEEP SHOW (2); TOPLESS

stroke (*v.i. & v.t.*) Ver JERK (2)

stroke house (*s.*) cinema pornô. Ver também SEXPLOITATION

stronger than pig shit (*adj.*) forte como um touro; forte pra caralho; forçudo. Ver também HUNG

stropping (one's) beak (*s.*) Ver JERKING OFF

strumpet (*s.*) Ver BITCH

stuck on (someone) (*adj.*) enrabichado/embeiçado por (alguém); caído/caidinho por; gamado em/por; apaixonado por. Ver também CRUSH

stud (*s.*) macho; machão; bofe; garanhão. Ver também WHOREMONGER

stuff (*s.*) **1.** Ver DISH // (*v.t.*) **2.** Ver FUCK (3) (uso masculino) // **eatin' stuff** Ver DISH // **hot stuff**

Ver HOT SHIT // **rough stuff** baixaria; barra-pesada; destempero verbal; violência física. // **white stuff** Ver COME (1)

stupid fart (*s.*) Ver SON OF A BITCH (1)

suck (*v.i.* & *v.t.*) **1.** chupar (pau/boceta/cu); cair de boca; chuchar; engolir cobra; fazer chupeta; fazer/pagar um boquete; fazer um broche; fazer um guloso; fazer cunete; fazer minete (em); praticar sexo oral. Ver também BLOW (3); BROWN-NOSE (1); CURE THE BLIND; DEEP-THROAT; FRENCH (3); GET/GO DOWN ON (SOMEONE); GIVE (SOMEONE) HEAD; GO DOWN AND DO TRICKS; RIM (1) // **2.** bajular; babar/chupar o ovo de; puxar o saco de. Ver também BROWN-NOSE (2); LICK (SOMEONE'S) ASS PISS DOWN (SOMEONE'S) BACK; TAKE SHIT

suck ass (*v.* Ver SUCK (2)

sucker (*s.*) **1.** Ver COCKSUCKER (1) // **2.** Ver ASSHOLE (2) // **3.** otário; trouxa. Ver também MUG (2)

suck face (*v.*) Ver NECK; PLAY GRAB-ASS

suck off (*v.*) Ver SUCK (1 & 2)

suck-off (*s.*) Ver ASS-KISSER (2)

sugar daddy (*s.*) Ver OLD MAN

sugarstick (*s.*) Ver COCK

sumbitch (*s.*) Ver SON OF A BITCH

sumbitching (*adj.*) Ver FUCKING (1)

Sure as shit! (*int.*) Claro! Certamente! Só! Ver também BET (ONE'S) ASS!; FUCKING-A!

susfu (*adj., s., v.i.* & *v.t.*) (abr. de "*situation unchanged: still fucked up*") Ver SNAFU

swaffonder / swassonder (*s.*) Ver SIXTY-NINE

sweater girl (*s.*) atriz ou modelo famosa pelos seios fartos; vedete peituda. Ver também CHESTY; DISH; PIN-UP GIRL; TIT KING; TITS; UPLIFT; VITAL STATISTICS

sweat hog (*s.*) Ver MINX

swing (*v.i.*) (=to be promiscuous) galinhar; gandaiar; saçaricar; femear; sirigaitar; folgar; rosetar; surubar; menagear; dançar (o) baião de três. Ver também BASH; COME ACROSS; DALLY; FRUIT (3); ON THE MAKE; PLAY AROUND; PULL A TRAIN; PUT OUT; SLEEP AROUND

swing both ways (*v.*) giletar; ser bissexual; cortar pelos dois lados. Ver também DOUBLE-GAITED; SWITCH-HITTER

swinger (*s.*) **1.** galinha (1 & 2). Ver também FRUIT (1) // **2.** surubeiro; adepto do sexo grupal ou da troca de casais. Ver também LECHER

swinging (*s.*) **1.** (=group sex) suruba; surubada; bacanal; baião de quatro; orgia. Ver também

BALL (2); DAISY CHAIN; GROUP-GROPE; SHAG // **2.** troca de casais; adultério pactuado e recíproco entre dois ou mais casais. Ver também CHEATING

swish (*s.*) **1.** Ver QUEER; SISSY // (*v.t.*) **2.** desmunhecar; virar a mão; jogar água fora da bacia; abicharar; ser falso à bandeira/ao corpo. Ver também CAMP (3); SISSIFY

swishy (*adj.*) fechativo; desmunhecado; pintoso. Ver também CAMP (1)

switch-hitter (*s.*) bissexual; capicua; gilete. Ver também DOUBLE-GAITED; LUCKY PIERRE; QUEER; SWING BOTH WAYS

sword swallower (*s.*) Ver COCK-SUCKER (1)

syph (*adj. & s.*) Ver SIFF

syphilis (*s.*) Ver SIFF (2)

syphilitic (*adj.*) Ver siff (1)

table grade (*s.*) Ver DISH
taboo word (*s.*) palavrão; nome feio; pachouchada; palavra cabeluda; palavrada; tabuísmo. Ver também NAMES
tail (*s.*) **1.** Ver ASS (2) // **2.** Ver CUNT (1) // **3.** Ver DISH // **piece of tail** Ver DISH; FUCK (1) // **plug-tail** Ver COCK // **to have (someone) by the tail** Ver HAVE (SOMEONE) BY THE BALLS // **to turn tail** tergiversar; dar com os quartos de lado; tirar o cu da reta/seringa. // **to work (one's) tail off** Ver BUST (ONE'S) ASS // **warm in the tail** Ver LECHEROUS
tail bone (*s.*) **1.** (coccyx *s.* cóccix) mucumbu; osso-do-pai-joão. // **2.** Ver ASS (2)
tail feathers (*s.pl.*) Ver SHORT HAIRS

tail fence (*s.*) Ver CHERRY (2)
tail wagging (*s.*) Ver FUCK (1)
take a crap (*v.*) Ver SHIT (3)
take a dump (*v.*) Ver SHIT (3)
Take a flying fuck! (*int.*) Ver FUCK YOU!; NAMES
take a leak (*v.*) dar uma mijada; mijar. Ver também LET FLY; PAY A CALL; PISS (2)
take a piss (*v.*) Ver TAKE A LEAK
take a shit (*v.*) Ver TAKE A SQUAT
take a squat (*v.*) dar uma cagada; dar de corpo. Ver também DUMP A LOAD; PAY A CALL; SHIT (3)
take care of business (*v.*) Ver JERK (2)
take shit (from) (*v.*) aceitar/suportar humilhação; levar desaforo pra casa; arrastar o cu na areia; engolir sapo. Ver também LICK (SOMEONE'S) ASS; SUCK (2)

take the (fucking) cake (*v.*) ser incrível/inadmissível/absurdo; ser o cúmulo; ser o ó da nação. Ver também SHIT FOR THE BIRDS

taking care of business (*s.*) Ver JERKING OFF

tallywagger (*s.*) Ver COCK

tampon (*s.*) tipo de absorvente íntimo. Ver também RAG

tangle assholes (*v.*) entrar em conflito; ter um atrito; bater boca. Ver também CHEW (SOME-ONE'S) ASS OUT

tarfu (*adj., s., v.i. & v.t.*) (abr. de "*things are really fucked up*") Ver SNAFU

tart (*s.*) Ver BITCH; MINX

taste (*s.*) Ver FUCK (1)

tear off a piece (of ass) (*v.*) Ver FUCK (3) (uso masculino)

tearoom (*s.*) Ver PISS-HOUSE (uso homossexual)

tearoom queen (*s.*) homossexual que procura parceiros em banheiros públicos; bicha banheirista. Ver também CRUISING; QUEEN

tease (*s.*) Ver MINX

teaser (*s.*) Ver COCK TEASER

teat (*s.*) Ver TIT

tea trade (*s.*) **1.** Ver TEAROOM QUEEN // **2.** caçação/pegação em banheiro público; banheirismo. Ver também CRUISING; PLAY CHECKERS

tell (someone) to go to... (*v.*) mandar (alguém) (ir) a/pra... Ver também NAMES

tell (someone) what to do with (something) / tell (someone) where to put/shove/stick (something) (*v.*) Ver YOU KNOW WHAT YOU CAN DO WITH IT!

tell (someone) where to go (*v.*) mandar (alguém) praquela parte; putear. Ver também NAMES

temperamental (*adj. & s.*) Ver GAY; QUEER

tenderloin (*s.*) Ver BACK-ALLEY; RED-LIGHT DISTRICT

tenesmus (*s.*) Ver STOOL, STRAINING AT

tent (*s.*) volume formado nas calças por uma ereção; barraca armada. Ver também BASKET (2); HARD-ON

testicles (*s.pl.*) Ver BALLS (1)

That's the way the elephant farts/the frogs fuck/the mothers muck! (*int.*) É a vida! São coisas da vida! São os ossos do ofício! Paciência! Pior que isso é ser mãe de ouriço! (frase para consolar, encorajar, expressar resignação ou compaixão, mesmo ironicamente) Ver também FLYING FUCK; TOUGH SHIT!

think (one's) shit doesn't stink (*v.*) Ver ACT LIKE (ONE'S) SHIT DOESN'T STINK

third leg (*s.*) Ver COCK

three-dollar bill (*s.*) **1.** Ver QUEER // **2.** Ver KINK (2)

three-letter man (*s.*) Ver FAG

threesome (*s.*) (**troilism** *s.* troilismo; troilismo) baião de três; tresquiáltera; foda a três; menage; triângulo sexual; sanduíche; suruba. Ver também CLUSTER FUCK; DAISY CHAIN; LUCKY PIERRE; SHAG; SWINGING (1)

three-way (*s.*) **1.** ato sexual envolvendo penetração vaginal, oral e anal; serviço completo; comes e bebes. Ver também FRENCH (1); GREEK; HALF-AND-HALF; MISSIONARY POSITION // **2.** Ver THREESOME

throw a boff/bop/fuck/screw into (someone) (*v.*) Ver FUCK (3)

throw (someone) out on (someone's) ass (*v.*) expulsar; pôr (dali) pra fora: soltar os cachorros em cima de (alguém).

thrust (*v.t.*) foder a boca de (alguém); foder (alguém) na boca; irrumar. Ver também FRENCH (3); FUCK (3); RAPE (2)

thrusting (*s.*) foda na boca; felação em que o papel ativo é exercido pelo homem que penetra; irrumação; estupro oral. Ver também BLOW JOB; COCKSUCKING (2); FRENCH (1); RAPE (1)

tickle the piss/shit out of (someone) (*v.*) deixar (alguém) alegre/contente; agradar; satisfazer; fazer (alguém) babar de gosto. Ver também PISS OFF

tight as Kelsey's nuts/O'Reilly's balls (*adj.*) avarento; sovina; morrinha; muquirana; munheca de samambaia; pão-duro; unha de fome.

tight-ass (*adj. & s.*) pudico; puritano; cagaloso; cheio de não-me-toques; cheio de frescura; cheio de merda. Ver também PISSY (2); PRUDE; PRUDISH

tight-assed (*adj.*) pudico; recatado; cheio de frescura/merda. Ver também OLD-MAIDISH; PISSY (2)

Tijuana Bible (*s.*) livro ou revistinha de sacanagem; catecismo. Ver também SKIN MAG

till/until (one's) ass is dragging (*adv.*) até cansar; até não poder mais; até o cu fazer bico. Ver também AS SHIT; BUST (ONE'S) ASS

time, to give (someone) the (*v.*) Ver FUCK (3)

tinkle (*v.i.*) Ver PISS (2) (uso infantil ou comicamente adulto)

tip (*s.*) **1.** Ver FUCK (1) // **2.** Ver DISH // (*v.i. & v.t.*) 3. Ver FUCK (3) // **4.** Ver CHEAT

tit (*s.*) bico do peito; mamilo; maminha. Ver também TITS

tit art (*s.*) Ver PIN-UP

tit fuck fucking (*s.*) ato sexual envolvendo inserção/fricção do pênis entre os seios da mulher; espanhola. Ver também BELLY-FUCKING; INTERFEMORAL

tit king (*s.*) lésbica que prefere mulheres peitudas. Ver também CHESTY; LES; SWEATER GIRL

tits (*s.pl.*) **1.** (**breasts** *s.pl.* seios) peitos; catarinas; limões; mamas; marmelos; tetas; leiteria; ornato; busto. Ver também BUBS; CLEAVAGE; SWEATER GIRL; UPLIFT // (*adj.*) **2.** Ver BITCHING; HOT SHIT

tits-and-ass (*adj.*) de sacanagem; pornográfico; relativo a foto pornô, especialmente de nus femininos. Ver também BEAVER SHOT; CHEESECAKE (2); FRENCH POSTCARD; PIN-UP; SEXPLOITATION

tits-and-zits (*adj.*) relativo a sexo entre adolescentes; juvenil (diz-se de gênero comercial de filmes, leituras etc.).

titties (*s.pl.*) Ver TITS

tit torture (*s.*) prática sadomasoquista na qual os mamilos da vítima são torturados com ganchos, argolas, presilhas, correntes etc. (abr. TT)

tit work (*s.*) Ver TIT TORTURE (abr. TW)

toejam (*s.*) chulé (1); sujidade acumulada entre os dedos do pé. Ver também FEET-STINK; FOOT SMELL

toe-jammed (*adj.*) chulepento; chulerento. Ver também STINKY

toe queen (*s.*) bicha pódólatra. Ver também PODOPHILIA; QUEEN

To hell with you! (*int.*) Vá à merda! Vá pro inferno! Vá pro diabo que o carregue! Ver também NAMES

toilet (*s.*) Ver SHITTER

toilet-paper (*s.*) Ver ASS-WIPE

tokus / tokis / tuckus (*s.*) Ver ASS (1 & 2)

tokus licker (*s.*) Ver ASS-KISSER (abr. TL)

tomboy (*s.*) Ver LES

tomcat (*s.*) **1.** Ver WHOREMONGER // (*v.i.*) **2.** femear; gavionar; andar às gatas. Ver também HONEYFUGGLE (2)

tommy (*s.*) Ver BITCH

tong (*s.*) Ver COCK

tool (*s.*) Ver COCK

top (*adj. & s.*) diz-se do parceiro dominador ou ativo na relação sadomasoquista. Ver também BOTTOM (2); ROUGH TRADE; SADIE-MAISIE (2)

topless (*adj. & adv.*) nua da cintura para cima; com os seios à mostra; sem sutiã; relativo a local ou espetáculo onde mulheres se apresentam nuas da cintura para cima. Ver também GO-GO GIRL; NUDIE (2 & 3); STRIP-TEASE

topping it off (*s.*) cavalinho; sueca; posição em que a mulher senta sobre o pênis do homem. Ver também DOG FASHION; STAND UP AND TAKE A BOW

top sergeant (*s.*) Ver DYKE; LES

torch job (*s.*) Ver ENEMA
tossing off (*s.*) Ver JERKING OFF
toss off (*v.*) Ver JERK (2)
Tough shit! (*int.*) É foda! Não é bolinho! Não é mole! Problema seu/dele! Ver também NAMES; MY ASS IS GRASS!; THAT'S THE WAY THE ELEPHANT FARTS!; YOUR ASS IS GRASS! (abr. TS)
town pump (*s.*) Ver MINX
trade (*s.*) homem ou mulher sensual; calcinha; cueca; tesão (3). Ver também BAIT; BOILERMAKER; DISH; SEXY // **free trade** amor livre; sexo sem remuneração. // **piece of trade** Ver BITCH; DISH // **rough trade** barra-pesada (2); sadomasoca.
train (*s.*) **1.** curra; geral. Ver também GANG BANG // (*v.t.*) **2.** currar; dar uma geral em. Ver também GANG FUCK (2); PULL A TRAIN; RAPE (2)
tramp (*s.*) Ver BITCH
transexual (*adj. & s.*) pessoa que troca de sexo cirurgicamente; transexual. Ver também DRAG-QUEEN; GENDERFUCK (2) (abr. TS)
transvestism (*s.*) Ver CROSS-DRESSING
transvestite (*s.*) Ver DRAG-QUEEN (abr. TV)
treat (someone) like shit (*v.*) Ver PISS ON (SOMEONE/SOMETHING)
tribade (*s.*) roçadeira; roçona; saboeira; tríbade. Ver também LES
tribadism (*s.*) Ver RUBBING

trick (*s.*) **1.** o cliente da puta; freguês de puteiro; putanheiro (1). // **2.** michê (2); o cachê da puta; o preço da trepada. // **3.** o coito pago; o programa. Ver também LIFE; ONE-NIGHT STAND; PANDERAGE; WHOREMONGER // (*v.t.*) **4.** atender cliente (diz-se da puta); fazer a vida; batalhar. Ver também HUSTLE (2); SCORE (3); WHORE (2) // **5.** lesar; prejudicar; sacanear; tapear. Ver também FUCK (4) // **champagne trick** putanheiro endinheirado // **dirty trick** jogo sujo; sacanagem; filhadaputagem; filhadaputice. // **freak trick** putanheiro barra-pesada.
trim (*s.*) **1.** Ver CUNT (1) // **2.** Ver FRAIL JOB (3)
trip around the world (*s.*) Ver AROUND THE WORLD
triple-clutcher (*s.*) Ver MOTHERFUCKER
triple-clutching (*adj.*) Ver MOTHERFUCKING
troilism (*s.*) Ver THREESOME
troll (*v.i. & v.t.*) Ver CRUISE
trots, the (*s.pl.*) Ver GYPPY TUMMY
trouser snake (*s.*) Ver COCK
truck driver (*s.*) homossexual másculo; bicha macha. Ver também QUEER
trull (*s.*) Ver BITCH
tuckus (*s.*) Ver ASS (1 & 2)
tuifu (*adj., s., v.i. & v.t.*) (abr. de "*the ultimate in fuck-ups*") Ver SNAFU

tuna fish (*s.*) **1.** Ver CUNT (1) // **2.** Ver FISH

turd (*s.*) cagalhão; poia; tolete; troço; troçulho. Ver também SHIT (1)

turf, on the (*adv.*) Ver ON THE STREET

turk (*s.*) pederasta ativo; fanchono; enrabador; gabiru; papista; peão; tarado. Ver também BUGGER (1); KINK (2); QUEER; ROUGH TRADE; SODOMITE

Turkish culture (*s.*) Ver ASS-FUCK (1)

turn a trick (*v.*) Ver TRICK (4)

turn (someone) on (*v.*) entesar; assanhar; arreitar; arretar; esquentar; retar; ouriçar (alguém); atrair; estimular; excitar (alguém); despertar tesão em (alguém). Ver também GET IT ON; INFATUATE

turn-on (*s.*) tesão (2); fogo; pito aceso. Ver também CHARGE (1); HARD-ON; HOT-PANTS (1)

turn (someone) out (*v.*) iniciar (alguém) no sexo ou na prostituição; prostituir; pôr (alguém) na vida. Ver também LEAD ASTRAY

turn tail (*v.*) tergiversar; dar com os quartos de lado; tirar o cu da reta/seringa. Ver também COVER (ONE'S) ASS; CUT ASS

turtleneck sweater (*s.*) Ver FORE-SKIN

tush / tushie / tushy (*s.*) Ver ASS (2)

twat (*s.*) **1.** Ver CUNT (1) // **2.** Ver DISH

twiddle-diddles (*s.pl.*) Ver BALLS (1)

twidget (*s.*) Ver CUNT (1)

twigle (*v.t.*) Ver FUCK (3)

twilight man (*s.*) Ver GAY; QUEER

twilight woman (*s.*) Ver LES

twink (*s.*) **1.** Ver SISSY // **2.** Ver QUEER

twinkle-toes (*s.*) Ver SISSY

twist (*s.*) Ver MINX

twisted (*adj.*) Ver KINKY; LECHEROUS

twisty (*adj.*) Ver SEXY (diz-se da mulher)

uncircumcised (*adj.*) Ver UNCUT
uncut (*adj. & s.*) incircunciso; não circuncidado; chaleira; bico de chaleira. Ver também BLIND MEAT; FORESKIN; PHIMOSIS; WINK

underpants (*s.pl.*) calcinha; calcinhas; calçolas. Ver também SKIVVY; UNDIES

underskirt (*s.*) Ver SLIP

undies (*s.pl.*) roupa de baixo feminina; langerri; *lingerie*. Ver também SKIVVY; UNDERPANTS

unfaithful (*adj.*) que comete(u) adultério; infiel; traidor(a); adúltero. Ver também CHEATER; FAITHFUL // **to be unfaithful to one's husband** Ver CHEAT; CUCKOLD (2); PLAY AROUND (2) // **to be unfaithful to one's wife** Ver CHEAT; PLAY AROUND (2)

union suit (*s.*) macacão de baixo; ceroula e camiseta numa só peça. Ver também SKIVVY

unload / unload (his) wad (*v.*) Ver COME (3); LOAD (2)

unmentionables (*s.pl.*) Ver SKIVVY

unwell (*adj.*) incomodada; embaraçada; menstruada; de chico. Ver também CURSE (1)

unwhisperables (*s.pl.*) Ver SKIVVY

up (one's) ass (*adv.*) sem vaselina; com areia; implacavelmente: "*I was really cheated, right up my ass.*" Ver também UP YOUR ASS!

uplift (*s.*) sutiã que realça ou empina os seios. Ver também BRA; BUBS (1); CHESTY; PASTY; SWEATER GIRL; TITS

uproar (*s.*) auê; arranca-rabo; cu de boi; cu de mãe joana; rebu-

ceteio. Ver também HELTER-
SKELTER (1); PISSING CONTEST (2);
SHIT HITS THE FAN // **not to get
(one's) balls in an uproar** manter a calma; acalmar-se; ficar
frio; sossegar o pito.

up shit creek (without a paddle)
(*adj.*) no mato sem cachorro;
numa camisa de onze varas; entre a cruz e a caldeirinha; numa
sinuca de bico. Ver também DRAG
ASS (2); SCREWED, BLEWED, AND
TATTOOED (1); SHIT CREEK; SHIT
OUT OF LUCK

up the ass (*adv.*) amplamente;
completamente; inteiramente;
profundamente; tim-tim por tim-
tim; como a palma da mão. Ver
também ROYAL; SHIT (5)

Up thine with turpentine! (*int.*)
Ver UP YOUR ASS!
Up your ass/brown! (*int.*) No seu
cu! Pau no teu cu! Enfia no cu!
Vai tomar no cu! Ver também
NAMES; STICK IT!; UP (ONE'S) ASS
**Up your ass with sandpaper/salt/
gauze!** (*int.*) Ver UP YOUR ASS!
Up yours! (*int.*) Ver UP YOUR ASS!
uranian (*s.*) Ver GAY; QUEER
uranianism (*s.*) Ver GAYNESS
uranism (*s.*) Ver GAYNESS
urinal (*s.*) **1.** Ver PISS-BOWL // **2.**
Ver PISS-HOUSE
urinate (*v.i.*) Ver PISS (2)
urine (*s.*) Ver PISS (1)
urolagnia (*s.*) Ver WATERSPORTS
usher of the back door (*s.*) Ver
QUEER
uterus (*s.*) Ver WOMB

vagina (*s.*) Ver CUNT (1)

valentino (*s.*) Ver FUCK (1)

vamp (*s.*) Ver WOLFESS

vanilla sex (*s.*) sexo convencional ou comportado, sem violência ou perversões. Ver também FUCK (1); KINK (1); MISSIONARY POSITION; SADIE-MAISIE (1)

vegetarian (*s.*) prostituta ou homossexual que não pratica felação. Ver também COCKSUCKER (1); FELLATRICE

venereal disease (*s.*) Ver DOSE (abr. VD)

verbal abuse (*s.*) Ver NAMES (abr. VA)

vestibule (*s.*) Ver ASS (2)

V-girl (*s.*) **1.** puta doente, transmissora de DST; carniça; escarradeira de hospital; pinica e cai; puta podre. Ver também BITCH // **2.** Ver B-GIRL; MINX

virginity (*s.*) Ver CHERRY (2)

vital statistics (*s.pl.*) medidas do corpo feminino (busto, cintura, quadris). Ver também PIN-UP GIRL; SWEATER GIRL

volvulus (*s.*) volvo; nó na tripa; nó nas tripas; oclusão intestinal.

vomit (*s.*) **1.** Ver PUKE (1) // (*v.i.* & *v.t.*) **2.** Ver PUKE (2)

voos (*s.pl.*) Ver TITS

voyeur (*s.*) voyeur; abelhudo; cocador; xereta; escopófilo; brechador; brecheiro; espia; espião; mirão; mirone; olheiro. Ver também BEAVER-SHOOTER; LECHER

voyeurism (*s.*) voyeurismo; escopofilia; mixoscopia; brechação; xeretice. Ver também INDECENT EXPOSURE; KINK (1); OGLE (1); PEEP SHOW (1); SPREAD BEAVER (2)

vulva (*s.*) Ver CUNT (1)

wad (*s.*) Ver COME (1) // **to shoot (his) wad / to unload (his) wad** Ver COME (3)

wag (*s.*) bimba; bichoca; bimbo; pemba; pichuleta; pimba; pimbinha; pingulim; pipi; pirilau; pirrola; pitoca; tico; pênis de criança. Ver também COCK

wallie / wally (*s.*) **1.** Ver GIGOLO // **2.** Ver WHOREMONGER; WOLF

wand (*s.*) Ver COCK // **waving the wand** Ver JERKING OFF

wang (*s.*) Ver COCK

wank (*v.t.*) Ver JERK (2)

wanker (*s.*) Ver JERK (1)

wanking off (*s.*) Ver JERKING OFF

wank off (*v.*) Ver JERK (2)

wanton (*adj.*) **1.** Ver LECHEROUS // (*s.*) **2.** Ver LECHER // **to play the wanton** galinhar; sirigaitar.

wantonness (*s.*) Ver LECHERY

wap (*v.t.*) Ver FUCK (3)

warm in the tail (*adj.*) Ver LECHEROUS

warts (*s.pl.*) (**condyloma** *s.* condiloma) crista de galo; cavalo de crista; verruga genital. Ver também DOSE

water chestnut (*s.*) homossexual de origem nipônica. Ver também GAY; QUEER

water-closet (*s.*) Ver SHITTER (abr. WC)

watersports (*s.pl.*) chuveirinho; urolagnia; micção na boca ou sobre o corpo do parceiro como fonte de prazer sexual. Ver também GEEK; PISS; SCAT (abr. WS)

waterworks (*s.*) Ver COCK

waving the wand (*s.*) Ver JERKING OFF

way the elephant farts, the (*s.*) Ver THAT'S THE WAY THE ELEPHANT FARTS!

wazoo (*s.*) Ver ASS (1 & 2)

wear boxer shorts (*v.*) ser parceira ativa (no relacionamento lésbico); dirigir o caminhão. Ver também LES

wear the breeches/pants (*v.*) ser homem; cantar de galo (em casa); cuspir grosso. Ver também CUCKOLD (1); PUSSY-WHIPPED

wee (*s.*) **1.** Ver PISS (1) // (*v.i.*) **2.** Ver PISS (2)

weed monkey (*s.*) Ver BITCH; B-GIRL

weenie / weeney / weinie / wienie / wiener / weener (*s.*) pau (mole); pendureza; pincel. Ver também COCK; SHORT-ARM INSPECTION // **dolloping the weener** Ver JERKING OFF // **to play hide the weenie** Ver FUCK (3)

wee-wee (*s.*) **1.** Ver PISS (1) // (*v.i.*) **2.** Ver PISS (2) // **to go wee-wee** fazer xixi; fazer pipi.

well-hung (*adj.*) Ver HUNG

wench (*s.*) **1.** Ver BITCH // (*v.i.*) **2.** Ver WHORE (3)

wet (*v.i. & v.t.*) Ver PISS (2) (diz-se principalmente de criança)

wet deck (*s.*) (**nymphomaniac** *s.* ninfomaníaca; ninfômana) areia-gulosa; mulher insaciável. Ver também HOT PATOOTIE; MINX; WOLFESS

wet dream (*s.*) sonho erótico com ejaculação espontânea; polução noturna. Ver também DREAM AND CREAM; JERKING OFF; SHOT (1)

wet hen (*s.*) **1.** Ver BITCH // **2.** pessoa emputecida; puto/puta da vida. Ver também PISSED OFF // **mad as a wet hen** uma arara; uma fera; uma vara; emputecido; puto da vida; pê da vida; p. da vida; p. dentro da roupa; fulo de raiva. // **to be as mad as a wet hen** Ver SHIT GREEN (2)

whacking (*adj.*) Ver BITCHING

whacking off (*s.*) Ver JERKING OFF

whack off (*v.*) Ver JERK (2)

wham-bam (*adj. & adv.*) **1.** afobado; sôfrego; rápido e rasteiro; afobadamente; sofregamente; nas coxas; a trouxe-mouxe (diz-se do ato sexual quando maquinal ou precipitado). Ver também PELL-MELL (3) // (*s.*) **2.** trepada apressada e sem envolvimento; foda rápida e mecânica; chavascada; uma rapidinha; uma de galo; xoque-xoque xau e bença. Ver também DRY FUCK (2); HONEYFUGGLING (2); QUICKIE // (*v.t.*) **3.** trepar às pressas; chavascar; gozar prematura ou forçadamente. Ver também BUNNY FUCK; SHOOT THE RAPIDS

wham-bam-thank-you/ye-ma'am (*s.*) Ver WHAM-BAM (2)

whang (*s.*) Ver COCK

whanger (*s.*) Ver COCK

whang-string (*s.*) (**frenum** *s.* freio) cabresto; barbicacho. Ver também FORESKIN

what's-his/her/its-ass (*s.*) pessoa/coisa indeterminada ou cujo nome não se lembra; fulano; sicrano; beltrano; treco; joça; aquele tal; aquele troço. Ver também BLANKETY-BLANK; SO-AND-SO

What the fuck! / What the deuce/ devil/dickens/hell! (*int.*) Ver SHIT (4); NAMES

whee (*s.*) Ver PISS (1)

where the sun doesn't shine (*s.*) Ver ASS (1)

whisker (*s.*) Ver BITCH; MINX

whistle breeches (*s.*) pessoa que peida muito; peidão; peidorreiro. Ver também FART (1)

white meat (*s.*) **1.** Ver DISH (diz-se de mulher branca) // **2.** Ver CUNT (1) (referindo-se à mulher branca); Ver também MEAT

white stuff (*s.*) Ver COME (1)

whiz / whizz (*s.*) **1.** Ver PISS (1) // (*v.i. & v.t.*) **2.** Ver PISS (2)

whore (*s.*) **1.** Ver BITCH // (*v.t.*) **2.** cair na vida; fazer a vida; fazer rua; andar ao fanico; andar/ viver no engate; batalhar; bater calçada; chorar na rampa; mo-

çar; prostituir-se; rodar bolsinha; trabalhar no desvio; virarse. Ver também GO ASTRAY; HUSTLE (1); SCORE (3); TRICK (4) // **3.** frequentar puteiro; andar às gatas; femear; putear; chavascar; folgar; fretar; marafonear; rosetar; fazer um programa. Ver também HONEYFUGGLE (2); PLAY AROUND (1); WHOREMONGER

whorecraft (*s.*) Ver LIFE

whoredom (*s.*) **1.** Ver LIFE // **2.** Ver LECHERY

whore-hopper (*s.*) Ver WHOREMONGER

whorehouse (*s.*) (**brothel** *s.* bordel) puteiro; alcoice; alcouce; brega; casa das primas; casa de passe; casa de putaria; castelo; conventilho; curro; harém; liceu; lupanar; mangue; pino; prostíbulo; putedo; serralho. Ver também ASSIGNATION HOUSE; CALL-HOUSE; DIVE; HOOKSHOP; JAG HOUSE; JOINT; MASSAGE PARLOR; PAD; RAP CLUB; RED-LIGHT DISTRICT; STABLE; ZOO

whoremaster (*s.*) Ver WHOREMONGER

whoremonger (*s.*) **1.** (=woman chaser/prostitute's customer) putanheiro; alcovista; boceteiro; bode; buceteiro; chichisbéu; chineiro; engatatão; femeeiro; folgazão; gabiru; gandaieiro; garanhão; gavião; marialva;

mulherengo; organista; pachola; pai de chiqueiro; pai-d'égua; paquerador; piranheiro; quenguista; raparigueiro; roseteiro; sedutor. Ver também CHERRY PICKER; STUD; TRICK (1); WOLF (1) // **2.** Ver LECHER

whoreson (*s.*) Ver SON OF A BITCH (1)

whorish (*adj.*) Ver LECHEROUS

wife (*s.*) homossexual ou lésbica que assume o papel feminino numa relação a dois. Ver também HUSBAND (2); LES; QUEER

wife swapping (*s.*) Ver SWINGING (2)

wild-ass / wild-assed (*adj.*) Ver NUTTY

willy-boy (*s.*) Ver SISSY

wimmin (*s.pl.*) corruptela de women (uso lésbico).

wind (*s.*) Ver FART (1) // to break wind peidar; soltar traque.

wink (*v.i.*) ser incircunciso; ter amor à pele. Ver também BLIND MEAT; UNCUT

winkle (*s.*) Ver COCK

wise-ass (*s.*) Ver SMART-ASS

witch (*s.*) Ver BITCH; MINX

with balls/bells on (*adj.*) **1.** numa estica; alinhado; bem-vestido; elegante. Ver também LOOK LIKE TEN POUNDS OF SHIT IN A FIVE-POUND BAG // (*adv.*) **2.** Ver SHIT ON WHEELS

wolf (*s.*) **1.** paquerador; conquistador; sedutor; barba-azul; chichisbéu; dom-juan; engatatão; gabiru; gavião; putanheiro. Ver também CHERRY PICKER; WHOREMONGER (1) // **2.** Ver QUEER // **3.** (=male homo seducer) gavião (2); gavião papa-pinto; gavião pega-pinto; homossexual pedófilo. Ver também CHICKENHAWK; QUEER

wolfess (*s.*) (=seductress) garanhona; pantera; tigresa; vampira; varejeira. Ver também BITCH; DISH; MINX; WET DECK

woman chaser (*s.*) Ver WHOREMONGER (1); WOLF (1)

woman chasing (*s.*) paquera; paqueração; engate; femeação; gavionice. Ver também DALLIANCE; FLIRTATION; SATYRIASIS

woman-hater (*s.*) misógino. Ver também QUEER

womanish (*adj.*) Ver SISSY

womb (*s.*) (**uterus** *s.* útero) mãe do corpo; madre.

womenfolk (*s.*) mulherio. Ver também STABLE

women's lib (*s.*) movimento feminista; militância feminista. Ver também GAY LIB; SISTER (1)

womon (*s.*) corruptela de woman (uso lésbico).

work (*s.*) Ver FUCK (1)

work (one's) ass/buns/tail off (*v.*) Ver BUST (ONE'S) ASS

working girl (*s.*) Ver BITCH

worth a damn / worth a shit
(*adj. & adv.*) **1.** ao máximo; pra
valer; até debaixo d'água (afir-
mativamente). // **2.** em abso-
luto; de jeito nenhum; nem
matando; nem morta; nem a
pau (negativamente). Ver também LIKE HELL; SHIT (5)

wrist-slapper (*s.*) Ver LIMP WRIST

Your old lady's one! (*int.*) É a mãe! É o cu da mãe! É a vó! (réplica a um insulto) Ver também NAMES
yum-yum (*s.*) Ver COCK

X-rated (*adj.*) de sacanagem; pornô; censurado. Ver também HARDCORE; LECHEROUS

zaftig / zoftig (*adj.*) Ver STACKED
zig-zig (*s.*) **1.** Ver FUCK (1) // (*v.i.*) **2.** Ver FUCK (3)
zoftig (*adj.*) Ver STACKED
zoo (*s.*) bordel misto, de mulheres, homens, crianças ou de prostitutas de várias raças/nacionalidades. Ver também WHORE-HOUSE
zoophilia (*s.*) Ver BUGGERY (2)

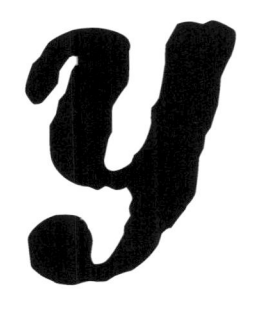

yang (*s.*) Ver COCK
yard (*s.*) **1.** Ver COCK // (*v.i.*) **2.** Ver CHEAT
ying-yang (*s.*) Ver COCK
You/(one) know what you/(one) can do with it/(something)! (*int.*) Ver STICK IT/(SOMETHING) UP YOUR/(ONE'S) ASS!
Your ass is grass! (*int.*) (Você) tá ferrado/fodido! Ver também FUCK YOU!; TOUGH SHIT!

portuguese-english

ÍNDICE DE ABREVIAÇÕES   156

SOL	shit out of luck
SOS	same old shit
TL	tokus licker
TS	Tough shit!; transexual
TT	tit torture
TV	transvestism; transvestite
TW	tit work
VA	verbal abuse
VD	venereal disease
WC	water-closet
WS	watersports

1. Multiple-word entries are listed in alphabetical order as if they were spelled as one word:

   mala
   mal-americano
   mal e porcamente
   mal-escocês

2. The alternative words or clauses are separated from one another by one oblique bar (/):

   cagão/-gona
   cagar na bandeja/baixela (de prata)

3. The direct or indirect objects (when represented by pronouns), as well as the possible additional elements, are given in parentheses:

   cagar (e andar) pra (algo/alguém)
   fazer (uma) cagada

4. The entry words are labeled with their part of speech, in italics and in parentheses, before the translation. Often one word may represent different parts of speech which are recorded alphabetically or in decreasing order of significance. The several parts of speech and the different basic meanings of a word are numbered and separated from one another by two oblique bars (//). The synonyms within each group are separated by semicolons:

cagão/-gona (*adj. & m./f.*)
bunda (*f.*) **1.** (...) ass (2); arse; ass-
cheeks; behind; bottom; (...) // (*adj.*)
2. chickenshit (3); shitty (2); ordinary;
poor; (...)

5. Comments and labels are added in parentheses to many entry words and trans-
lations, referring to specific meanings or
uses. An = sign indicates definition/syn-
onymy for specific meanings:

catamita (*m.*) (=pederasta passivo)
sodomita (*m.*) (=pederasta ativo)
comer (*v.t.*) See FODER (1) (said of a
male)

6. The translation of a word is followed by
cross references to words of related meaning or usage, either synonymous or antony-
mous:

cagão/-gona (...) See also BUNDA-MOLE;
CAGAÇO; CAPADO; COLHUDO; FROUXO

7. When a word is a less usual synonym for
another word, the reader is referred to the
major word where the complete trans-
lation/synonymy is given. Erudite/scien-
tific synonyms refer to their commonest
equivalent; polite/euphemistic synonyms
refer to their coarsest equivalent:

gala (*f.*) See PORRA (1)
esperma (*m.*) See PORRA (1)
onanismo (*m.*) See PUNHETA
vício solitário (*m.*) See PUNHETA

8. When a major word has an erudite/
scietific synonym, the synonymy label is
supplied in parentheses after the part-of-
speech label:

porra (*f.*) **1.** (**esperma** *m.* sperm; **sêmen**
m. semen) come; cum; (...)

9. Compound words and locutions are
themselves multiple-word entries. They
have therefore been entered separately in
regular alphabetical order. Many com-
pounds and locutions are also listed alphabetically at the end of an article, when its
entry word is not their first element. There
are exceptions, however, in cases where the
strict observance of this principle did not
seem recommendable (see, for instance, the
proverbs under *cu*). Thus,

estar na merda
merda (...) // **a mesma merda** (...) //
estar na merda (...) // **Puta merda!** (...) //
Vá à merda! (...)
merda no ventilador (...) // **jogar**
merda no ventilador (...)
Puta merda!

ABBREVIATIONS

adj. adjective
adv. adverb; adverbial
corr. corruption
f. feminine noun/expression
int. interjection; interjectional
lus. Lusitanian
m. masculine noun/expression
pl. plural(s)
pr. pronoun
v. verb phrase
v.i. intransitive verb
v.r. reflexive verb
v.t. transitive verb

abacaxi (*m.*) **1.** See FODA (2); RABO DE FOGUETE // **2.** See CHATICE

abadessa (*f.*) See CAFETINA

abaixar (*v.i. Lus.*) See CAGAR (1)

abarregar-se (*v.r.*) See AMIGAR-SE

abelha mestra (*f. Lus.*) See CAFETINA

abicharado (*adj.*) lacy; flitty; fruity; limp-wristed; queenish. See also BICHA; MARICAS

abicharar (*v.i.*) to become effeminate; to foop; to sissify. See also ASSUMIR; DAR O CU; DESMUNHECAR; PERDER AS PREGAS

aborteiro (*m.*) /-ra (*f.*) See CURETEIRO

aborto (*m.*) See DESMANCHO

abostado/-da (*adj. & m./f.*) See BUNDA-MOLE

abrir as pernas (*v.*) See DAR

abrir o selo (de) (*v.*) See DESCABAÇAR

absorver o/um prejuízo (*v.*) See DAR O CU

abusado/-da (*adj. & m./f.*) mind fucker. See also CONFIADO

abusar (de) (*v.t.*) **1.** See DESCABAÇAR // **2.** See VIOLAR

aca (*f.*) See FEDOR (1)

acabar (*v.i.*) See ESPORRAR; GOZAR (1)

acavalado (*adj.*) See AJUMENTADO

acolher (*v.i. & v.t.*) See DAR O CU

açucareiro (*m. Lus.*) See CU (1)

adamado (*adj.*) See MARICAS

adé (*m.*) See BICHA

adelaide (*f.*) See BICHA

adeus de mão fechada (*m. Lus.*) See BANANA (2)

adiantar o serviço (*v.*) See AVANÇAR O SINAL

adjutório (*m.*) See LAVAGEM

aduchar (*v.i. & v.t. Lus.*) See DAR O CU

adultério (*m.*) See TRAIÇÃO

adúltero/-ra (*adj.*) See TRAIDOR

afagar a palhinha (*v. Lus.*) See FODER (1)

afeminado (*adj.*) See MARICAS

afetação (*f.*) See CU-DOCE (1)

afogar o bagre/gato/jegue/judas (*v.*) See AFOGAR O GANSO

afogar o ganso (*v.*) See FODER (1) (used only by men)

afrescalhado (*adj.*) See FRESCO; MARICAS

áfrica (*f.*) See BOCETA

agalinhar-se (*v.r.*) See PEDIR PENICO

agasalhar a rola/o croquete (*v.*) See DAR O CU

água do joelho (*f.*) See MIJO // **tirar água do joelho** See MIJAR

ajumentado (*adj.*) having a large cock; big-cocked; built like a moose; hung; hung like a bull; well-hung. See also MANGALHO

alavanca de arquimedes (*f.*) See PAU

alça de caixão (*f.*) See GALINHA (1)

alcoice / alcouce (*m.*) See PUTEIRO

alcoveta (*f.*) See CAFETINA

alcoveto (*m.*) See CAFETÃO

alcovista (*m.*) See PUTANHEIRO

alcovitar (*v.i. & v.t.*) See CAFETINAR

alcoviteira (*f.*) See CAFETINA

alcoviteiro (*m.*) See CAFETÃO

algolagnia (*f.*) See SADOMASOQUISMO

aliviar-se (*v.r.*) **1.** See CAGAR (1) // **2.** See PEIDAR // **3.** See FODER (1)

almoçar a janta (*v.*) See AVANÇAR O SINAL

alvoroço (*m.*) See CIO (1)

amancebado/-da (*adj.*) See AMIGADO

amancebar-se (*v.r.*) See AMIGAR-SE

amante (*m. & f.*) See AMÁSIO; AMIGADA

amaricado (*adj.*) See ABICHARADO; MARICAS

amaricar-se (*v.r.*) See ABICHARAR

amarrar-se (*v.r.*) to get tied; to get married. See also AMIGAR-SE; DESENTUPIDO

amásia (*f.*) See AMIGADA

amasiado/-da (*adj.*) See AMIGADO

amasiar-se (*v.r.*) See AMIGAR-SE

amásio (*m.*) paramour; fancy man. See also AMIGADA; COMBORÇO; CORONEL; TEÚDA

amassar (*v.t.*) See BOLINAR

amasso (*m.*) See BOLINA (1); SARRO

amblose (*f.*) See DESMANCHO

amiga (*f.*) See AMIGADA

amigação (*f.*) (**concubinato** *m.* concubinage) shack-job; cohabitation. See also CASO; ESCRITA

amigada / amiga (*adj. & f.*) (**concubina** *f.* concubine) mistress;

shack-job; doxy; fancy woman; paramour; kept woman; kept mistress. See also AMÁSIO; BARBIANA; COMBORÇA; CORONEL; FILIAL; TEÚDA

amigado/-da (*adj.*) cohabiting; shacking up (with). See also AMÁSIO; PAPEL MOFADO

amigar-se (*v.r.*) to take/become a mistress/paramour; to cohabit (with); to shack up (with). See also AMARRAR-SE

amigo do peito (*m.*) asshole buddy; buttfuck buddy; bosom friend.

amizade colorida (*f.*) See CASO

amolar a faca (*v.*) See FODER (1) (used only by men)

amolar o canivete/ferro (*v.*) See FODER (1) (used only by men)

amortecer a queda (*v.*) See DAR O CU

anágua (*f.*) See COMBINAÇÃO

ancoreta (*f.*) See COURO (1)

andar (com) (*v.t.*) See FODER (1)

andar ao fanico (*v. Lus.*) See FAZER A VIDA

andar às gatas (*v. Lus.*) See FEMEAR

andar na gandaia (*v.*) to lead an idle and/or dissolute life; to go in the loose. See also CAIR NA GANDAIA; GANDAIAR

andar no engate (*v. Lus.*) See FAZER A VIDA

andorinha (*f.*) See PUTA (1)

andré (*m. Lus.*) See CORONEL

andrógino (*m.*) See BICHA

anel de couro (*m.*) See CU (1)

anel do padre / anel do bispo (*m.*) cockring; happy ring; napkin ring; goat's eyelid; a sex aid that can be tied round the penis.

anilha (*f. Lus.*) See CU (1)

anilíngua (*f.*) See CUNETE

anistiar o/um rebelde (*v.*) See DAR O CU (military use)

ânsia de vômito (*f.*) (**náusea** *f.* nausea) sickness; retch; qualms. See also VOMITADO // **estar com ânsia de vômito; ter ânsia de vômito** to be sick; to retch.

anticoncepcional (*adj., m. & f.*) contraceptive; pill. See also CAMISINHA; DIU; PÍLULA

ânus (*m.*) See CU (1)

apagar a/uma vela (*v.*) See DAR O CU

apagar o pavio (*v.*) **1.** See PENDURAR A(S) CHUTEIRAS(S) // **2.** See ESTAR NUM BAGAÇO // **3.** to die; to kick the bucket. See also DAR O PEIDO-MESTRE; IR PRA PUTA QUE (O) PARIU

apanhar a estrela (*v.*) See DAR O CU (military use)

apanhar/ganhar barriga (*v.*) See EMPRENHAR (2)

aparadeira (*f.*) See COMADRE

aparar (*v.t.*) See PARTEJAR

aparelho (*m.*) See PAU

apascentar o bode (*v.*) See DAR O CU

apeado/-da (*adj. Lus.*) See ATRA-
SADO
apelação (*f.*) **1.** See BAIXARIA (1) //
2. See BAIXARIA (2)
apelar (*v.i.*) **1.** See PUTEAR (1) //
2. See PARTIR PRA IGNORÂNCIA
apelar pra ignorância (*v.*) See
PARTIR PRA IGNORÂNCIA
a perigo (*adj.*) See ATRASADO
apertada (*adj.*) having a tight
vagina (said of a young/child-
less woman). See also BOCETA;
CABAÇUDA; GAMELA; LARGA
apertado/-da (*adj.*) having a
strong desire to urinate or to
have a bowel movement;
having a bellyache. See also
NECESSIDADE
apertante (*m.*) See CU (1)
apimentado/-da (*adj.*) See SACA-
NA (4)
apontar o lápis (*v.*) See BATER
PUNHETA
aporrinhar (*v.t.*) **1.** See CHATEAR
(1) // **-se** (*v.r.*) **2.** See CHATEAR-SE
apranchar (*v.t. Lus.*) See BOLINAR
aproveitador (*m.*) **/-deira** (*f.*) **1.**
See ABUSADO // **2.** See VIOLADOR
aproveitar-se (de) (*v.r.*) **1.** See
DESCABAÇAR // **2.** See VIOLAR
aquecimento (*m.*) the initial
stage of the sexual act con-
cerned with manual contact/
stimulation; foreplay. See also
BOLINA (1)
aquilo (*pr.*) that thing (depreciatively); it; a euphemism for

foda and *sacanagem* // **fazer aquilo**
See FODER (1) // **só pensar
naquilo** to have (one's) mind in
the gutter.
Aqui, ó! (*int.*) My ass! Blow it
out! Like hell! (this expression
is nearly always accompanied
by obscene gestures such as *banana* or *manguito*) See also under PUTEAR
arame (*m.*) See PAU // **ir aos
arames** See EMPUTECER-SE
aranha (*f.*) See BOCETA
areia-gulosa (*f.*) (**ninfômana** *f.*
nymphomaniac) a woman who
has just completed coitus with
one man and is willing to have
coitus with another; a nympho;
a wet deck; a sex job. See also
FOGAREIRO; GALINHA; GARA-
NHONA; GELADEIRA
arenga (*f. Lus.*) See CHICO
arma (*f.*) See PAU
armado (*adj.*) See TESUDO (1)
armadura (*f.*) See CAMISINHA
armar a raposa (*v. Lus.*) See
CAGAR (1)
armar em patacho (*v. Lus.*) See
DAR O CU
arranca-rabo (*m.*) See REBUCE-
TEIO
arrancar-se (*v.r.*) See ESCAFEDER-SE
arranjar-se (*v.r.*) See AMIGAR-SE
arranjo (*m.*) **1.** See AMIGAÇÃO;
CASO // **2.** See AMÁSIO; AMIGADA
arrastar o cu na areia (pra alguém)
(*v.*) to be submissive to someone;

to kiss/lick (someone's) ass; to accept/endure humiliation/victimization/bullying; to eat dirt; to eat shit; to take shit (from someone). See also ARRIAR AS CALÇAS; PUXAR O SACO (DE)

arrastar (alguém) pela rua da amargura (*v.*) **1.** to blacken the character of (someone); to malign; to defame; to blemish; to besmirch; to do anything to injure or denigrate another; to piss on (someone). See also CAIR NA BOCA DO MUNDO; FODER (2); FUXICAR (3) // **2.** See PROSTITUIR

arrebentar a boca do balão (*v.*) **1.** See VIOLAR // **2.** See DESCABAÇAR // **3.** See FODER (1) (used only by men)

arreitado/-da / arretado/-da / retado/-da (*adj.*) **1.** See TESUDO (1) // **2.** See DO CARALHO

arreitar / arretar / retar (*v.t.*) See ENTESAR

arretamento (*m.*) See TESÃO (1 & 2)

arriado (*adj. & m.*) See BROXA

arriar as calças (pra alguém) (*v.*) **1.** See PUXAR O SACO (DE) // **2.** To debase/demean oneself; to take shit (from someone). See also ARRASTAR O CU NA AREIA; ENGOLIR SAPO

arriar o cabaz (*v. Lus.*) See CAGAR (1)

arrochar (*v.t.*) See DAR UM ARROCHO EM (ALGUÉM)

arrocho (*m.*) **1.** See BANANOSA; FODA (2); RABO DE FOGUETE // **2.** An attack/robbery by violence; a mugging. See also CACETE (2) // **3.** See VIOLAÇÃO // **dar um arrocho em (alguém)** to attack/rob (someone) violently; to mug; to rape; to ravish.

arrojar (*v.i.*) See VOMITAR

arrombar (*v.t.*) See DESCABAÇAR

arrotar (*v.i.*) to belch; to burp; to eruct; to eructate.

arroto (*m.*) (**eructação** *f.* eructation) belch (1); burp (1).

ás de copas (*m.*) See BUNDA (1)

aspudo (*m.*) See CORNO

assanhado/-da (*adj.*) **1.** (=excitado) See TESUDO (1) // **2.** (=saído/devasso) See CONFIADO; GAITEIRO; SACANA (4) // **velho assanhado** alter cocker; old goat/cocker/gaffer.

assanhamento (*m.*) See TESÃO (2)

assanhar (*v.t.*) **1.** See ENTESAR // **-se** (*v.r.*) **2.** See ENTESAR-SE

assédio sexual (*m.*) See CANTADA; LIBERDADES

assumido/-da (*adj. & m./f.*) out; out of the closet; a person who has come out. See also ENRUSTIDO; ENTENDIDO

assumir (*v.i. & v.t.*) to make public one's homosexuality; to make an open declaration of one's homosexuality; to let the hair down; to come out (of the closet). See also ABICHARAR; DAR

BANDEIRA; DESMUNHECAR; EN-RUSTIR; FECHAR

até o cu fazer bico (*adv.*) until one is able to do no more; to the point of exhaustion; till (one's) ass is dragging. See also BOTAR PRA FODER; PUTAMENTE; VIRAR-SE

atirar pela culatra (*v.*) See DAR O CU

atirar pros queijos (*v. Lus.*) See DAR O CU

atracar de popa (*v.*) See DAR O CU

atrasado (*adj.*) sex-starved; sexually frustrated; needing sexual gratification; hard-up (said of a male). See also DESENTUPIDO; TESUDO (1)

atraso (*m.*) state of being sex-starved (referring to the male). See also TESÃO (2) // **tirar o atraso** See PÔR A ESCRITA EM DIA

atrombar (*v.t. Lus.*) See FAZER MINETE

automasturbação (*f.*) See PUNHETA

avançar o sinal (*v.*) to have sex with one's fiancé/fiancée; to jump the gun. See also FODER (1)

aveadado / aviadado (*adj.*) See MARICAS; VEADO

aventura (*f.*) **1.** See PROGRAMA // **2.** See CASO

avião (*m.*) See GOSTOSA

avissodomia (*f.*) avisodomy; buggery (2). See also BESTIALIDADE; TARA

azeiteiro (*m. Lus.*) See CAFETÃO

babaca (*f.*) **1.** See BOCETA // (*adj., m. & f.*) **2.** See BUNDA-MOLE

baba do besugo (*f. Lus.*) See PORRA (1)

baba-ovo (*m. & f.*) See PUXA-SACO

babaquice (*f.*) (=asneira/besteira/disparate) bullshit (1); crap (2); shit (2); ballocks; bollocks; birdshit; bull; chickenshit; diddly-shit; horseshit; jive-ass; crock of shit; piece of shit; pile of shit; shit for the birds. See also GOSMADO; MERDA (2); PAPO-FURADO

babar o ovo (de) (*v.*) See PUXAR O SACO (DE)

bacalhau (*m.*) See BOCETA

bacalhoeiro/-ra (*adj.*) fishy; stinky (specifically said of the female body or genitals). See also FEDIDO

bacanal (*f.*) See SURUBA (1)

bacia / bacia sanitária (*f.*) See PRIVADA (2) // **derramar/jogar água fora da bacia** See ABICHARAR; ASSUMIR; DESMUNHECAR

bacia de retrete (*f. Lus.*) See PRIVADA (2)

bacio (*m. Lus.*) See PENICO

bacorinha (*f.*) See BOCETA

badalhoca (*f. Lus.*) See BIZIU

badalhoco (*m.*) See PAU

badalim (*m.*) See SEBINHO

badalo (*m.*) See PAU

badamerda / bardamerda / berdamerda (*m. & f. Lus.*) See ESCROTO (3); FILHA DA PUTA (1)

bagaço (*m.*) **1.** See RATUÍNA // **2.** See COURO (1) // **3.** fatigue; a fatigued person. // **num bagaço** fucked out; bushed; pooped; dog-tired. // **estar um/num**

bagaço to drag ass (2); to be dead tired.

bagageira (*adj. & f.*) See PUTA (1) // **bicha bagageira** size queen; size freak.

bagageiro (*m.*) See BUNDA (1)

bagaxa (*f.*) See PUTA (1)

bago (*m.*) See COLHÃO (1)

bagre (*m.*) See PAU // **afogar/molhar o bagre** See AFOGAR O GANSO

bagulho (*m.*) See BUCHO (3)

baião de dois (*m.*) See FODA (1)

baião de quatro (*m.*) See SURUBA (2)

baião de três (*m.*) (**triolismo/troilismo** *m.* troilism) threesome; three-way; triplet; ménage à trois. See also COLUNA-DO-MEIO; SANDUÍCHE; SURUBA (2) // **dançar (o) baião de três** See MENAGEAR

bainha (*f.*) See BOCETA

baitola (*m.*) See BICHA

baixaria (*f.*) **1.** spoken profanity, obscenity, or oaths; French (2); back talk; rough stuff (1); scurrility (2); smut; smuttiness; sass (1). See also BATE-BOCA; ESCROTIDÃO; PIADA DE BOCAGEM; PUTAÇÃO // **2.** Physical violence; rough stuff (2). See also BARRA-PESADA (3); CACETE (2); PORRADA (1)

baixar na boca (*v.*) See CAMPAR; FEMEAR

bala-embalada (*f.*) sexual intercourse during which a condom is used; a dry run (jocular use; it implies that the act of coitus with a condom is as distasteful as a wrapped piece of candy savored without removing the paper). See also DESCAMISADO

balaio (*m.*) See BUNDA (1)

balançar a roseira (*v.*) See FODER (1)

balancê (*m.*) See FODA (1)

balangandãs (*m. pl.*) See COLHÃO (1)

bálano (*m.*) See CHAPELETA

baldear (*v.i.*) See VOMITAR

balseira (*f. Lus.*) See BOCETA

banana (*f.*) **1.** See PAU // **2.** an obscene gesture of contempt made with clenched fist (similar gesture in the U. S.: the bird, as in the phrase "give someone the bird/finger"). See also FIGA (2); PIRETE // (*m.*) **3.** See BUNDA-MOLE; CAGÃO // **dar (uma) banana pra (alguém)** to give (someone) the finger/bird/goose. // **descascar a banana** See BATER PUNHETA

bananosa (*f.*) **1.** See FODA (2); RABO DE FOGUETE // **2.** See MIXÓRDIA; REBUCETEIO // **estar numa bananosa** to be up shit creek (without a paddle).

bandeira (*f.*) indiscretion; ostentatious behavior; action, talk, behavior, etc. that strikes the eye.

See also ENRUSTIMENTO; FE-CHAÇÃO // **dar bandeira 1.** to use certain gay "in" words while talking with another person to discover if he is also gay. // **2.** to reveal oneself as being gay unintentionally during a conversation; to drop beads/hairpins. // **3.** See BATER CALÇADA // **enrolar a bandeira** See PENDURAR A(S) CHUTEIRA(S) // **ser falso à bandeira** See DAR O CU (said of a man); DESMUNHECAR

bandeira a meio pau (*f.*) See MEIO-PAU

bandeira vermelha (*f.*) See CHICO // **hastear a bandeira vermelha** See FICAR DE CHICO

bandeiroso/-sa (*adj.*) See ASSUMIDO; DESMUNHECADO; FECHATIVO

bandejeiro (*m. Lus.*) See BICHA

banheirismo (*m.*) sexual encounters in public toilets (homosexual use); tea trade. See also CAÇAÇÃO

banheirista (*adj., m. & f.*) a male homosexual who frequents public toilets seeking sexual encounters; a tearoom queen; a tea trade. See also BICHA

banheiro (*m.*) See PRIVADA (1)

banho de gato (*m.*) tongue bath; trip around the world.

banho de língua (*m.*) See BANHO DE GATO

baqueado/-da (*adj.*) **1.** (=exausto) fucked out. See also BAGAÇO (3) // **2.** (=impotente) See BROXA // **estar baqueado** to drag ass (2).

barata / baratinha (*f.*) See BOCETA // **barba de barata** See PENTE; PENTELHEIRA

barba-azul (*m.*) See PUTANHEIRO

barba de barata (*f.*) See PENTE; PENTELHEIRA

barba-roxa (*m.*) See PAU

barbiana (*f.*) a gangster's moll; a gun moll; a criminal's mistress. See also AMIGADA; PUTA (1); SUADEIRA

barbicacho (*m.*) See CABRESTO

barca (*f.*) See PUTA (1)

barda (*f. Lus.*) See PORRADA (2) // **em barda** See PRA CACETE

bardamerda (*m. & f. Lus.*) See ESCROTO (3); FILHA DA PUTA (1)

baronesa (*f.*) See COURO (1)

barraca armada (*f.*) an erection of the penis, when prominently displayed through the pants; a tent. See also MALA; TESÃO (1) // **estar de barraca armada** See **estar de pau duro**

barranco (*m.*) See BESTIALIDADE

barranqueador (*m.*) See BARRANQUEIRO

barranquear (*v.i. & v.t.*) to have intercourse with animals (specifically with mares); to bugger. See also BESTIALIZAR

barranqueiro (*m.*) a man who practices intercourse with mares and other animals; a bugger. See also TARADO; ZOÓFILO

barra-pesada (*f.*) **1.** any alley, street, or section of a city or town where vice abounds; the district of a city that contains brothels, cheap bars, or the like; the underworld; hot spot. See also BOCA DO LIXO; ZONA (1) // **2.** any thug, criminal, or gangster; a tough guy; a hard-ass; a rough trade; a dangerous or deceptive person; a bad shit. See also COUREIRO; FODÃO; RUFIÃO (1); SADOMASOCA // **3.** a dangerous task or job; a tough proposition; a bad shit; physical violence, such as murder, beating, shooting, or torture; rough stuff; the shitty end of the stick. See also BAIXARIA (2); URUCUBACA

barregã (*f.*) See AMIGADA
barregão (*m.*) See AMÁSIO
barregueiro (*m.*) See AMÁSIO
barreguice (*f.*) See AMIGAÇÃO
barrela (*f.*) See CURRA
barriga (*f.*) See PRENHEZ // **apanhar/ganhar barriga** See EMPRENHAR (2) // **estar de barriga** to be pregnant; to be with child. // **perder a barriga** to miscarry. // **tirar a barriga** to abort (deliberately).
bastardo (*adj.* & *m.*) See FILHA/FILHO DA PUTA (1)

batalha (*f.*) See VIDA
batalhar (*v.i.* & *v.t.*) See FAZER A VIDA
bate-boca (*m.*) squabble; war of words; pissing contest; pissing match. See also BAIXARIA (1); ESPORRO; PUTEAÇÃO; REBUCETEIO
bate-coxa (*m.*) See MELA-CUECA
bate-estaca (*m.*) See AJUMENTADO
bate-pratos (*f. Lus.*) See LÉSBICA
bater boca (*v.*) to squabble; to quarrel; to wrangle; to have words; to tangle assholes. See also PUTEAR (1); XINGAR A MÃE
bater calçada (*v.*) to hustle (1); to cruise; to streetwalk; to troll. See also CAÇAR; CAMPAR; FAZER A VIDA; PAQUERAR
bater com o pau na mesa (*v.*) See PÔR O PAU NA MESA
bater com o rabo na cerca (*v.*) See DAR O PEIDO MESTRE
bater manteiga (*v.*) to have sexual intercourse with an unwashed woman who has just completed coitus with another man. See also CHAVASCAR (2); IR NA SOPA DE (ALGUÉM)
bater pratos (*v. Lus.*) See FAZER ROÇADINHO
bater (uma) punheta (*v.*) to jerk; to jerk off; to jack off; to ball off; to beat off; to beat the dummy; to beat the meat; to beat the tom-tom; to cuff (one's)

meat; to diddle; to fist off; to flog the dummy; to flog the meat sausage; to flong (one's) dong; to fuck off (1); to get it off; to knit; to milk; to play with (oneself); to pound (one's) peenie; to pull; to pull off; to pull (one's) pud; to pump off; to screw off; to spank the monkey; to squeeze off; to stroke; to take care of business; to toss off; to wank; to wank off; to whack off. See also BOLINAR; SER DA GLORIOSA; TOCAR SIRIRICA

bate-saco (*m.*) See MELA-CUECA

bate-virilha (*m.*) See FODA (1)

baú (*m.*) See BOCETA

bebecê / BBC (*f.*) **1.** a woman who permits oral, vaginal, and anal intercourse. See also BUNDEIRA; FELATRIZ // (*m.*) **2.** sexual intercourse involving fellatio, conventional copulation, and sodomy. See also COMES-E-BEBES (from the initials of *boca*, *boceta* e *cu*)

bebe-gás (*m.*) See CHUPA-GÁS

beber o mijo (*v.*) to throw a party or to stand the drinks to celebrate the birth of one's child.

befe (*m. Lus.*) See BUNDA (1)

befécio/-cia (*adj. Lus.*) See BUNDUDO

beija-flor (*m.*) See MINETEIRO

bem-bom (*m.*) **1.** an easy or pleasant job or way of life; anything pleasurable; a good shit; a racket. See also MACIOTA // **2.** See FODA (1) // **estar no bem-bom** to piss on ice; to shit in high cotton; to be/live in clover; to be like pigs in shit.

bem-dotado (*adj.*) See AJUMENTADO

benga (*f.*) See PAU

berbigão (*m.*) See GRELO

berdamerda (*m. & f. Lus.*) See ESCROTO (3); FILHA DA PUTA (1)

bernardo (*m. Lus.*) See PAU // **mandar o bernardo às compras** See FODER (1)

berra (*f.*) rutting of deer; periodic sexual excitement of a male deer, goat, ram, etc.; the rut. See also CIO

besourar (*v.t.*) See ENRABAR (1)

besouro (*m.*) See FANCHONO

bestialidade (*f.*) buggery (2); bestiality; avisodomy. See also AVISSODOMIA; TARA

bestialismo (*m.*) See BESTIALIDADE

bestializar (*v.t.*) to have intercourse with animals; to bugger. See also BARRANQUEAR

besugo (*m.*) See PAU // **baba do besugo** See PORRA (1)

bicha (*f.*) (**homossexual** *adj. & m.* homosexual) queer; agfay; androgyne; bender; bent; bird; capon; cornholer; daisy; fag; faggart; faggot; fairy; flamer; flit; flitty; flower; flute; fluter;

fly ball; fooper; freak; frit; fruit; fruity; fruitcake; gentleman/usher of the back door; girl; gobbler; gonif; goniff; homo; invert; left-handed; lightfooted; lily; limp wrist; lizzie; lizzy; main queen; Mary; mintie; mola; molly; mother; nance; Nancy; nelly; nola; pansy; pix; pogey; pogie; pogue; pogy; poof; poofter; poove; queen; quim; swish; temperamental; three-dollar bill; three-letter man; twilight man; twink; uranian; wolf. // (=branca) paleface. // (=negra) sister. // (=pederasta ativo) sodomite; angel; bugger; rough trade; turk; wolf. // (=pederasta passivo) catamite; boy; bum boy; peg boy; punk. // (=que assume o papel masculino) angel; husband; rough trade; truck driver. // (=que assume o papel feminino) daisy; fairy; main queen; Mary; nance; Nancy; pansy; queen; swish; wife. See also ABICHARADO; ASSUMIDO; BANHEIRISTA; CAPADO; CATAMITA; CHUPA-PICA; COLUNA DO MEIO; DESMUNHECADO; ENRABADOR; ENRUSTIDO; ENTENDIDO; FANCHONA; FANCHONO; GAVIÃO; GAVIÃO PAPA-PINTO; GILETE; LÉSBICA; LULU; MARICAS; MICHÊ (1); QUEBRA-LOUÇA; SODOMITA; TIA; TRAVESTI // **Bicha com bicha dá lagartixa**. a gay saying, used to signify that sexual relations between two fruits are fruitless. // **Bicha com racha dá bagaxa**. a gay proverb, meaning that a prostitute is the only fruit of sexual relations between a male homosexual and a woman.

bicha bagageira (*f.*) a homosexual obsessed with large cocks; a size queen; a size freak. See also MALA; MANGALHO

bicha-louca (*f.*) camp (2); campy queen; flaming asshole/fruitbar; limp wrist; mintie; wrist-slapper. See also DESMUNHECADO

bicha-louquice (*f.*) See FECHAÇÃO

bichana (*f.*) See BOCETA

bicharoca (*f.*) See BICHA

bichice (*f.*) **1.** effeminacy; sissiness; fruitiness (2); faggotry. // **2.** gayness; inversion; the love that dare not speak its name; uranism; uranianism. See also DESMUNHECAÇÃO; FECHAÇÃO; FRESCURA; MACHEZA

bicho (*m.*) See PAU

bichoca (*f.*) **1.** See BICHA // **2.** See BIMBA (1)

bichochota / bixoxota (*f.*) See BOCETA

bichódromo (*m.*) a street, parking place, rest stop etc., used by gay men for car cruising; a lollipop stop; a meat rack. See also CAÇAÇÃO; PAQUERÓDROMO; PASSARELA; PONTO

bichona (*f.*) See BICHA
bichoso/-sa (*adj.*) See ABICHA-RADO; FRESCO
bicicleta (*f. Lus.*) See AMIGADA
bico de candeeiro (*m.*) See BICO DE CHALEIRA
bico de chaleira (*m.*) **1.** See COURINHO // **2.** uncut cock; phimosis. See also TER AMOR À PELE // **3.** See CHALEIRA (1)
bico de lamparina (*m.*) See BICO DE CHALEIRA
bico do peito (*m.*) teat; tit; nipple. See also PEITOS
bife (*m. Lus.*) See BUNDA (1)
bilha (*f. Lus.*) See BUNDAÇA
bimba (*f.*) **1.** a little boy's cock; a wag. See also PAU // **2.** thigh. See also COXA // **ir nas bimbas** to perform active intercourse with limited penetration; to control the rate of penetration; to enjoy a partial entry.
bimbada (*f.*) See FODA (1) // **dar uma bimbada** See FODER (1)
bimbar (*v.t.*) See FODER (1)
bimbo (*m.*) See BIMBA (1)
biraia (*f.*) See PUTA (1)
birro (*m.*) See PAU
bisca (*f.*) See PUTA (1)
biscaia (*f.*) See PUTA (1)
biscate (*m.*) See PUTA (1)
bispote (*m.*) See PENICO
bissexual (*adj., m. & f.*) See GILETE
biteta (*f.*) See PEITOS
bitoca (*f.*) See PAU

bitocada (*f.*) See RAPIDINHA
bixoxota (*f.*) See BOCETA
biziu (*m.*) dried shit, which sticks to the crack or clothes after defecation; shit-stain. See also MIJADELA (2)
blenorragia (*f.*) See ESQUENTA-MENTO
boa (*adj. & f.*) See GOSTOSA
boazuda (*adj. & f.*) See GOSTOSA
bobó (*m. Lus.*) See CHUPETA
boca (*f.*) See ZONA (1) // **arrebentar a boca do balão** See VIOLAR; DESCABAÇAR; FODER (1) // **baixar na boca** See CAMPAR; FEMEAR // **botar a boca no trombone 1.** to perform cunnilingus on someone; to blow; to eat. // **2.** to make a great noisy fuss about something, especially in complaint; to piss up a storm. // **cagar pela boca** to bullshit. // **cair de boca (em alguém)** to get/go down on (someone); to go down and do tricks. // **cair na boca do mundo** to be gossiped about; to be discussed by everybody; to become disreputed (said of a woman). // **nas bocas** down the line. // **pôr a boca no mundo** See BOTAR A BOCA NO TROMBONE (2)
boca de sola (*f.*) a debt contracted with a prostitute. See also SEIXEIRO
boca do corpo (*f. Lus.*) See BO-CETA

boca do lixo (*f.*) back-alley; tenderloin; a cheap/disreputable area of a city. See also BARRA-PESADA (ˉ); ZONA (1)

boca do luxo (*f.*) a nightclub area or neighborhood; a nightlife district.

bocagem (*f.*) See PALAVRÃO; PUTEAÇÃO // **piada de bocagem / piada do Bocage** dirty story; coarse jest; spicy joke.

boca-suja (*m. & f.*) a dirty talker; a foulmouthed person; a foulmouth; a muckmouth. See also CAGAR PELA BOCA; DESBOCADO; PALAVRÃO; PUTEAR (1)

boceta / buceta (*f.*) (**vagina** *f.* vagina; **vulva** *f.* vulva) cunt (1); ass (3); bearded clam; beaver; box; bread; bush; the business; cabbage; cake; cat; chocha; cock alley; cock-hall; cock-inn; cock lane; cockpit; cockshire; cony; cookee; cookey; cookie; cooky; cooz; couz; couzie; couzy; crack; crotch; cunnie; cunny; cuzzy; fanny; fig; fur; furburger; fur pie; futy; futz; gash; gee-gee; gig; giggy; gigi; ginch; growl; hair burger; hair pie; hole; honeypot; jam; janey; jazz; jelly; jelly-roll; jing-jang; lapland; meat; monkey; muffet; nautch; nookey; nookie; nooky; pie; piece; puka; puss; pussy; quim; scratch; shaft; slit; snapper; snatch; split; squirrel; tail; trim; tuna fish; twat; twidget. // (=arreganhada/exposta) split beaver; spread beaver. // (=cabeluda) muff. // (=de branca) white meat. // (=de negra) dark meat; poontang. See also APERTADA; BURACO (1); COMIDA; ENTREPERNA; GOSTOSA; LARGA // **dar a boceta** See DAR // **dar uma surra de boceta em (alguém)** to give (a male) a real good time in bed; to lay (said of a female).

boceta-dentada (*f.*) a woman married to a gay; the legal wife of a gay man; fag bag; fishwife. See also BOCETA-MAQUIADA

boceta-maquiada (*f.*) a heterosexual woman/girl who seeks out the company of gay men; fag hag; faggot's moll; fruit fly. See also BOCETA-DENTADA

boceteiro (*m.*) See PUTANHEIRO (2)

bocetuda (*adj. & f.*) See GOSTOSA

bode (*m.*) **1.** See CHICO // **2.** See PUTANHEIRO // **apascentar o bode** See DAR O CU // **estar de bode** See ESTAR DE CHICO

bodum / budum (*m.*) fetid body odor. See also CATINGA; CECÊ; CHULÉ (2); FEDOR (1)

bofada (*f.*) See ARROTO

bofar (*v.i.*) See ARROTAR

bofe (*m.*) **1.** See COURO (1) // **2.** See BUCHO (3) // **3.** (=macho que eventualmente transa com bicha) fruit picker; stud. // **4.**

(=heterossexual/careta) straight; jam. (meanings 3 & 4 are gay uses) See also RACHA (2)

bogueiro (*m. Lus.*) **1.** See CU (1) // **2.** See BUNDA (1)

boi (*m.*) **1.** See COURO (1) // **2.** See CHICO; TREZENTOS E UM // **3.** See CORNO

boiar (*v.i.*) to be unaware/misinformed; to know nothing whatever about (a subject). See also POR FORA

boiola (*m.*) See BICHA

boiota (*f.*) **1.** a big set of balls; sizeable testicles. // (*m.*) **2.** A ballsy guy (literally). See also RONCOLHO (2)

bola (*f.*) See CONFIANÇA // **dar bola** to lead on (flirt); to encourage amorous advances; to be on the make; to be receptive to sexual advances (said of females). // **jogar com duas bolas** See FODER (1) // **não dar bola pra torcida** not to give a fuck for nothing/anything.

Bolas! / Ora bolas! (*int.*) Balls! Nuts! Aw nuts! Nerts! Nertz! See also under PUTEAR

bolina (*f.*) **1.** (**contrectação** *f.* contrectation) the act or instance of touching, exploring, or stimulating a partner's sexual parts; the intentional nudging or rubbing, by a man, of the body of a woman (in a crowded or public place etc.); a feel; frot-

tage; belly-fucking; body rubbing; postillioning. See also AQUECIMENTO; CHAMEGO (2); ENCOXADA; FUTUCAÇÃO (1); MÃO-BOBA; PINCELADA (2); PUNHETA; ROÇADINHO; SARRO; SIRIRICA; SURUBA LEVIANA // (*m.*) **2.** See BOLINADOR

bolinação (*f.*) See BOLINA (1)

bolinador (*m.*) a man who seeks carnal contacts; a masher; a dry fucker; a fingerfucker. See also CHAMARISCA

bolinagem (*f.*) See BOLINA (1)

bolinar (*v.i.* & *v.t.*) to touch/manipulate a partner's body; to produce stimulation in one of the opposite sex by manipulation of the erogenous zones/sexual parts; to cop a feel; to feel; to feel up; to fudge; to fingerfuck; to grope; to dry fuck; to dry hump; to make out; to play stinky-pinky; to play stink-finger. See also BATER PUNHETA; FAZER ROÇADINHO; FUTUCAR (1); IR FUNDO; PINCELAR; PUNHETAR; TIRAR UM SARRO; TOCAR SIRIRICA

bolineiro (*m.*) See BOLINADOR

bombada (*f.*) See FODA (1)

bombar (*v.t.*) See FODER (1)

bombardeado/-da (*adj.*) dosed; burnt; hot-tailed. See also ENGONOCADO; GALICADO

bombardear (*v.t.*) **1.** to infect with a venereal disease; to burn;

to dose. // -se (*v.r.*) **2.** to become infected with a venereal disease; to burn.

bombril (*m.*) **1.** See PENTE // **2.** See BOCETA

bonde (*m.*) See BUCHO (3)

boneca (*f.*) See BICHA // **Ferro na boneca!** See PAU NA MÁQUINA! // **sentar na boneca** See DAR O CU

boquete (*m.*) See CHUPETA // **fazer (um) boquete (em)** See CHUPAR // **pagar (um) boquete (para)** See CHUPAR

bordão (*m.*) See PAU

bordejar (*v.i.*) See CAMPAR

bordel (*m.*) See PUTEIRO

borocochô / borocoxô (*adj. & m.*) See BROXA

borra (*f.*) See CAGANEIRA

borrar (*v.i & v.t.*) **1.** See CAGAR (1) // **-se** (*v.r.*) **2.** See CAGAR-SE

bosta (*f.*) See MERDA (1) // **amontoado como bosta de colhudo** heaped up; piled up. // **espalhado como bosta em rodeio** scattered; spread about. // **nadar como bosta n'água** to swin like a fish (well); to float like a log.

bostar (*v.t.*) to soil; to dirty. See also CAGAR (2); ENXOVALHAR (1); FODER (2); MELAR

bosteiro (*m.*) See CU (1)

bostejar (*v.t.*) See CAGAR PELA BOCA; GOSMAR (3)

bostico (*m.*) See CU (1)

bostinha (*m. & f.*) **1.** a person of no importance. See also TITICA (2) // **2.** a person of short stature. See also CAGA BAIXINHO

bostoque (*m.*) See CU (1)

botão (*m.*) See GRELO // **Salomão tá vendendo botão sem selo!** See DIA DE PAGAMENTO

botão / botão de couro (*m.*) See CU (1)

botão de rosa (*m. Lus.*) See CUNETE

botar (*v.i.*) See FODER (1)

botar a boca no trombone (*v.*) **1.** to perform cunnilingus on someone; to blow; to eat. See also CHUPAR; FAZER MINETE // **2.** to make a great noisy fuss about something, especially in complaint; to piss up a storm. See also EMPUTECER-SE; JOGAR MERDA NO VENTILADOR; PÔR O PAU NA MESA

botar a escrita em dia (*v.*) See PÔR A ESCRITA EM DIA

botar bezerro (*v.*) See VOMITAR

botar chifre (em) (*v.*) See CORNEAR

botar na bunda (de) (*v.*) See FODER (2)

botar o ganso de molho (*v.*) See AFOGAR O GANSO

botar peito (*v.*) to arrive at puberty (said of a girl, when her tits are growing). See also PEITINHOS

botar pra foder/quebrar/rachar (*v.*) to work/perform to one's utmost; to exert oneself mightily;

to go all out; to pour it on; to go for broke; to shoot the works; to break (one's) balls; to bust (one's) ass/nuts; to work (one's) ass/buns/tail off. See also ATÉ O CU FAZER BICO; IR FUNDO; VIRAR-SE (2)

botar pra fora (*v.*) See VOMITAR

botar pra jambrar (*v.*) See FODER (1) (said of a male)

botar pra quebrar (*v.*) **1.** See DESCABAÇAR; VIOLAR // **2.** See BOTAR PRA FODER

brachola / braciola (*f.*) See PAU // **entubar uma brachola** See DAR O CU

braguilha (*f.*) fly (of a man's trousers); flies. See also DIA DE PAGAMENTO; ESTAR COM A GAIOLA ABERTA; TRAJES MENORES

brama (*f.*) **1.** See BERRA // **2.** See CIO

bráulio (*m.*) See PAU

brecha (*f.*) **1.** See BOCETA // **2.** See BRECHAÇÃO

brechação (*f.*) **1.** a look at a woman's genitals or her underpants because she is sitting with her knees apart; split beaver; spread beaver. // **2.** (**voyeurismo** *m.* voyeurism) a surreptitious view of nude women, couples engaged in sexual intercourse, or other lewd scenes; a free show; a peep show; an obscene show; a nudie. See also EXIBICIONISMO (1); GRELAÇÃO; TARA

brechador (*m.*) See BRECHEIRO

brechar (*v.i. & v.t.*) to watch nudies, genitals, couples engaged in sexual intercourse, or other lewd scenes. See also COCAR; GRELAR

brecheca (*f.*) See BOCETA

brecheiro (*m.*) voyeur; peeping Tom; beaver-shooter; peek freak. See also COCADOR; TARADO

brega (*m.*) **1.** See ZONA (1) // **2.** See PUTEIRO

bregueira (*f.*) See PUTA (1)

brejeirice (*f. Lus.*) See SACANAGEM

brejeiro/-ra (*adj. & m./f. Lus.*) See SACANA (1 & 4)

breque (*m. Lus.*) See PEIDORRA

brincar de casinha (*v.*) to play house (literally & figuratively); to fuck. See also PAPAI E MAMÃE

brioco / brioso (*m.*) See CU (1)

broche (*m. Lus.*) See CHUPETA // **fazer um broche** See FAZER (UMA) CHUPETA

bronha (*f.*) See PUNHETA

broxa (*adj. & m.*) impotent; effete; piss-proud; an impotent man; a limp-dick. See also CAFÉ-REQUENTADO; FERRO-FRIO; FROUXO; PINCEL; RONCOLHO (1)

broxada (*f.*) an instance of impotence; momentary impotence. See also PINCELADA (2)

broxante (*adj.*) anaphrodisiac; unattractive; dull; crumby; crummy; disgusting. See also ESCROTO (2)

broxar (*v.i.*) to lose an erection; to become impotent; to fail; to come down; to go limp. See also ENTESAR-SE; PENDURAR A(S) CHUTEIRA(S); PINCELAR

broxura (*f.*) impotence; impotency; effeteness; erectile impotence; occasional impotence; failure; anaphrodisia. See also FERRO-FRIO; PINCELADA (2); TESÃO (1)

bruaca (*f.*) **1.** See PUTA (1) // **2.** See BUCHO (3)

bruto/-ta (*adj.*) **1.** coarse; rough; rude; crude; harsh; kick-ass; rough-ass; stomp-ass. See also ESCROTO (2) // **2.** See PUTA (2) // (*m.*) **3.** See BARRA-PESADA (2)

bubu (*m.*) See BUMBUM

buça (*f.*) See BOCETA

buçanha (*f.*) See BOCETA

buceta (*f.*) See BOCETA

bucharote (*f. Lus.*) See GALINHA (1)

buchê (*m.*) See CHUPETA

buchicho (*m.*) See FUXICO (1)

bucho (*m.*) **1.** See RATUÍNA // **2.** See COURO (1) // **3.** (=mulher feia) ghoul; bag; douche bag; crow; scag; scank; skag; skank; cold biscuit. See also LAMBISGOIA; RAIMUNDA

budum (*m.*) See BODUM

bufa (*f.*) a noiseless fart. See also PEIDO

bufante (*m.*) See CU (1)

bufosa (*f. Lus.*) See BUNDA (1)

bulir (em) (*v.t.*) See DESCABAÇAR

bulir na mobília (de) (*v.*) See DESCABAÇAR

bumbum (*m.*) See BUNDA (1) (mainly child use)

bunda (*f.*) **1.** (**nádegas** *f.pl.* buttocks) ass (2); arse; ass-cheeks; backyard; behind; bottom; breech; bucket; bum; bun; buns; butt; can; cheeks; cupcakes; dokus; duff; fanny; gazoo; hind end; hind quarters; kazoo; keester; keister; keyster; kiester; kister; patoot; patootie; posterior; prat; pratt; rear; rear end; rump; rusty-dusty; sitter; sit-upon; tail; tail bone; tokis; tokus; tuckus; tush; tushie; tushy; vestibule; wazoo. // (=gorda) hangover. See also CU (1); REGO // (*adj.*) **2.** chickenshit (3); crappy; shitty (2); badass; raggedy-ass; cheapshit; not worth a shit; ordinary; poor; pukey; puky; shoddy. See also CHULÉ (3); TITICA (3); DE MERDA (2); ESCROTO (2) // **botar na bunda (de)** See FODER (2) // **Bunda no chão, dinheiro na mão.** a proverb, meaning that stinginess entails hardships. // **cara de bunda** See CARA DE QUEM COMEU E NÃO GOSTOU // **dar a bunda** See DAR O CU // **E na bundinha, não vai nada?**

Don't be pretentious! Don't make a fool of yourself! Cut out the bull! Not on your life! // **Meta/Mete na bunda!** See ENFIA NO CU! // **não tirar a bunda do lugar** to be passive/unresponsive; to fail to cope; to be useless; to sit there with (one's) finger/thumb up (one's) ass; to stand around with (one's) finger up (one's) ass; to have lead in (one's) ass/pants. // **ou calça de veludo ou bunda de fora** neck or nothing; win the horse or lose the saddle. // **pé na bunda** a surprising/shocking refusal, rejection, or piece of bad news; a kick in the ass; a shot in the ass. // **sentar a bunda** to sit down in order to pass the time idly; to sit and relax; to squat.

bundaça (*f.*) hangover; fat buttocks, which would hang over a chair (depreciatively); large, well-shaped buttocks (appreciatively). See also BUNDA (1); BUNDUDO; RAIMUNDA

bunda-mole (*m. & f.*) fool/stupid person; asshole (2); dead ass; dufus-ass; dumb ass; dipshit; eff-off; fuck-off; fuck-up; jackass; jack-off; jerk-off; scumbag; shit-head; sucker. See also CAGÃO; FROUXO; POR FORA

bundana / bundona (*f.*) See BUNDAÇA

bundão/-dona (*m./f.*) See BUNDA-MOLE

bundar / bundear (*v.i.*) **1.** to have, permit, or prefer anal intercourse; to perform anal intercourse either as a homosexual or as a heterosexual; to brown; to Greek; to ass-fuck; to brown hole; to bung hole; to corn hole; to hot-dog; to play leap frog. See also DAR O CU; COMER (O) CU (DE); ENRABAR; VIAJAR // **2.** to idle; to loaf; to putter; to waste time; to bum; to eff off; to fiddle-fart (around); to fuck off; to fuck up; to futz around; to jerk off; to rat fuck; to screw around; to screw off. See also COÇAR O SACO; GANDAIAR (1); NÃO TIRAR A BUNDA DO LUGAR; SENTAR A BUNDA; VADIAR (1)

bundeira (*f.*) a woman who permits/prefers anal intercourse. See also BEBECÊ (1)

bundeiro (*m.*) See ENRABADOR; SODOMITA

bundudo/-da (*adj.*) assy; big-buttocked. See also BUNDAÇA; RAIMUNDA; TANAJURA

buraco (*m.*) **1.** hole (depreciatively, meaning asshole or cunt). See also BOCETA; CU (1) // **2.** pad; a prostitute's working room/apartment; a crib. See also PUTEIRO // **O buraco é mais embaixo!** It's shit for the birds!

buraco da fechadura (*m.*) keyhole; figuratively, a peephole through which the viewer can see intimate scenes. See also OLHO-MÁGICO; VIGIA

buraco da pica dura (*m.*) glory hole; glory; a hole between stalls in a toilet, through which the penis may be put for oral sex.

cabaceiro (*m.*) cherry picker. See also PUTANHEIRO (2); VIOLADOR

cabacinho (*m.*) See CABAÇUDA; CABAÇUDO

cabacismo (*m.*) chastity; prudishness; puritan preoccupation with guarding one's virginity; cult of virginity. See also RECATO

cabaço (*m.*) **1.** (**hímen** *m.* hymen; **virgindade** *f.* virginity) cherry (2); bug; tail fence. // **2.** (=homem ou mulher virgem) canned goods. // (*adj.*) **3.** See CABAÇUDA; CABAÇUDO // **perder o cabaço** to be deflowered; to be debauched; to fall off the apple tree (primarily said of, but not restricted to women). // **quebrar/tirar o cabaço** de See DESCABAÇAR // **ser cabaço** to be a virgin; to have (one's) cherry. //

Vai levar (o cabaço) pra São Pedro! She's saving it for the gravedigger! (said of a chaste/ virgin girl/woman)

cabaçuda (*adj. & f.*) cherry (1); canned goods; maiden; girl. See also APERTADA; DEBUTANTE; DESCABAÇADA; HONESTA; PERDIDA; PUDIBUNDA; RECATADA; VACINADO // **ser cabaçuda** to have (one's) cherry.

cabaçudo (*adj. & m.*) canned goods; maiden. See also CABRESTO; VACINADO

cabeça / cabecinha (*f.*) See CHAPELETA // **fazeção de cabeça** See CATEQUESE // **fazer cabeça** See CATEQUIZAR // **pôr só a cabecinha** See IR NAS BIMBAS // **ter o sexo na cabeça** to have (one's) mind in the gutter.

cabeça de camarão (*m. & f.*) See BUNDA-MOLE; PORRA-LOUCA (implying that one "has shit for brains")

cabeça de merda (*m. & f.*) See BUNDA-MOLE

cabeça-inchada (*f.*) See DOR DE CORNO

cabeludo/-da (*adj.*) obscene; dirty; hairy. // **palavra cabeluda** See PALAVRÃO // **piada cabeluda** See PIADA DE BOCAGEM

cabo (*m.*) See CU (1)

cabo de relho (*m.*) See MANGALHO

cabra (*f. Lus.*) See PUTA (1)

cabrão (*m.*) See CORNO

cabrear (*v.t. Lus.*) See CORNEAR

cabresto (*m.*) (**freio** *m.* frenum) whang-string. See also COURINHO // **perder o cabresto** to be initiated in sex (said of a man). // **quebrar o cabresto de** to deprive a boy of his virginity; to initiate (a man) in sex.

cabungo (*m.*) See PENICO

cabungueiro (*m.*) servant (depreciatively); ass-kisser (2); cocksucker (2) (figuratively). See also PENIQUEIRA; PUXA-SACO

caca (*f.*) **1.** See MERDA (1) // **2.** See CAGADA (2)

caçação (*f.*) cruising (mostly homo use). See also BICHÓDROMO; CATEQUESE; PAQUERA (1); PASSARELA; PONTO; VIDA

cação (*m.*) See PUTA (1)

caçar (*v.t.*) to cruise; to troll. // (=em cinema) to play checkers (mostly homo use). See also BATER CALÇADA; CAMPAR; CATEQUIZAR; FAZER A VIDA; PAQUERAR

caceta (*f.*) See PAU

cacetada (*f.*) See FODA (1)

cacete (*m.*) **1.** See PAU // **2.** (=surra) a beating; rough stuff (2). See also ARROCHO (2); BAIXARIA (2) // (*adj.*) **3.** See CHATO (3) // (*int.*) **4.** See PUTA MERDA!; PUTEAR // **dar um cacete (em)** (=bater) to beat (someone) up; to rough (someone) up; to fuck (someone) over (2). // **do cacete** bitching; hot shit (1). // **levar um cacete 1.** See DAR; DAR O CU // **2.** (=apanhar) to take a beating; to be fucked over. // **mudar de pau pra cacete** to change the subject; to stray from the subject; to digress. // **O cacete!** See O CARALHO! // **pra cacete** fucking (4); plenty; good and plenty; like hell.

caceteação (*f.*) See CHATICE

cacetear (*v.t.*) See CHATEAR (1)

cacetudo (*adj. & m.*) See GOSTOSÃO

cacho (*m.*) **1.** See COLHÃO (1) // **2.** See CASO

cachorra (*f.*) See GALINHA (1)

cachorrinho (*m.*) **1.** sexual intercourse conducted in such a way that the male covers the female from the back; bottoms up;

bottom's up; dog fashion; dog style; doggy style. See also PAPAI E MAMÃE // **2.** Anal intercourse. See also ENRABAÇÃO // **fazer cachorrinho** to do a sex act with one partner entering the other from the rear; to dog-fuck.

cachupeleta (*f.*) See COURINHO

caco (*m. Lus.*) See MELECA

cadela (*f.*) See GALINHA (1)

cadete (*m. Lus.*) See PENICO

café-requentado (*m.*) a sterile man; a fancy pants. See also BROXA; CAPADO; FERRO-FRIO; MACHORRA; MANINHA

cafetão / cáften (*m.*) pimp (1); bully; cadet; cock bawd; fish monger; flesh-peddler; husband; mac; mack; mackerel; mackman; pander; procurer. See also GIGOLÔ; PAU-DE-CABELEIRA; RUFIÃO

cafetina / caftina (*f.*) madam; abbess; aunt; auntie; bawd; fish monger; mackerel; procuress.

cafetinagem / caftinagem (*f.*) (**lenocínio** *m.*; **proxenetismo** *m.* procurement) panderage; pandering; pandery; pimping; procuring; bawdiness; fish business. See also GIGOLOTAGEM; MICHETAGEM; VIDA

cafetinar / caftinar (*v.i.*) to pimp; to pander; to procure.

cafifa (*m.*) See CAFETÃO

cafiola / cafiolo (*m.*) See CAFETÃO

cafoto (*m.*) See PRIVADA (1)

cáften (*m.*) See CAFETÃO

caftina (*f.*) See CAFETINA

caga-baixinho (*m.*) a person of short stature; a half-pint; a pee-wee; duck-butt; dusty butt. See also BOSTINHA (2)

cagaço (*m.*) goose-bumps; goose-pimples; pucker; fear; fright. See also CAGÃO; CAGAR (3); COLHÃO (2); CU

cagada (*f.*) **1.** (**defecação** *f.* defecation) the act or an instance of shitting/crapping; a bowel movement; boom-boom; dejection; evacuation; excretion; Irish shave; job; squat; stool; number two. See also NECESSIDADE; PUXO (1) // **2.** blunder; screwup; snafu (2). See also CHAVASCADA (3); MIXÓRDIA // **dar uma cagada** to dump a load; to take a crap; to take a dump; to take a shit; to take a squat; to move (one's) bowels; to defecate; number two. // **fazer (uma) cagada** to make a blunder; to ruin /spoil something; to eff off; to fuck off; to fuck up; to jerk off; to screw off.

cagaita (*f. Lus.*) **1.** See MELECA // **2.** See BIZIU

cagalhada (*f.*) See PORRADA (2)

cagalhão (*m.*) turd. See also MERDA (1); POMBO

caga-lorota (*m. & f.*) See CAGA-REGRA

cagaloso/-sa (*adj. & m./f. Lus.*) See CHEIO DE FRESCURA; FRESCO (2)

cagança (*f. Lus.*) See CU-DOCE (1); FRESCURA (2)

caganeira (*f.*) (**diarreia** *f.* diarrhea) gyppy tummy; chickenshits; GI shits; GIs; Johnny Trots; loose bowels; the runs; the trots; the shits. See also NECESSIDADE

caganifância (*f.*) See TITICA (2)

cagão/-gona (*adj. & m./f.*) pucker-assed; goose-bumpy; candy ass; candy-assed; chicken (3); coward; craven; poltroon. See also BUNDA-MOLE; CAGAÇO; CAPADO; COLHUDO; FODÃO; FROUXO

caga pra dentro (*m.*) See BICHA; CATAMITA

cagar (*v.i.*) **1.** to shit; to crap; to defecate; to dump a load; to grunt; to make; to poop; to poopoo; to squat; to stool; to number two. // **2.** See FAZER CAGADA // -se (*v.r.*) **3.** to take fright; to be scared shitless; to be pucker-assed; to break out into assholes; to have goosebumps; to have goose-pimples; to go goose-bumpy. See also DEIXAR (ALGUÉM) COM O CU NA MÃO; PEDIR PENICO // **comer a isca e cagar no anzol** to bite the hand that feeds one; to be ungrateful. // **comer como pinto e cagar como pato** to talk insincerely; to exaggerate; to talk

with more intensity or at a greater lenght than one's knowledge/ability warrants; to bull; to brag; to bullshit. // **não cagar nem desocupar a moita** See NÃO FODER NEM SAIR DE CIMA // **não valer a merda que caga** to be useless/worthless (said of a person); not to be worth a shit. // **Negro/Preto quando não caga na entrada, caga na saída** a derogatory proverb, meaning that Negroes are all, and always, bunglers. // **Perto de quem caga e longe de quem trabalha** a proverb, meaning that a busy person refuses to be disturbed.

caga-regra (*m. & f.*) wiseacre; know-all; know-it-all; smart-aleck; smart-ass; wise-ass; prig; bullshitter; bullshit artist; shit-ass; shit-head; shit-heel; shit hook.

cagar em (alguém/algo) (*v.*) to piss on (someone/something); to act disrespectfully toward; to do anything to injure or denigrate another; to play a dirty trick on (someone); to treat (someone) like shit. See also CAGAR (E ANDAR) PRA (ALGO/ALGUÉM); SACANEAR (3)

cagar e sentar em cima (*v.*) to make a blunder and persist in it; to be stubborn.

cagar na bandeja/baixela (de prata) (*v.*) to live well; to be successful or lucky; to piss on ice; to shit in high cotton; to have the world by the balls. See also ESTAR DOIS DEDOS ABAIXO DE CU DE CACHORRO; ESTAR NA MERDA; ESTAR NO BEM-BOM; NASCER DE CU PRA LUA

cagar no mesmo penico (*v.*) to be intimate/very well acquainted/ thick as thieves/hand and glove (referring to two people); to piss through the same quill.

cagarolas (*m. & f.*) See CAGÃO

cagar pela boca (*v.*) to bullshit; to bull; to chickenshit; to crap; to shoot the crap; to shovel the shit. See also BOCA-SUJA; GOSMAR (3); PUTEAR (1)

cagar (e andar) pra (algo/ alguém) (*v.*) to shit on (something/someone); to ignore another's advice, feelings etc.; not to give/care a fuck about. See also CAGAR EM (ALGUÉM/ ALGO); CAGAR PRO MUNDO; NÃO CHEIRAR NEM FEDER // **Estou cagando e andando pra...** I don't give a flying fuck about... It's no skin off my ass.

cagar pro mundo (*v.*) to be absolutely indiferent/unafraid; not to give a (flying) fuck for nothing/anything. See also CAGAR (E ANDAR) PRA (ALGO/ ALGUÉM)

cagar regra (*v.*) to look wise; to hold forth; to set oneself up as

a know-all; to talk at great lenght; to boast; to bullshit. See also CAGAR PELA BOCA

cagatório (*m.*) See PRIVADA

cagueiro (*m. Lus.*) See CU (1)

caiador (*m.*) See BROXA

caibro (*m.*) See MANGALHO

caieiro (*m.*) See BROXA

cair com os quartos (*v.*) See DAR O CU

cair de boca (em alguém) (*v.*) to get/go down on (someone); to go down and do tricks; to perform cunnilingus or fellatio on a person. See also CHUPAR; FAZER CHUPETA; FAZER MINETE

cair de porrada em (alguém) (*v.*) See DAR UM CACETE EM (ALGUÉM)

cair de queixos (*v. Lus.*) See FAZER MINETE

cair na boca do mundo (*v.*) to be gossiped about; to be discussed by everybody; to become the talk of the town; to become disreputed (said of a woman). See also FICAR (MAL) FALADA

cair na fossa (*v.*) to become melancholy, sad, or blue; to drag ass (2).

cair na gandaia (*v.*) **1.** to go on a bat/binge/lark; to go on the bend/razzle/spree; to go to a sex party or parties; to ball. See also CAMPAR; GANDAIAR; PAQUERAR // **2.** See CAIR NA VIDA

cair na vida (*v.*) to fall into prostitution to become a whore; to go astray. See also FAZER A VIDA; PERDER O CABAÇO; RECATAR-SE

cair no mundo (*v.*) **1.** See CAIR NA VIDA // **2.** See ESCAFEDER-SE

caixa (*f.*) See CU (1) // **levar na caixa** See DAR O CU // **não riscar (o fósforo) fora da caixa** See COMER FEIJÃO COM ARROZ // **papar na caixa** See DAR O CU

caixeiro (*m.*) a small towel used for post-coital cleanliness; a sanitary towel; a sanitary napkin; a rag. See also PAPEL HIGIÊNICO

cajado (*m.*) See PAU

calão (*m.*) thieve's cant; slang. // **baixo calão** See PALAVRÃO; PUTEAÇÃO

calçada (*f.*) See VIDA // **bater calçada** to hustle (1); to cruise; to streetwalk; to troll.

calçado (*adj.*) See AJUMENTADO

calcete (*m.*) See PAU

calcinha (*f.*) **1.** panty; panties; underpants. See also TRAJES MENORES // **2.** a girl/woman, regarded solely as a sex partner or target; ass; tail; piece of ass/tail; dish. See also GOSTOSA

calor (*m.*) See CIO (1)

cama com (alguém), ir pra (*v.*) See FODER (1)

cama, levar (alguém) pra (*v.*) to succeed sexually with someone; to make/approach a rapid conquest; to make; to make out; to make time with (someone). See also CANTAR; FODER (1); PÔR A ESCRITA EM DIA

camandro (*m.*) See PAU

camarão (*m.*) See GRELO // **cabeça de camarão** See BUNDA-MOLE; PORRA-LOUCA

cambanje (*m.*) See PAU

cambão (*m.*) See PAU

cambrone (*m.*) **1.** See MERDA (1) // **2.** See PRIVADA (1)

camélia (*f.*) See PUTA (1)

camisa de vênus (*f.*) See CAMISINHA

camisinha (*f.*) rubber; bag; condom; contraceptive; French letter/safe/tickler; jacket; prophylactic; raincoat; rubber boots; safe; safety; scumbag; skin. See also ANTICONCEPCIONAL // **de/com camisinha** See BALA-EM-BALADA // **sem camisinha** See DESPREVENIDO; DESCAMISADO

campar (*v.i.*) to move about in a place, party, etc., in search of a sex partner; to cruise; to troll. See also BATER CALÇADA; CAÇAR; GANDAIAR; PAQUERAR

cancro (*m.*) chancre; venereal ulcer; chank; chanck; shank. See also DOENÇA DO MUNDO

cancro duro (*m.*) hard chancre. See also GÁLICO

cancro mole (*m.*) soft chancre. See also CAVALA

canganha (*f.*) See PUTA (1)

canguixa (*f.*) See PUTA (1)

canhão (*m.*) See BUCHO (3)

canivete (*m.*) See PAU // **amolar o canivete** See FODER (1) (used only by men)

cantada (*f.*) the act or instance of inviting someone to sexual intercourse; a pickup; a honeyfuggling; a pass; a proposition; seduction/seducement by flattery; snow job. See also CATEQUESE; LIBERDADES; PAQUERA (1) // **dar/passar uma cantada em** See CANTAR

cantar (*v.t.*) to talk to a stranger, especially of the opposite sex, in the hope of a sexual experience; to flatter or cajole an attractive woman in order to gain sexual favor; to make a pass at; to pick up; to george; to honeyfuggle; to honeyfogle; to put the make on (someone). See also CATEQUIZAR; ENRABICHAR (1); LEVAR (ALGUÉM) PRA CAMA; PAQUERAR; TOMAR LIBERDADES

cantar de galo (em casa) (*v.*) to brag about one's machismo; to display one's male pride; to wear the breeches/pants; to rule the roast/roost; to be the boss/master (in one's own household). See also CORNO; VARUNCA

capa de guarda-chuva (*f.*) See COURINHO

capado (*adj. & m.*) gelding; capon; emasculate; eunuch. See also BICHA; CAFÉ-REQUENTADO; CAGÃO; EUNUCO; FERRO-FRIO; RONCOLHO

capador (*m.*) gelder; professional castrator.

capadura (*f.*) gelding; castration; emasculation.

capão (*m.*) **1.** See CAPADO // **2.** See CAGÃO // **Diz-se capão mas arrasta o saco!** He is not to be trusted! He complains without reason!

capar (*v.t.*) to geld; to castrate; to emasculate; to de-nut; to de-ball. // **pega pra capar** See REBUCETEIO

capar o gato (*v.*) See ESCAFEDER-SE

capicua (*f. Lus.*) See GILETE

capitão (*m.*) See PENICO

caqueado (*m.*) See FODA (1)

caquear (*v.t.*) See FODER (1)

caraças (*m. Lus.*) See PAU // **do caraças** See DO CARALHO // **O caraças!** See O CACETE!

cara de bunda (*f.*) See CARA DE QUEM COMEU E NÃO GOSTOU

cara de cu (à paisana) (*f. Lus.*) See CARA DE QUEM COMEU E GOSTOU

cara de páscoa (*f.*) See CARA DE QUEM COMEU E GOSTOU

cara de quem comeu e gostou (*f.*) a gloating look; an expression of satisfaction; a shit-eating grin.

cara de quem comeu e não gostou (*f.*) an embarrassed/guilty/scowling/unpleasant countenance; cross/evil look; long face.

cara de tacho (*f.*) See CARA DE QUEM COMEU E NÃO GOSTOU

caralhal (*adj.*) See DO CARALHO

caralho (*m.*) **1.** See PAU // (*int.*) **2.** See PUTA MERDA!; PUTEAR // **do caralho** bitching; hot shit (1). // **na casa do caralho** in the back of beyond. // **nem aqui nem na casa do caralho** nowhere; not anywhere. // **O caralho!** My ass! Blow it out! Like hell! In a pig's ass! // **(e) o caralho a quatro** and the like; (and) all that crap. // **pra caralho** fucking (4); plenty; good and plenty; like hell.

carango (*m.*) See CHATO (1)

caranguejeira (*f.*) See BOCETA

careca (*m.*) See PAU

carimbada (*f.*) **1.** See FODA (1) // (*adj. & f.*) **2.** See DESCABAÇADA; PERDIDA

carimbar (*v.t.*) See FODER (1)

carimbo (*m.*) See PAU

carne-cagada (*f.*) See CU (1); See also CARNE-MIJADA

carne-mijada (*f.*) See BOCETA; See also CARNE-CAGADA

carniça (*f.*) a girl/woman/prostitute who has or is suspected of having a venereal disease; a V-girl. See also FRUTA BICHADA; PUTA PODRE

carocha (*m. & f.*) See CUNETEIRO

carochada (*f.*) See CUNETE

carochar (*v.t.*) See FAZER CUNETE

carocho (*m. Lus.*) See PAU // **mandar o carocho** See FODER (1)

carregação (*f.*) an onslaught of venereal diseases; a case of venereal disease, especially gonorrhea. See also DOENÇA DO MUNDO // **de carregação** See BUNDA (2)

carregamento (*m.*) See CARREGAÇÃO

carrego (*m.*) See CARREGAÇÃO

casa civil (*f.*) See MATRIZ

casa das primas (*f.*) See PUTEIRO

casa de massagem (*f.*) an establishment that ostensibly offers massage treatments but in fact engages women to perform sexual services for male customers; a brothel where appointments are made by telephone; massage parlor; call-house. See also PUTEIRO

casa de passe (*f. Lus.*) See PUTEIRO

casa de putaria (*f.*) See PUTEIRO

casa de recurso (*f.*) See CASA DE TOLERÂNCIA

casa de tolerância (*f.*) assignation house; house of assignation; house of ill fame; love nest; trysting place. See also PUTEIRO

casa do caralho (*f.*) See CU DO MUNDO

casa do chapéu (*f.*) See CU DO MUNDO

casa militar (*f.*) See FILIAL

cascar (*v.t.*) **1.** See FODER (1) (said of a male) // **2.** See DAR UM CACETE EM // **3.** See PUTEAR (1)

caseira (*f.*) **1.** See AMIGADA // **2.** See PENIQUEIRA // **3.** See CAGA-NEIRA // **4.** constipation; costiveness. // **5.** (*hemorroidas f.pl.* hemorrhoids) piles; lilies of the valley.

caso (*m.*) **1.** affair; love affair; mash; shack-job. See also AMI-GAÇÃO; ESCRITA // **2.** a partner in a serious relationship, as opposed to a casual sex partner; a significant other; a sother. See also COBERTOR DE ORELHA; PRO-GRAMA

casquinha (*f.*) See BOLINA (1); SARRO // **tirar uma casquinha** See BOLINAR

castelo (*m.*) See PUTEIRO

castiçal (*m.*) a coital position with the woman above the man and with her back turned to him. See also PAPAI E MAMÃE

castração (*f.*) See CAPADURA

castrador (*m.*) See CAPADOR

castrar (*v.t.*) See CAPAR

cata-cavaco (*m.*) homosexual anal intercourse in which the partners are both standing, and the ass-person bends over at the waist; to stand up and take a bow. See also PAPAI E MAMÃE

catacu (*m.*) a man who is kept by a catamite; a male homosexual supported by his boy companion; a jocker. See also GI-GOLÔ; MICHÊ (1)

catamênio (*m.*) See CHICO

catamita (*m.*) (=pederasta passivo) catamite; the young male companion of a sodomite; boy; bum boy; catcher; chicken; daisy duck; peg boy; punk. See also BICHA; FRANGOTE; GAVIÃO PAPA-PINTO; LULU; NINFETO; SODOMITA

catano (*m.*) See PAU

catarinas (*f.pl. Lus.*) See PEITOS

catatau (*m.*) **1.** See CAGA-BAIXINHO // **2.** See PAU

cata-tostão (*m.*) See CATA-CAVA-CO

catecismo (*m.*) a cheap pornographic book; any pornographic mag or comics; a Tijuana Bible. See also under SACANA-GEM

catequese (*f.*) an attempt by a gay man or lesbian to seduce a straight person of the same sex; missionary work. See also CA-ÇAÇÃO; CANTADA

catequizar (*v.t.*) to seduce a straight person of the same sex; to do a missionary work. See also CAÇAR; CANTAR

catinga (*f.*) **1.** See FEDOR (1); FEDENTINA // **2.** See CECÊ

catingar (*v.i.*) See FEDER

catingoso/-sa / catingudo/-da / catinguento/-ta (*adj.*) See FEDIDO

catota (*f.*) See MELECA

catraia (*f.*) See RATUÍNA

catso / catzo / cazzo (*m.*) **1.** See PAU // (*irt.*) **2.** See CACETE (4); CARALHO (2)

caubói / cowboy / call-boy (*m.*) **1.** See FANCHONO // **2.** See MICHÊ (1)

cavala (*f.*) bubo; soft chancre; syphilitic chancre. See also CANCRO MOLE

cavalinho (*m.*) sexual intercourse conducted in such a way that the female sits on the male's cock; topping it off. See also PAPAI E MAMÃE

cavalo (*m.*) See CAVALA; See also CAVALO DE CRISTA

cavalo de crista (*m.*) See CRISTA DE GALO

caxias (*adj., m. & f.*) See CU DE FERRO

ceboleiro (*m.*)/-**ra** (*f. Lus.*) See BOLINADOR

cecê (*m.*) body odor; underarm perspiration odor. See also BODUM; CATINGA; CHULÉ (2); FEDOR (1) (abbr. **CC** = *cheiro de corpo*)

cê-dê-efe (*m. & f.*) See CU DE FERRO

cego / ceguinho (*m.*) See CU (1)

cema (*m.*) See SEBINHO

ceroula (*f.*) / **ceroulas** (*f.pl.*) men's drawers. See also CUECA; SUNGA; TRAJES MENORES

certinha (*adj.*) **1.** See GOSTOSA // **2.** See HONESTA

chabu (*m.*) See BROXADA // **dar chabu** See BROXAR

chacoalhar o saco (*v.*) See FODER (1)

chá de bico (*m.*) See LAVAGEM

chaleira (*m.*) **1.** uncut man; uncircumcised man; blind man. See also BICO DE CHALEIRA; COURINHO // **2.** See PUXA-SACO // (*f.*) **3.** An uncircumcised penis; blind meat. See also BICO DE CHALEIRA; PAU; TER AMOR À PELE

chamarisca (*f.*) a girl/woman who displays affection and sexual interest in a male, assumes sexually inviting postures, speaks intimately, allows petting or necking, and perhaps indulges in sexual foreplay, but does not allow coitus or satisfy the male; a cock teaser; a prick teaser; a teaser; a day-tripper. See also BOLINADOR; IR FUNDO; SARRISTA

chamar na chincha (*v.*) **1.** See FODER (1) (said of a male) // **2.** See FODER (2)

chamar o Hugo (*v.*) See VOMITAR

chamego (*m.*) **1.** (**sensualidade** *f.* sensuality) sex appeal; bitchiness; come-on; oomph; voluptuousness. See also SACANAGEM (1); TESÃO (2) // **2.** intimacy; the act or instance of passionate/intimate caressing and kissing;

grab-ass; grabarse; necking; petting. See also BOLINA (1); LIBERDADES; SARRO // **3.** See RABICHO

chamegoso/-sa (*adj.*) **1.** sexy; sexually provocative; having sex appeal; bitchy; bitchey; dang; dange; evil; foxy; fuckable; ginchy; hot shit (2); humpy; on the make; sensual; steamy; tempting; twisty. See also GOSTOSA; GOSTOSÃO // **2.** See ASSANHADO; SACANA (4); TESUDO (2)

chameguento/-ta (*adj.*) See CHAMEGOSO

chana / xana (*f.*) See BOCETA

chanfalho (*m. Lus.*) See PAU

chanfrada (*f.*) See FODA (1)

chantra (*f. Lus.*) **1.** See PUTA (1) // **2.** See AMIGADA

chapeleta (*f.*) (**glande** *f.* glans) head (1); heart; cockhead; one-eyed cyclops.

chapéu (*m.*) See COURINHO // **casa do chapéu** See CU DO MUNDO

charuto (*m.*) See PAU

chateação (*f.*) act of boring/annoying; bore; botheration; nuisance; annoyance. See also CHATICE

chatear (*v.t.*) **1.** to annoy; to bore; to bother; to pester; to needle; to get (someone) down; to be annoying to or demanding of one; to break (one's) balls; to gripe (one's) ass/balls. // **-se** (*v.r.*) **2.** to become bored/annoyed; to get worried/peeved/ill-humored. See also EMPUTECER (1 & 2); NÃO TER SACO (PARA)

chatice (*f.*) a cause of annoyance; bore; botheration; pain in the ass; peeve; a disagreeable/tedious duty, job, social amenity, or obligation. See also CHATEAÇÃO; SACO (2)

chato (*m.*) **1.** crab; crab-louse; crabs; crab-lice. // (*m.*) **/-ta** (*f.*) **2.** an annoying/obnoxious person; a drip; a creep; a killjoy; a wet blanket; a pain in the ass; a pain in the neck. // (*adj.*) **3.** bothersome; boresome; boring; crabby; dumb-ass; dull; humdru*m*.

chavasca (*f.*) See BOCETA

chavascada (*f.*) **1.** a quick/unemotional coitus as with a strange woman; premature ejaculation; shooting the rapids; wham-bam; wham-bam-thank-you-ma'am. See also FODA (1); PÃO COM BANHA; PROGRAMA; RAPIDINHA // **2.** sexual intercourse with a prostitute. // **3.** a bungle; a hasty work/deed. See also CAGADA (2)

chavascado/-da (*adj.*) hasty; done with more haste than care; bungling. See also FEITO NAS COXAS; NAS COXAS

chavascar (*v.t.*) **1.** to fuck quickly and without tenderness; to wham-bam; to ejaculate prematurely; to shoot the rapids; to come too soon. See also DAR UMA RAPIDINHA; FAZER NAS COXAS; FODER (1); IR NAS BIMBAS; PULAR DC BONDE ANDANDO // **2.** to have sexual intercourse with a prostitute; to whore. See also BATER MANTEIGA; FAZER UM PROGRAMA; FEMEAR (2); PERDER O CABRESTO

chavasco/-ca (*adj.*) See CHAVASCADO

checa / xeca (*f.*) See BOCETA

checheca / xexeca (*f.*) See BOCETA

cheio/-a de frescura/merda (*adj.*) affected; finicky; fussy; prissy; pissy; pissy-ass; tight-ass; tight-assed. See also FEDORENTO (2); FRESCO (2)

cheirete (*m. Lus.*) See FEDOR (1)

cheirum (*m. Lus.*) See FEDOR (1)

chibação (*f.*) See QUEBRA-LOUÇA (2)

chibantear (*v.i.*) See CANTAR DE GALO

chibar (*v.i.*) **1.** See QUEBRAR A LOUÇA (2) // **2.** See CANTAR DE GALO

chibiu / xibiu (*m.*) See BOCETA

chibungo / xibungo (*m.*) See BICHA

chiça (*f. Lus.*) **1.** See MERDA (3) // (*int.*) **2.** See PUTA MERDA! (depreciatively)

chichisbéu (*m. Lus.*) **1.** See PUTANHEIRO // **2.** See PAQUERADOR

chico (*m.*) (**menstruação** *f.* menstruation) the curse; the plague; catamenia; dog days; menses; menstrual flow; period. See also MATANÇA DO FRANGO; MOLHO // **de chico** menstruating; flying bravo; having the rag on; on the rag; unwell. // **estar de chico** to be menstruating; to be on the rag; to have the rag on. // **ficar de chico** to begin a menstrual period; to get the rag on; to fall off the roof.

chifrar (*v.t.*) See CORNEAR

chifre (*m.*) See CORNO; TRAIÇÃO // **botar chifre em** See CORNEAR // **levar chifre** to be cheated; to be cuckolded (said of a husband/bridegroom/suitor/paramour).

chifrudo (*adj. & m.*) See CORNO

china (*f.*) **1.** See PUTA (1) // **2.** See AMIGADA; TEÚDA

chincha / xinxa (*f.*) See BOCETA // **chamar na chincha** See FODER (1) (said of a male)

chineiro (*adj. & m.*) See PUTANHEIRO

chispada (*f.*) streaking; hazing in which the freshmen are compelled to streak.

chochota / xoxota (*f.*) See BOCETA

chofer de caminhão (*m. & f.*) a lesbian, especially a tough/aggressive one; the more domineering/masculine partner in a lesbian relationship; a bulldyke; a diesel dyke; a husband; a top sergeant. See also DIRIGIR O CAMINHÃO; LÉSBICA

chonga (*f.*) See PAU

choque-choque (*m.*) See FODA (1)

chorar na rampa (*v.*) See CAIR NA VIDA; FAZER A VIDA

chota / xota (*f.*) See BOCETA

chouriço (*m.*) See PAU

chuca (*f.*) See LAVAGEM

chuchada (*f.*) **1.** See FODA (1) // (*Lus.*) **2.** See CHUPETA

chuchar (*v.t.*) **1.** See FODER (1) // (*Lus.*) **2.** See FAZER (UMA) CHUPETA

chuchu (*m.*) See GOSTOSA

chulapa (*f.*) See PAU

chularia / chulice (*f.*) See PALAVRÃO

chulé (*m.*) **1.** the filth between unwashed toes; caked sweat from between the toes; toejam. // **2.** the rank smell of sweaty feet; feet-stink. See also BODUM; CECÊ; FEDOR (1) // (*adj.*) **3.** inferior; not worth a shit; shoddy; petty; pukey; puky. See also BUNDA (2)

chulepento/-ta / chulerento/-ta (*adj.*) toe-jammed; stinking (said of feet). See also FEDIDO; SEBENTO

chulo/-la (*adj.*) **1.** lecherous; scurrilous; dirty; foulmouthed; showing scurrility in speech/writing; given to uttering obscenities. See also DESBOCADO; SACANA (4) // (*m.*) **2.** See CAFETÃO

chumbado/-da (*adj.*) See BOMBARDEADO

chumbar (*v.t.*) **1.** See BOMBARDEAR // **-se** (*v.r.*) **2.** See BOMBARDEAR-SE

chupada (*f.*) **1.** See CHUPETA // **2.** See ESPORRO; PUTEAÇÃO // **dar uma chupada em (alguém) 1.** See FAZER (UMA) CHUPETA EM // **2.** to chew/ream (someone's) ass out; to reprimand a person severely; to bawl out; to chew out; to gross out.

chupadeira (*f.*) See FELATRIZ

chupadela (*f.*) See CHUPETA

chupador (*m.*) See CHUPA-PICA

chupadora (*f.*) See FELATRIZ

chupa-gás (*m.*) a man who regularly frequents prostitutes, wastes their time chatting, but does not use the sexual services of the house. See also PUTANHEIRO (1); SEIXEIRO

chupão (*m.*) a mark on the skin made by biting/sucking during a sex act; hickey; hickie.

chupa-ovo (*m. & f.*) See PUXA-SACO

chupa-pica (*m. & f.*) a person who performs fellatio on another; cocksucker (1); dicky licker; bone queen; come queen; fellator; gobbler; jaw artist; peter-eater; piccolo player; scumsucker; sucker; sword swallower. See also BICHA; CHUPENGOLE; FELATRIZ

chupar (*v.t.*) to perform fellatio or cunnilingus on a person, especially fellatio; to blow; to eat; to eat (someone) up with a spoon; to French; to get/go down on (someone); to go down and do tricks; to gobble; to perform; to suck; to suck off. // (=felar) to suck cock; to lick dick; to cop a jock; to give (someone) head; to head; to fellate; to brush (one's) teeth; to play bugle boy; to play the skin flute. See also BOTAR A BOCA NO TROMBONE (1); CAIR DE BOCA (EM ALGUÉM); DAR BEIJO NO QUEIJO; FAZER (UMA) CHUPETA; FAZER CUNETE; FAZER MINETE; IRRUMAR

chuparino (*m.*) See MINETEIRO

chupar manga-rosa (*v.*) See FAZER MINETE

chupa-rola (*m. & f.*) See CHUPA-PICA

chupar o ovo de (alguém) (*v.*) **1.** to perform scrotilingus on (someone). // **2.** See PUXAR O SACO (DE)

chupengole / chupingole (*m. & f.*) a crumby/dirty/filthy cocksucker; a cheap prostitute of either sex; a cum-slurper. See also CHUPA-PICA; COPRÓFAGO

chupeta / chupetinha (*f.*) (**felação** *f.* fellatio) cocksucking (2); dicklicking; blow job; cap; head job; knob job; French; French culture; French job; French kiss; French way; inosculation; mouth job; a shot upstairs. See also CHUPETINHA DE TALO; IRRUMAÇÃO; MEIA-NOVE // **fazer (uma) chupeta (em)** See CHUPAR

chupeteira (*f.*) See FELATRIZ

chupetinha de talo (*f.*) fellatio in which the penis is taken all the way into the throat; a deepthroated fellatio. See also CHUPETA

chupica (*f.*) See PAU

churumela (*f.*) See PAU

chute no rabo (*m.*) See PÉ NA BUNDA

chuveirinho (*m.*) the voiding of urine onto the body of a person for whom it is a form of sexual excitement; golden shower; piss-drinking; watersports. See also COPROFILIA; MIJADA; MIJO; UROLAGNIA

cinco contra um (*f.*) See PUNHETA

cio (*m.*) **1.** (**estro** *m.* oestrum/ oestrus/estrum/estrus) time/ condition of sexual excitement; heat (referring to female mammals); periodic sexual excitement; the rut (referring to the male deer/goat/ram). See also BERRA // **2.** See TESÃO (2) // **estar no cio** to be in/on heat (said of female mammals); to be affected by the rut (said of male deer, etc.); to be hot (said of a man); to be on the make (said of a woman).

cipó (*m.*) See PAU

cipoada (*f.*) See FODA (1)

circunciso / circuncidado (*adj. & m.*) cut; clipped dick; clip; kosher; a circumcised man. See also CHALEIRA; COURINHO

climatério (*m.*) See MENOPAUSA

clister (*m.*) See LAVAGEM

clitóris (*m.*) See GRELO

cloaca (*f.*) See PRIVADA (1)

cobertor de orelha (*m.*) a sex partner; a fuck; a lay; a number; a one-night stand. See also CASO (2); PROGRAMA; SAÇARICO (2)

cobra (*f.*) See PAU // **engolir cobra 1.** See DAR O CU // **2.** See CHUPAR (=felar) // **estrangular a cobra** See CAGAR (1)

cobras e lagartos (*pl.*) words used in abusing, scolding, or slandering (someone); euphemistic expression for any of several strongly derogatory epithets for a contemptible person. See also PALAVRÃO; PUTEAÇÃO // **dizer/ falar cobras e lagartos de (alguém)** to malign/defame/denigrate (someone); to piss on (someone); to talk behind someone's back. // **dizer/falar cobras e lagartos pra (alguém)** See PUTEAR (1)

cobrir (*v.t.*) See FODER (1) (said of a male)

cocador (*m.*) **/-dora** (*f.*) voyeur; peeping Tom; peek freak. See also BRECHEIRO; TARADO

cocar (*v.i. & v.t.*) to peep (at); to spy (on); to engage in voyeurism. See also BRECHAR; GRELAR

coçar o saco (*v.*) to be lazy; to stand around lazily instead of working; to bum; to fuck off; to screw around. See also BUNDAR (2); GANDAIAR; NÃO TIRAR A BUNDA DO LUGAR; SENTAR A BUNDA; VADIAR

cóccix (*m.*) See MUCUMBU

coco (*m.*) **1.** See BOLINA (1); SARRO // **2.** See PUTA (1) // **tirar um coco** See TIRAR UM SARRO

cocô (*m.*) See MERDA (1) // **fazer cocô** See CAGAR (1) (mainly child use)

cocoroca (*adj. & m.*) See BROXA // **mais mole que piroca de cocoroca** very easy/easily; effortlessly.

cocota / cocote (*f.*) See PUTA (1)

coerão (*m.*) See CORNO MANSO

coisa-feia (*f.*) See FODA (1)

coisar (*v.i. & v.t.*) See FODER (1)

coiso (*m.*) See

coitado/-da (*adj.*) **1.** poor; wretched; sorry-ass. See also TITICA (3) // (*m./f.*) **2.** an awkward/unfortunate/harried person; a sad sack of shit. See also FODIDO E MAL PAGO

coito (*m.*) See FODA (1) // **filho de coito danado** a priest's/nun's son; sacrilegious/illegitimate child.

colhão / culhão (*m.*) **1.** (**testículo** *m.* testicle) (pl.) balls (1); bags; ballocks; bollocks; booboos; diamonds; marbles; nuts; rocks; twiddle-diddles; the family jewels. See also MALA (2); SACO (1) // **2.** (=coragem/valentia) balls (2); ballsiness; brass balls; guts. See also CAGAÇO

colhão roxo (*m.*) See MACHEZA

colhudo (*adj.* & *m.*) **1.** See BOIOTA (2) // **2.** (=corajoso/valentão) ballsy (figuratively). See also CAGÃO

coluna do meio (*m.*) the middle man in three-way sex; a double-gaited man. See also BAIÃO DE TRÊS; BICHA; SANDUÍCHE

comadre (*f.*) a bed urinal; bedpan; duck. See also PENICO

comão (*m.*) See FODA (1) // **dar um comão** See FODER (1) (said of a male)

com areia (*adv.*) figuratively, being treated perversely/unfairly/unmercifully/grimly/harshly/ruthlessly; being taken advantage of, cheated, or victimized; up (one's) ass. See also SEM VASELINA

combinação (*f.*) slip; petticoat; underskirt. See also TRAJES MENORES

comborça (*f.*) a mistress in relation to her lover's wife or to another of his kept women. See also AMIGADA; CORNO

comborço (*m.*) a paramour in relation to his mistress's husband or to another of her lovers. See also AMÁSIO; CORNO

comer (*v.t.*) **1.** See FODER (1) (said of a male) // **2.** See LEVAR PRA CAMA // **cara de quem comeu e gostou** a gloating look; an expression of satisfaction; a

shit-eating grin. // **cara de quem comeu e não gostou** an embarrassed/guilty/scowling/unpleasant countenance; cross/evil look; long face.

comer (o) cu (de) (*v.*) to perform active anal intercourse on someone (literally, to "eat" someone's ass, but not in the sense of analingus or rimming, which is *fazer cunete*); to take ass; to ass-fuck; to bugger; to brown; to Greek; to pitch. See also BUNDAR (1); DAR O CU; ENRABAR; FAZER TROCA-TROCA

comer feijão com arroz (*v.*) to be faithful to one's spouse or permanent sexual partner (said of a man). See also GALO DE UM TERREIRO SÓ; PULAR A CERCA; RECATAR-SE; TRAIR

comer jiló (*v.*) See ENRABAR (1)

comer o lanche antes do recreio (*v.*) See AVANÇAR O SINAL

comer pão com banha (*v.*) See BATER MANTEIGA

comes e bebes (*m.pl.*) figuratively, fellatio followed by conventional sexual intercourse; half-and-half; three-way (originally prostitute use). See also BEBECÊ (2); PAPAI E MAMÃE

comida (*f.*) a woman considered only as a sexual object; a cunt; a dish; a lay; a make; an easy make. See also BOCETA; GOSTOSA

comível (*adj.* & *f.*) See GOSTOSA

companheiro (*m.*)/**-ra** (*f.*) **1.** See AMÁSIO; AMIGADA // **2.** See CASO (2)

com vaselina (*adv.*) figuratively, being treated or treating (someone) carefully/tactfully/gently/mannerly (the allusion is to lubricants used for ass-fucking). See also SEM VASELINA

cona (*f.*) See BOCETA

concha (*f.*) See BOCETA

concubina (*f.*) See AMIGADA

concubinato (*m.*) See AMIGAÇÃO

concupiscência (*f.*) See SACANAGEM (1)

concupiscente (*adj.*) See SACANA (4)

condiloma (*m.*) See CRISTA-DE-GALO

confiado/-da (*adj.*) cheeky; saucy; bold; taking liberties; getting personal with someone; ready or willing to make sexual advances; on the make (primarily said of a man). See also ABUSADO; GAITEIRO

confiança (*f.*) cheek; sauce; boldness; impudence; liberties; familiarities; molestation; sexual harassment; effrontery; brass. See also LIBERDADES; SACANAGEM (1) // **dar confiança** See DAR BOLA // **tomar confiança** See TOMAR LIBERDADES

confraria de são cornélio (*f.*) See IRMANDADE DE SÃO CORNÉLIO

confundir (alguém) (*v.t.*) See ESTRANHAR

cono (*m.*) See BOCETA

cono aos pulos (*m. Lus.*) See FUROR UTERINO

consolador (*m.*) See CONSOLO

consolo / consolo de viúva (*m.*) an artificial device resembling an erect penis; a dildo; cantonese groin; johnson bar. See also PAU

constipação (*f.*) See PRISÃO DE VENTRE

contar com o ovo na bunda/no cu da galinha (*v.*) to count one's chickens before they are hatched; to reckon without one's host; to prognosticate.

contrabando (*m.*) See AMIGADA

contrapino (*m.*) **1.** See GRELO // **2.** See PAU

contrectação (*f.*) See BOLINA (1)

conventilho (*m.*) See PUTEIRO

conversa fiada (*f.*) See PAPO-FURADO

conversa mole (pra boi dormir) (*f.*) See PAPO-FURADO

coprofagia (*f.*) scat; shit-eating; a form of sexual excitement in which the partners eat each other's shit. See also MERDA (1); SALIROMANIA; TARA

coprófago/-ga (*adj. & m./f.*) coprophagous; shit-eater. See also CHUPENGOLE; TARADO

coprofilia (*f.*) scat; a form of sexual excitement in which the partners shit on each other or make feces a part of the sex scene. See also CHUVEIRINHO; MERDA (1); SALIROMANIA; TARA; UROLAGNIA

coprofílico/-ca (*adj.*) pertaining to or appealing to scat.

coprófilo/-la (*adj. & m./f.*) interested/engaged in scat; a person who is into scat; a coprophile; a shit queen. See also CUNETEIRO; TARADO

coprolalia (*f.*) See PALAVRÃO; PUTEAÇÃO

cópula (*f.*) See FODA (1)

coqueirinho (*m.*) sexual intercourse conducted in such a way that the woman lies on her back with a pillow under her hips. See also PAPAI E MAMÃE

corça (*f.*) See BOCETA-DENTADA

cornear (*v.t.*) to cuckold; to be sexually unfaithful to one's husband or current lover (said of a wife/mistress). See also PULAR A CERCA; TRAIR

corno (*m.*) a betrayed husband; a cuckold. See also CANTAR DE GALO; COMBORÇA; COMBORÇO; PEDREIRO; TRAIDOR; VARUNCA // **botar/plantar corno em** See CORNEAR // **criar corno** to be cheated on by one's wife/mistress (said of a man). // **dor de corno** love jealousy. // **Homem velho e mulher nova, ou corno ou cova**, a proverb, implying that a young wife of an elderly man cheats on him or becomes a widow. // **não ir com os cornos de (alguém)** to take a dislike to (someone); to have it in for (someone); to bear a grudge against (someone). // **virar corno** to become a cuckold.

corno ateu (*m.*) a husband who does not believe in his wife's infidelity.

corno manso (*m.*) a passive/acquiescent cuckold; a cuckolded husband who knows, but doesn't care. See also VARUNCA

cornudo (*m.*) See CORNO

coronel (*m.*) a man who supports a woman outside marriage in return for her sexual favors; a moneyed man who spends money freely on women; an old man; a sugar daddy; a john. See also AMÁSIO; AMIGADA; ESPÉCIE; GIGOLÔ; MARMITA; TEÚDA

corpete / corpinho (*m.*) See SUTIÃ

corretor (*m. Lus.*) See CAFETÃO

cortar pelos dois lados (*v.*) to be bisexual; to go both ways; to swing both ways. See also GILETAR

cortesã (*f.*) See PUTA DE ALTO BORDO

costela (*f.*) See AMIGADA

costelar (*v.i.*) See PULAR A CERCA

costurar pra fora (*v.*) See CORNEAR

courama (*f.*) leather costume as worn by fetishists, rough trades, sadie-maisies, etc.; leather items as part of the sex scene.

courão (*m.*) See COURO (1)

coureiro/-ra (*adj.* & *m./f.*) leather; leather fetishist; of or pertaining to sadists and masochists, whether heterosexual or homosexual; sadie-maisie; rough trade. See also BARRA-PESADA (2); SADO-MASOCA

courinho (*m.*) (**prepúcio** *m.* prepuce) foreskin; blinds; curtain; curtains; goatskin; snapper; turtleneck sweater. See also BICO DE CHALEIRA; CABRESTO; CHALEIRA (1); CIRCUNCISO; TER AMOR À PELE

couro / courão (*m.*) **1.** an old prostitute; aunt; auntie; harridan; pig-meat. See also NAVIO-ESCOLA; PUTA (1) // (*adj.*) **2.** See COUREIRO // **dar no couro** to be potent; to be sexually active; to enjoy regular sexual intercourse despite of age; to have lead in (one's) pencil. // **não dar no couro** See BROXAR // **não dar mais no couro** See PENDURAR A(S) CHUTEIRA(S)

coxa (*f.*) / **coxão** (*m.*) **1.** See BIMBA (2) // **2.** See GOSTOSA // **fazer nas coxas** to botch; to bungle. // **feito nas coxas** botchy; bungling; half-assed. // **nas coxas** bunglingly; pell-mell; helter-skelter.

cravada (*f.*) See FODA (1)

crente (*adj., m.* & *f.*) See CU DE FERRO

criar corno (*v.*) to be cheated on by one's wife/mistress (said of a man); to be cuckolded. See also COMER FEIJÃO COM ARROZ; LEVAR CHIFRE; PULAR A CERCA; VIRAR CORNO

crica (*f.*) See BOCETA

crista de galo (*f.*) (**condiloma** *m.* condyloma) warts; venereal warts. See also DOENÇA DO MUNDO

cróia (*f.*) See PUTA (1)

croquete (*m.*) See PAU // **agasalhar o croquete** See DAR O CU // **empanar o croquete** See BATER PUNHETA

cu (*m.*) **1.** (**ânus** *m.* anus; **reto** *m.* rectum) ass (1); arse; arsehole; asshole; bung hole; butthole; crack; gazoo; gee-gee; gig; giggy; gigi; hole; kazoo; nitty-gritty; rinctum; rosebud; shit-hole; tokis; tokus; tuckus; wazoo; where the sun doesn't shine. See also BUNDA (1); BURACO (1); CAGAÇO; ENRABAÇÃO; REGO // **2.** See CHATICE; SACO (2) // **arrastar o cu na areia** to be submissive to someone; to kiss/lick (someone's) ass; to accept/endure humiliation; to eat dirt; to eat shit; to take shit. // **até o cu fazer bico** till (one's) ass is dragging. // **Cachorro que engole osso é porque tem confiança no cu./Cachorro que engole osso sabe o cu que tem.** He knows his onions.

Every man knows where his shoe pinches. // **cara de cu (à paisana)** See CARA DE QUEM COMEU E GOSTOU // **cara dum, cu do outro** as like as two peas; tweedledum and tweedledee (depreciatively). // **com cuspe e jeito vai-se ao cu do sujeito.** Easy does it. // **comer (o) cu (de)** to perform active anal intercourse on (someone); to ass-fuck; to bugger. // **contar com o ovo no cu da galinha** to count one's chickens before they are hatched. // **Cu de bêbado não tem dono. / Cu de sono não tem dono.** Anything goes. The situation is out of control. He has no control over himself. // **Cu de pato não é gaveta.** A place for everything and everything in its place. // **dar (a alguém) água de cu lavado** to have (someone) by the balls. // **dar o cu** to perform passive anal intercourse; to brown; to catch; to Greek. // **deixar (alguém) com o cu na mão** to frighten; to terrify; to scare (someone) shitless; to scare the living) shit out of (someone). // **Depois da onça morta todos metem o dedo no cu dela.** It's easy when you are on the safe side. The proof of the pudding is in the eating // **Enfia no cu!** Stick it up your ass! // **Enfia o dedo no cu e cheira!** See VÁ/VAI

TOMAR NO CU! // **enfiar toucinho em cu de capado gordo** to expend time/spend money in useless/superfluous effort; to carry coals to Newcastle; to beat a dead horse. // **É o cu da mãe!** See É A MÃE! // **estar dois dedos abaixo de cu de cachorro** to be completely down and out; to lead a dog's life; to have (one's) ass in a sling. // **fazer cu-doce** to act or be snobbish, aloof, or prissy; to put on airs; to stand on ceremony; to play hard to get; to want to be coaxed. // **ficar com o cu na mão** See CAGAR-SE // levar no cu See DAR O CU; TOMAR NO CU // **Merda seca não pega em cu lavado.** Abuse/backbiting does not affect the character of a person who has a clean slate. // **nascer de cu (virado) pra lua** to be born lucky; to be born under a lucky star. // **No seu/teu cu!** Up your ass! // **olho do cu** the asshole. // **O que tem a ver o cu com as calças?** Don't mistake one thing for another! Don't make chalk of cheese! // **pelado como cu de touro** stark naked; bareass. // **Pimenta no cu dos outros não arde.** Our misfortune seems mild to others. No skin off (one's) ass. // **Praga de urubu estoura no próprio cu./Praga de urubu sai pela boca e entra pelo cu.** It came home to roost. He hoisted with his own petard. // **Quem muito abaixa o cu lhe aparece**. He who excuses himself, accuses himself. // **Quem não tem dinheiro faz do cu candeeiro**. One does with what one has. There's more than a way to skin a cat. // **Quem tem cu tem medo.** Everybody tears something. // **ter o cu folheado a ouro** to behave with self-assured haughtiness; to show a sense of superiority; to act like (one's) shit doesn't stink. // **tirar o cu da reta/seringa** to evade an unpleasant task; to avoid shamefully one's duty or work; to cover (one's) ass; to turn tail; to shirk; to side-step; to dodge. // **tomar no cu** See DAR O CU; FODER-SE // **Vá/Vai tomar no cu!** Fuck you! Go pound salt up your ass! Go fuck/impale yourself!

cu de boi (*m.*) See REBUCETEIO

cu de ferro (*adj.*, *m.* & *f.*) a student or worker who has or shows enthusiasm over a job or task; a diligent/honest worker or student; a bookworm; a broom; a new broom; a plodder (depreciatively). (abbr. CDF)

cu de foca (*adj.*) well-iced; frozen; ice-cold.

cu de judas / cu do judas (*m.*) See CU DO MUNDO

cu de mãe joana (*m.*) a matter/business/affair into which everybody pokes the nose; an apple of discord; a bone of contention; a pissing contest; an uproar; a public utility (depreciatively). See also MIXÓRDIA; REBUCETEIO

cu de pato (*m.*) duck's ass (a boy's haircut).

cu-doce (*m.*) **1.** (**afetação** *f.* affectation) airs; ceremony; prissiness; touchiness; coyness. See also FRESCURA; PURITANISMO // **2.** a prissy person; a goody-goody. See also FRESCO // **fazer cu-doce** to assume manners, refinement, or prestige which one does not have; to act or be snobbish/aloof/prissy/coy/finical; to put on airs; to stand on ceremony; to act like (one's) shit doesn't stink.

cu do conde (*m.*) See CU-DO-MUNDO

cu do mundo (*m.*) a faraway/out-of-the-way place; a jumping-off place. See also PENICO DO MUNDO

cueca (*f.*) / **cuecas** (*f.pl.*) 1. men's shorts (underdrawers); undershorts; boxer shorts; briefs. See also CEROULA; SUNGA; TRAJES MENORES // **2.** A boy/man regarded solely as a sex partner or target; ass; tail; piece of ass/tail; trade; boilermaker. See also GOSTOSÃO (1)

cueiro (*m.*) swaddling-band; swaddling-clothes; diaper; nappy. // **(ainda) estar fedendo a cueiro; (ainda) feder a cueiro** to be an infant in arms; to be green-ass.

cuelho (*m.*) short hair around the ass; asshole hair. See also PENTELHO (1)

cuia (*f.*) See PUTA (1)

culatra (*f.*) See BUNDA (1) // **atirar pela culatra** See DAR O CU // **O tiro saiu pela culatra**. The charge/accusation backfired. He hoisted with his own petard. // **sair o tiro pela culatra** to hoist with one's own petard.

culatrão (*m.*) See RATUÍNA

culhão (*m.*) See COLHÃO

cunete (*m.*) (**anilíngua** *f.* analingus) rimming; reaming; rim job; ass blow; ass-licking; ass-sucking. See also MINETE // **fazer cunete em (alguém)** to lick/tongue/suck (someone's) ass; to rim; to blow; to eat; to French; to brown-nose.

cuneteiro (*m.*) /-**ra** (*f.*) rimmer; rim freak; ass-licker; ass-kisser; brown-noser. See also COPRÓFILO; MINETEIRO

cunilíngua (*f.*) See MINETE

cúpido/-da (*adj.*) See SACANA (4)

cureta (*f.*) **1.** See CURETAGEM // (*m.*) **2.** See CURETEIRO

curetagem (*f.*) See DESMANCHO

cureteiro (*m.*) /-**ra** (*f.*) abortionist. See also DESMANCHO; FÁBRICA DE ANJOS

cu-roto (*m.*) See PEIDORREIRO

curra (*f.*) a sex party in which several males take turns having sexual intercourse with one woman; gang bang; gang fuck; gang rape; gang shag; gang shay; train. See also SANDUÍCHE; VIOLAÇÃO // **dar uma curra em** See CURRAR

currar (*v.t.*) to gang fuck; to gang rape; to train. See also FAZER (UMA) SURUBA; VIOLAR // **ser currado/-da** to be raped by several males consecutively; to pull a train.

curro (*m.*) See PUTEIRO

curto e grosso (*adj. & adv.*) forthright; blunt; bluntly; downright. See also DESBOCADO; DESBRAGADO; SEM VASELINA // **ser curto e grosso** to speak right to the point (usually in coarse words).

cuspir grosso (*v.*) **1.** See ESPORRAR (1) // **2.** See CANTAR DE GALO

cuzão/-zona (*m./f.*) See BUNDA-MOLE

cuzeiro (*m.*) See ENRABADOR; SODOMITA

dadeira (*f.*) See PUTA (1); GA-LINHA (1)

dadivoso (*m.*) See BICHA

dama (*f.*) See PUTA (1)

dançar (o) baião de três (*v.*) See MENAGEAR

Dane-se! / Que se dane! (*int.*) See FODA-SE! (1)

Dane-se! / Vá se danar! (*int.*) See FODA-SE! (2)

da porra (*adj.*) See DO CARALHO

dar (*v.i. & v.t.*) to surrender sexually; to grant sexual favors when expected or asked to; to come across; to spread for (someone); to seek or readily enter into sexual intercourse (said of the female). See also DAR UMA SURRA DE BOCETA EM; GALINHAR; RECATAR-SE; SIRIGAI-TAR // **Ou dá ou desce!** See OU FODE OU SAI DE CIMA!

dar a boceta (*v.*) See DAR

dar a bunda (*v.*) See DAR O CU

dar (a alguém) água de cu lavado (*v. Lus.*) to have absolute control over (someone); to be in a ruling/superior/victorious position over a person; to get/have (someone) by the balls/curlies/knickers/short hairs/tail. See also TER (ALGUÉM) PRESO PELO RABO

dar à luz (*v.*) See PARIR

dar (uma) banana pra (alguém) (*v.*) to make a gesture of contempt/defiance; to give (someone) the bird/finger; to fuck (4). See also PUTEAR (1)

dar bandeira (*v.*) **1.** to use certain gay "in" words while talking with another person to discover if he is also gay. // **2.** to reveal oneself as being gay unintentionally during a conversation; to drop beads/hairpins. See also ASSUMIR; DESMUNHECAR; ENRUSTIR; FECHAR // 3. SEE BATER CALÇADA

dar banho na macaca (*v.*) See FODER (1)

dar beijo no queijo (*v.*) to perform fellatio on an uncircumcised penis; to cure the blind. See also CHUPAR; FAZER (UMA) CHUPETA

dar bola (*v.*) to lead on (flirt); to encourage amorous advances; to be on the make; to give the come-on (to); to be receptive to sexual advances (said of females). See also ESTAR COM A PERIQUITA QUEIMADA; GALINHAR; SIRIGAITAR

dar chabu (*v.*) See BROXAR

dar com o rabo na cerca (*v.*) See DAR O PEIDO MESTRE

dar com os quartos de lado (*v.*) See TIRAR O CU DA RETA

dar confiança (*v.*) See DAR BOLA

dar de corpo (*v.*) See CAGAR (1)

dar de si (*v. Lus.*) See PEIDAR

dar em cima (de) (*v.*) See PAQUERAR; TOMAR LIBERDADES

dar no couro (*v.*) to be potent; to be sexually active; to enjoy regular sexual intercourse despite of age; to have lead in (one's) pencil; to cut the mustard. See also BROXAR; DAR UMA

dar no saco (de) (*v.*) See CHATEAR (1)

dar o cu (*v.*) to perform passive anal intercourse; to catch; to brown; to brown hole; to bung hole; to corn-hole; to pick up the soap; to Greek (literally, to give (the) ass, implying that one is a queer). See also ABICHARAR; BUNDAR (1); COMER (O) CU (DE); DESMUNHECAR; FAZER TROCA-TROCA; PERDER AS PREGAS

dar o mau passo (*v.*) **1.** See DAR; PERDER O CABAÇO // **2.** See CAIR NA VIDA; PERDER-SE // **Quem dá o mau passo perde o cabaço** a self-explanatory proverb.

dar o peido mestre (*v. Lus.*) to die; to kick the bucket (the vast number of *morrer* synonyms does not imply taboo connotations). See also APAGAR O PAVIO (3); IR PRA PUTA QUE (O) PARIU

dar sopa (*v.*) See DAR BOLA

dar uma (*v.*) **1.** See FODER (1) // **2.** See GOZAR (said of a male; the second meaning implies that one can achieve orgasm twice, which is *dar duas*, or even three, four, or five times in succession, while having coitus with a woman) See also DAR NO COURO

dar uma bimbada/metida/piçada/pissada/trepada (*v.*) See FODER (1)

dar uma cagada (*v.*) to dump a load; to take a crap; to take a dump; to take a shit; to take a squat; to move (one's) bowels; to defecate; number two. See also CAGAR (1); FAZER NECESSIDADE

dar uma cantada em (*v.*) See CANTAR

dar uma chupada em (alguém) (*v.*) **1.** See FAZER (UMA) CHUPETA EM // **2.** To chew/ream (someone's) ass out; to reprimand a person severely; to bawl out; to chew out; to gross out; to kick (someone's) ass. See also PUTEAR (1)

dar uma de galo (*v.*) See DAR UMA RAPIDINHA

dar uma ferrada em (alguém) (*v.*) See FODER (2)

dar uma geral (em) (*v.*) **1.** See CURRAR // **2.** to ransack; to search; to survey; to fuck (someone) over. (said of the police)

dar uma mãozinha pra (alguém) (*v.*) to masturbate (someone); to rub (someone) to orgasm; to frig; to fudge; to jerk/jack/pull (someone) off. See also BOLINAR; PUNHETAR

dar uma mijada (*v.*) to take a piss; to take a leak; to let fly; to make a pit stop; number one. See also FAZER NECESSIDADE; MIJAR (1)

dar uma pinocada (*v.*) See FODER (1)

dar uma quentinha (*v.*) See FODER (1)

dar uma rapidinha (*v.*) to engage in a quick act of sexual intercourse; to bunny-fuck; to wham-bam. See also CHAVASCAR (1); FAZER NAS COXAS; PÔR A ESCRITA EM DIA; PULAR DO BONDE ANDANDO

dar um arrocho em (alguém) (*v.*) **1.** to attack/rob (someone) violently; to mug. See also DAR UM CACETE EM (ALGUÉM) // **2.** See VIOLAR

dar uma surra de boceta em (alguém) (*v.*) to give (a male) a real good time in bed; to lay (said of a female). See also DAR; JAMBRAR

dar uma surra de pica em (alguém) (*v.*) to give (a female) a real good time in bed; to lay (said of a male). See also FAZER UM PROGRAMA; JAMBRAR; PÔR A ESCRITA EM DIA

dar um cacete em (alguém) (*v.*) to beat (someone) up; to rough (someone) up; to beat/kick the shit out of (someone); to fuck (someone) over (2). See also DAR UM ARROCHO EM (ALGUÉM) (1); LEVAR UM CACETE; PARTIR PRA IGNORÂNCIA; VIOLENTAR (1)

dar um comão (*v.*) See FODER (1) (said of a male)

dar um esporro em (*v.*) See PUTEAR (1)

dar um pau na máquina (*v.*) **1.** See FODER (1) (said of a male) // **2.** To drive a car rapidly; to speed; to barrel ass; to flat out; to rip-ass.

debochado/-da (*adj.*) See SACANA (4)

deboche (*m.*) See SACANAGEM (1)

debulhar a espiga/o milho (*v.*) See BATER PUNHETA

debutante (*f.*) an inexperienced but sexually willing girl/woman; a pig-meat. See also CABAÇUDA; NINFETA; PARIDEIRA (1); PEIXE-FRESCO

decaída (*f.*) See PUTA (1)

de chico (*adj.*) menstruating; flying bravo; having the rag on; on the rag; unwell. See also INCOMODADA

decoro (*m.*) See PUDOR

decoroso/-sa (*adj.*) See PUDICO

dedilhar (*v.t.*) See FUTUCAR

defecação (*f.*) See CAGADA (1)

defecar (*v.i.*) See CAGAR (1)

deflorar (*v.t.*) See DESCABAÇAR

de foder (*adj.*) fucking (2); fucky; difficult to accomplish; hard to do. See also FODA (2); FODIDO (1); PUTA (2)

deitar (com) (*v.t.*) See FODER (1)

deitar a carga ao mar (*v.*) See VOMITAR

deitar o verbo (*v.*) See VOMITAR

deixar cair o guardanapo (*v.*) See DAR O CU

deixar (alguém) com o cu na mão (*v.*) to frighten; to terrify; to scare (someone) shitless; to scare the (living) shit out of (someone). See also CAGAR-SE

de lascar (o cano) (*adj.*) See DE FODER

de merda (*adj.*) **1.** (=maldito) fucking (1); fucky; blasted; bloody; blooming; cotton-picking; darned; doggone; effing; fiddlefucking; flipping; forking; frigging; screwing; son-of-a-bitching; sumbitching; blankety-blank. See also FILHA DA PUTA (2); FODIDO (1) // **2.** (=reles/ordinário) chickenshit (3); shitty (2); fucking (3); badass. See also BUNDA (2); FODEROSO; TITICA (3)

dendeca / dondoca (*f.*) See BICHA

depravação (*f.*) See SACANAGEM (1); TARA

depravado/-da (*adj. & m./f.*) See SACANA (1 & 4); TARADO

derramar água fora da bacia (*v.*) See ABICHARAR; ASSUMIR; DESMUNHECAR

derrubar (*v.t.*) **1.** See FODER (1) (said of a male) // **2.** See LEVAR PRA CAMA

de salão (*adj.*) tame; suitable for mixed company; euphemistic; unoffending. See also DE SACANAGEM under SACANAGEM // **piada de salão** a joke without a dirty tone/point; a clean sort of story. // **piada de salão de barbeiro** See PIADA DE BOCAGEM

desarranjo (*m.*) See CAGANEIRA

desbocado/-da (*adj.*) foul-mouthed; given to uttering obscenities; smutty. See also BOCA-SUJA; CHULO; CURTO E GROSSO; DESBRAGADO

desbocamento (*m.*) See PALAVRÃO; PUTEAÇÃO

desbragado/-da (*adj.*) of language and behavior, coarse; lecherous; smutty. See also CURTO E GROSSO; DESBOCADO; SACANA (4); TARADO (2)

desbragar (*v.t.*) to render dissolute; to debauch; to pervert; to smut. See also ENGROSSAR (1); PROSTITUIR (1)

desbum (*m.*) See DESBUNDE

desbundado/-da (*adj. & m./f.*) **1.** See PORRA-LOUCA // **2.** a freak; a hippy; a freak-out; a rat fuck person. See also DESPIROCADO

desbundar (*v.i.*) **1.** See DESPIROCAR // **2.** to "tune in, turn on, drop out"; to become a hippy; to freak out; to screw around; to fuck off.

desbunde (*m.*) **1.** See PORRA-LOUQUICE // **2.** freak-out; hippiedom; hipdom; the conventions or lifestyle of the hippies, freaks, or drug addicts.

descabaçada (*adj. & f.*) a female deprived of her virginity; a loose woman. See also CABAÇUDA; LARGA; MAU PASSO; PERDIDA; PUTA (1); VACINADO

descabaçar (*v.t.*) to deflower; to cop a cherry; to cop (her) cherry; to pop (her) cherry. See also PROSTITUIR; VIOLAR

descabelar o palhaço (*v.*) See BATER PUNHETA

descamisado (*adj. & m.*) a male who enters into sexual intercourse without using a condom; a bareback rider (often used jocularly to imply that the encounter was unexpected and hurried). See also BALA-EMBALADA; CAMISINHA; DESPREVENIDO

descarregar a bateria (*v.*) See FODER (1)

descascar a banana/mandioca (*v.*) See BATER PUNHETA

descascar o palmito (*v.*) See BATER PUNHETA

descer o barro (*v.*) See CAGAR (1)

desclassificada (*f.*) See PUTA (1)

descomer (*v.i.*) See CAGAR (1)

descompor (*v.t.*) **1.** See PUTEAR (1) // **-se** (*v.r.*) **2.** to get upset; to lose one's composure. See also APELAR; PARTIR PRA IGNORÂNCIA // **3.** To strip; to undress. See also RECATAR-SE

descomposto/-ta (*adj.*) half-naked. See also PELADO

descompostura (*f.*) See PUTEAÇÃO

descuido (*m. Lus.*) See PEIDO

desencaminhar (*v.t.*) **1.** See CANTAR; DESCABAÇAR; PROSTITUIR // **-se** (*v.r.*) **2.** See PERDER-SE

desentupido/-da (*adj.*) not married; not in love; free to act as one pleases; footloose (and fancy-free). See also AMARRAR-SE; ATRASADO; GANDAIA (1)

desgraçar (*v.t.*) See DESCABAÇAR

deslumbrada (*f.*) See BICHA

desmancho (*m.*) abortion; miscarriage; premature birth. See also CURETEIRO; FÁBRICA DE ANJOS

desmantear (*v.i.*) **1.** to begin a menstrual period; to fall off the roof; to get the rag on. See also FICAR DE CHICO; MATAR O FRANGO/PINTO // **2.** to have pain with menstrual periods.

desmantelo (*m.*) **1.** See CHICO // **2.** menorragia; dysmenorrhea.

desmunhecação (*f.*) obvious effeminate gestures; blatant gayness. See also BANDEIRA; BICHICE; FECHAÇÃO

desmunhecado (*adj. & m.*) limp wrist; wrist-slapper; mintie. See also BICHA; BICHA-LOUCA; FECHATIVO; MARICAS

desmunhecar (*v.i.*) to make effeminate gestures; to act, walk, or gesture as a sissy; to swish; to camp it up. See also ABICHARAR; ASSUMIR; DAR BANDEIRA; DAR O CU; FECHAR

desonrar (*v.t.*) See DESCABAÇAR

despedida de solteiro (*f.*) a party given in honor of a prospective bridegroom by his friends, often for the purpose of viewing obscene performances or movies, telling obscene jokes, and the like; a gander party; a cock party; a stag party. See also SURUBA (1)

despentelhado/-da (*adj. & m./f.*) See DESPIROCADO

despentelhar (*v.i.*) See DESPIROCAR

despirocado/-da (*adj. & m./f.*) batty; nutty; nuts; dick-brained; wild-ass; wild-assed; a person who is nuts. See also DESBUNDADO; PORRA-LOUCA

despirocar (*v.i.*) to lose emotional or mental control; to behave irrationally; to become crazy/excited/frenzied/wild; to go ape; to go ape shit. See also ZONEAR

desprevenido (*adj.*) without a condom; bareback (said of the male, in reference to coitus). See also CAMISINHA; DESCAMISADO

despucelar (*v.t.*) See DESCABAÇAR

despudorado/-da (*adj.*) See SACANA (4)

destempero (*m.*) **1.** See CAGANEIRA // **2.** See PUTEAÇÃO

destripar o mico (*v.*) See VOMITAR

desvairada (*f.*) See BICHA

desvirginar (*v.t.*) See DESCABAÇAR

devassidão (*f.*) See SACANAGEM (1)

devasso/-sa (*adj. & m./f.*) See SA-CANA (1 & 4)

devolver (*v.t.*) See VOMITAR

diabo (*m.*) 1. See COBRAS E LA-GARTOS: **dizer/falar o diabo de (alguém)** // (*int.*) **2.** See PUTA MERDA! (depreciatively) // **diabo de / diacho de / raio de** (=maldito) See DE MERDA (1) // **Onde diabo…?** Where the hell…? Where the devil…? // **Que diabo...?** What the hell...? What the devil...?

dia de pagamento (*m.*) figuratively, a reference to the male whose fly is open. See also BRA-GUILHA; ESTAR COM A GAIOLA ABERTA

diarreia (*f.*) See CAGANEIRA

diferencial (*m. Lus.*) See CU (1)

direita (*adj.*) See HONESTA

dirigir o caminhão (*v.*) to be the active partner in a lesbian relationship; to wear boxer shorts. See also CHOFER DE CAMINHÃO

diu / DIU (*m.*) (**dispositivo intrauterino** *m.* intrauterine device) loop; pussy butterfly. See also ANTICONCEPCIONAL

dobradinha (*f.*) See SANDUÍCHE

do cacete (*adj.*) See DO CARALHO

do caralho (*adj.*) bitching; fine; tits; very good; hot shit (1); kick-ass See also FODEROSO; PUTA (2)

doce vida (*f.*) See VIDA

documentos (*m.pl.*) See PAU // **falsificar os documentos** See ENRUSTIR // **perder os documentos** See ABICHARAR; ASSUMIR; DAR O CU // **sem lenço e sem documentos** See FODIDO E MAL PAGO // **tirar os documentos** See PERDER O CABRESTO

doença da rua (*f.*) See DOENÇA DO MUNDO

doença do mundo (*f.*) (**doença venérea** *f.* venereal disease) dose; blue balls; clap; clapp; crud; scrud; social disease. See also CANCRO; CARREGAÇÃO; CAVALA; CRISTA DE GALO; ES-QUENTAMENTO; FIGO; GÁLICO

doença venérea (*f.*) See DOENÇA DO MUNDO

domador de serpente (*m.*) See BICHA; CATAMITA

dondoca (*f.*) See BICHA

dom-juanismo (*m.*) See GAVIO-NICE

donzela (*f.*) See CABAÇUDA

donzelo (*m.*) See CABAÇUDO

donzelona (*f.*) old maid. See also MACHORRA; TIA

dor de corno (*f.*) love jealousy; a jealous fit. See also CORNO; TRAIÇÃO

dor de cotovelo (*f.*) See DOR DE CORNO

dormida (*f.*) See FODA (1)

dormir (com) (*v.t.*) See FODER (1)

doutor alisando cresce (*m.*) See PAU (jocular use by males, as a pun on the supposed proper name)

doutor de ré (*m.*) See BICHA

dragão (*m.*) See BUCHO (3)

duca (*adj.*) See DO CACETE; DO CARALHO under CACETE; CARALHO

duma figa (*adj.*) darn; darned; damned; fucking; blankety-blank. See also DE MERDA (1)

duro/-ra (*adj. & m./f.*) See TESO // **estar mais duro que pau de tarado** to be stone broke; to be flat busted; to be on (one's) ass. // **No duro!** Really! No kidding! No shit!

É a mãe! / É o cu da mãe! / É a vó! (*int.*) Your old lady's one! (insulting response to an insult) See also under PUTEAR

efeminado / afeminado (*adj.*) See MARICAS

É foda! (*int.*) That's too bad! That's a terrible shame/trouble! Tough shit! (mainly ironical) See also TÁ FODIDO!; TÔ FODIDO!

égua (*f.*) See GALINHA (1) // **filho duma égua** See FILHA DA PUTA (1)

ejaculação (*f.*) See ESPORRADA

ejacular (*v.i.*) See ESPORRAR

embananado/-da (*adj.*) fucked up; futzed up; assed up; mixed up; screwed up; snafu. See also FODIDO (2)

embananar (*v.t.*) **1.** to ruin or spoil something; to make a mistake; to confuse; to goof; to foul up; to fuck up; to mix up; to fuck off; to eff off; to snafu. See also EMBOCETAR (2); FAZER (UMA) CAGADA // **-se** (*v.r.*) **2.** See FODER-SE

embaraçada (*adj.*) **1.** See INCOMODADA // **2.** See PRENHE

embaraço (*m.*) **1.** See CHICO // **2.** See PRENHEZ

embarrigada (*adj.*) See PRENHE

embarrigar (*v.t. & v.i.*) See EMPRENHAR (1 & 2)

embeiçamento (*m.*) See RABICHO

embeiçar (*v.t.*) **1.** See ENRABICHAR (1) // **-se** (*v.r.*) **2.** See ENRABICHAR-SE

embilocar / embiocar (*v.i.*) See FODER (1)

embocetar (*v.i.*) **1.** to hit a snag; to get all messed up; to become complicated; to render difficult/critical (said of a situation). See also IF. PRAS PICAS // (*v.t.*) **2.** to mess up; to screw up; to fuck up; to snafu. See also EMBANANAR (1); ZONEAR

embostar (*v.t.*) See BOSTAR

embuchada (*adj.*) See PRENHE

embuchar (*v.t. & v.i.*) See EMPRENHAR (1 & 2)

embutir (*v.t. Lus.*) See FODER (1)

empanar o croquete (*v.*) See BATER PUNHETA

empata-foda (*m. & f.*) someone who gets in the way; a superfluous person/thing; a fifth wheel. See also CHATO (2)

empinar a pipa (*v.*) See BATER PUNHETA

emplacar (*v.t.*) See DESCABAÇAR

emprenhar (*v.t.*) **1.** to make pregnant; to knock up; to bump. See also PARTEJAR // (*v.i.*) **2.** to become pregnant; to be knocked up. See also ESTAR DE BARRIGA; PARIR (1) // **Emprenhar, parirás vento.** As you sow, so will you reap. As you make your bed, so you must lie down.

empurra-peidos (*m. Lus.*) See PAU

empurrar a janta (*v.*) See ENRABAR (1)

emputecer (*v.t.*) **1.** to enrage; to peeve; to piss off; to burn (someone's) ass. See also CHATEAR (1) // **-se** (*v.r.*) **2.** to become enraged; to get peeved; to get

pissed off; to get the red ass; to have a shit fit; to shit a brick; to shit green/blue. See also BOTAR A BOCA NO TROMBONE (2); CHATEAR-SE; PARIR (2); PARTIR PRA IGNORÂNCIA; PÔR O PAU NA MESA

emputecido/-da (*adj.*) enraged; fed up; teed off; peed off; p'd off; pissed off; peeved; peeved off; red-assed; snotty; wet hen.

emputecimento (*m.*) anger; rage; indignation; piss-off.

encabrestado (*adj. & m.*) See CABAÇUDO

encagaçar (*v.i.*) See CAGAR-SE; PEDIR PENICO

encarar a coisa de outro ângulo (*v.*) See DAR O CU

encavar (*v.i. Lus.*) See FODER (1)

encestar (*v.i. & v.t.*) See FODER (1)

encher (*v.t.*) See EMPRENHAR (1)

encher o saco (de) (*v.*) See CHATEAR (1)

encomendas (*f.pl.*) See PARTES (referring to the male)

enconar (*v.t. Lus.*) See AMIGAR-SE

encosto (*m.*) See AMIGADA; CASO

encoxada (*f.*) a pelvic thrust against someone's thighs/buttocks. See also BOLINA (1); ENRABADA; SARRO

encoxar (*v.t.*) to thrust with the pelvis against someone's thighs/buttocks (while clothed); to go through the motions of sexual intercourse without penetration, usually from behind and without removing the clothes; to dry fuck in the doggy position. See also ENRABAR

endireitar (*v.i. Lus.*) See FICAR DE PAU DURO

enema (*m.*) See LAVAGEM

enfeitado (*adj. & m.*) See CORNO

enfeitar (*v.t.*) **1.** See CORNEAR // -se (*v.r.*) **2.** See BOTAR PEITO

enfeites (*m.pl.*) See TRAIÇÃO

enfiada (*f.*) See FODA (1)

Enfia no cu! / Enfia! (*int.*) Stick it up your ass! Stick it! See also under PUTEAR

Enfia o dedo no cu e cheira! / enfia o dedo no cu e roda! (*int.*) See VÁ/VAI TOMAR NO CU!

enfiar (*v.i.*) See FODER (1)

enfigueirar (*v.i. Lus.*) See CAGAR (1)

enforcar o gato/judas (*v.*) See FODER (1)

engalicado/-da (*adj.*) See GALICADO

engatar (*v.t. Lus.*) See CANTAR; LEVAR (ALGUÉM) PRA CAMA

engatatão (*m. Lus.*) See PAQUERADOR; PUTANHEIRO

engate (*m. Lus.*) See CAÇAÇÃO; PAQUERA (1); VIDA // **andar/viver no engate** See FAZER A VIDA

engole-espada / engole-garfo (*m. & f.*) **1.** See BICHA; CATAMITA // **2.** See CHUPA-PICA

engolidor de espada (*m.*) **1.** See BICHA; CATAMITA // **2.** See CHUPA-PICA

engolir cobra/espada (*v.*) **1.** See DAR O CU // **2.** See CHUPAR (=felar)

engolir sapo (*v.*) to accept/endure humiliation/victimization/bullying/insult; to put one's pride in one's pocket; to eat dirt; to eat shit; to take shit. See also ARRIAR AS CALÇAS (PRA ALGUÉM)

engoma-cueca (*m.*) See MELA-CUECA

engonocado/-da (*adj.*) infected with gonorrhea; clapped-up. See also BOMBARDEADO; ESQUENTAMENTO; GALICADO // **estar engonocado** to have gonorrhea; to piss pins and needles.

engonocar (*v.t.*) **1.** See BOMBARDEAR // -se (*v.r.*) **2.** See BOMBARDEAR-SE

engraçar-se (com/pro lado de) (*v.r.*) See TOMAR LIBERDADES

engravidar (*v.t. & v.i.*) See EMPRENHAR (1 & 2)

engrossar (*v.i.*) **1.** to become coarse/gross/obscene (said of a conversation). See also DESBRAGAR // **2.** to become gross; to get nasty/rude (said of a person); to kick ass and take names. See also PARTIR PRA IGNORÂNCIA

enjaneirado/-da (*adj. Lus.*) See tesudo (1)

enrabação (*f.*) (**pederastia** *f.* pederasty; **sodomia** *f.* sodomy) (=coito anal) ass-fuck (1); assfucking; browning; buggery; butt-fucking; cornholing; hotdogging; Greek culture; Greek fashion; Greek way; Turkish culture; the Irish way. See also CACHORRINHO (2); CU

enrabada / enrabadela (*f.*) an instance or the act of anal intercourse; a shot in the back door. See also ENCOXADA

enrabador (*m.*) ass-fucker; bugger; pitcher; turk. See also BICHA; FANCHONO; SODOMITA

enrabar (*v.t.*) **1.** to ass-fuck; to bum-fuck; to dog-fuck; to bugger; to Greek; to hot-dog; to pitch; to play leap frog. See also BUNDAR (1); COMER (O) CU (DE); ENCOXAR; FAZER CACHORRINHO // **2.** to fuck (4).

enrabichar (*v.t.*) **1.** to infatuate; to seduce; to enamor; to charm. See also CANTAR; FISSURAR; PAQUERAR // **-se** (*v.r.*) **2.** to become infatuated with; to fall in love; to be stuck on (someone); to have a crush on (someone).

enrolado/-da (*adj.*) See EMBANANADO // **estar/ficar mais enrolado que pentelho de africano** See EMBOCETAR (1) (said of a situation)

enrolar a bandeira (*v.*) See PENDURAR A(S) CHUTEIRA(S)

enrustido/-da (*adj. & m./f.*) a person who keeps his homosexuality a secret; a closety person; a closet queen; a closet queer; a closet dyke; a cryptohomo. See also ASSUMIDO; BICHA; GILETE; MACHÃO

enrustimento (*m.*) closetry; dissimulation. See also BANDEIRA; FARINHA

enrustir (*v.t.*) to keep a secret (one's homosexuality); to be in the closet. See also ASSUMIR; DAR BANDEIRA; GILETAR

ensebado/-da (*adj.*) See SEBENTO

entendido/-da (*adj. & m./f.*) gay; fay (not derogatory). See also ASSUMIDO; BICHA; LÉSBICO

entesar (*v.t.*) **1.** (=excitar) to turn (someone) on; to ring (someone's) bell; to sklook; to arouse sexually; to be sexually appealing to (someone). // **-se** (*v.r.*) **2.** to become aroused sexually; to achieve/hold an erection; to get it on; to get it up; to have a bone/rod on; to stay; to have lead in (one's) pencil. See also BROXAR; ESTAR DE PAU DURO; FICAR DE PAU DURO

entrada de serviço (*f.*) See CU (1)

entrar em/na vara (*v.*) **1.** See DAR // **2.** See DAR O CU

entrar na lenha/no pau (*v.*) **1.** See DAR // **2.** See DAR O CU // **3.** See LEVAR UM CACETE (2)

entrar pelo cano (*v.*) See FODER-SE

entrar pra confraria de são cornélio (*v.*) See CRIAR CORNO; VIRAR CORNO; LEVAR CHIFRE

entregar-se (*v.r.*) See DAR

entreperna (*f.*) (**períneo** *m.* perineum) crotch. // (=de mulher) bush; cooch; scratch; snatch. See also BOCETA; PENTE; RACHA

entubador (*m.*) See BICHA; CATAMITA

entubar (uma brachola) (*v.*) See DAR O CU

entupido/-da (*adj.*) constipated; costive. See also PRISÃO DE VENTRE

enxovalhado/-da (*adj.*) **1.** soiled; crumpled. See also PORCALHÃO // **2.** smeared; defiled; defamed; maligned (figuratively). See also FALADA

enxovalhar (*v.t.*) **1.** to crumple; to soil (clothing); to smear. See also BOSTAR // **2.** See ARRASTAR (ALGUÉM) PELA RUA DA AMARGURA // **-se** (*v.r.*) **3.** to be sloppily/slouchily/untidily dressed; to look like ten pounds of shit in a five-pound bag. // **4.** See CAIR NA BOCA DO MUNDO; FICAR (MAL) FALADA; PERDER-SE

enxuta (*adj. & f.*) See GOSTOSA

enxuto (*m.*) See BICHA; CATAMITA

ereção (*f.*) See TESÃO (1)

eructação (*f.*) See ARROTO

eructar (*v.i.*) See ARROTAR

ervoeira (*f.*) See PUTA (1)

esbagaçado/-da (*adj.*) See BAQUEADO; BAGAÇO (3)

esbarrigar (*v.t. Lus.*) See PARIR (1)

escafeder-se (*v.r.*) to leave quickly/suddenly/secretly/permanently; to flee; to depart; to cut ass; to cut out; to bag ass; to drag ass; to haul ass; to shag ass; to fuck off; to piss off (2). See also IR PRA PUTA QUE (O) PARIU; TIRAR O CU DA RETA

escambichar (*v.t.*) See DESCABAÇAR

escarepa (*f. Lus.*) See esquentamento

escarepe / escarépio / escarepo (*m. Lus.*) See esquentamento

escarradeira de hospital (*f.*) See CARNIÇA

esconder (*v.t. Lus.*) See DAR O CU

escopofilia (*f.*) See VOYEURISMO

escorrência (*f.*) See CHICO

escoteira (*f.*) See PUTA (1)

escova (*f.*) See PENTE

escrachado/-da (*adj.*) **1.** See ESCULHAMBADO // **2.** See SACANA (4)

escracho (*m.*) **1.** See ESCULHAMBAÇÃO (1 & 2) // **2.** See SACANAGEM (1)

escrita (*f.*) a sexual relationship; an illicit cohabitation. See also AMIGAÇÃO; CASO // **estar com a escrita atrasada** to go without sexual activity for some time; to abstain from sexual intercourse for several days (primarily said of married men). // **pôr a escrita em dia to** spend a night or a longer period in intimacy with a woman; to shack up; to catch up on one's sex life; to have sex at long last.

escrotidão (*f.*) baseness; coarseness; grossness; meanness; vulgarity. See also BAIXARIA (1); FULEIRAGEM; PUTEAÇÃO; SACANAGEM (2)

escroto (*m.*) **1.** See SACO (1) // **-ta** (*adj.*) **2.** (=abjeto/asqueroso/nojento) cocksucking; corksacking; snorty (said of a person); base; mean; double-clutching; fatherfucking; motherfucking; mothering; mothergrabbing; triple-clutching (applied to people, events, objects, etc., to express one's disgust). See also BROXANTE; ERUTO (1); BUNDA (2); SACANA (5) // **-ta** (*adj. & m./f.*) **3.** (=pessoa desprezível) badass; dipshit; double-clutcher; fatherfucker; fucker; geek; grannyjazzer; mammyrammer; mofo; mommy-hopper; mother; motherfucker; mothergrabber; motorscooter; muh-fuh; shit-ass; shit-stick; triple-clutcher. See also FILHA DA PUTA; PORCALHÃO; SAFARDANA; TITICA (2)

esculachar (*v.t.*) **1.** See ESCULHAMBAR // **2.** See PUTEAR (1)

esculacho (*m.*) **1.** See ESCULHAMBAÇÃO (1 & 2) // **2.** See SACANAGEM (1)

esculhambação (*f.*) **1.** damage; spoilage; act of fucking off or that which is fucked off. See also FODA (2) // **2.** See MIXÓRDIA // **3.** See PUTEAÇÃO

esculhambado/-da (*adj.*) **1.** (=prejudicado) See FODIDO (2) // **2.** (=desordenado) ass backwards; backasswards; bassackwards; fubb; snafu. See also ZONEADO

esculhambar (*v.t.*) **1.** See FODER (2) // **2.** See FAZER CAGADA // **3.** See PUTEAR (1)

esfregação (*f.*) See BOLINA (1)

esfregar-se (com) (*v.r.*) See BOLINAR

esgaçar (*v.t. Lus.*) See FODER (1)

esmegma (*m.*) See SEBINHO

espada (*f.*) See PAU // **engolidor de espada** See BICHA; CATAMITA; CHUPA-PICA

espalha-merda (*m. & f.*) See CAGÃO

espanhola (*f.*) sexual intercourse in which the penis is rubbed between the female's breasts; tit fucking. See also ROÇADINHO

espécie (*f.*) a prostitute who supports a man; a ponce's woman companion/mistress; old lady. See also CORONEL; GIGOLÔ; MARMITA; PUTA (1); TEÚDA

esperma (*m.*) See PORRA (1)

espeto (*m.*) See PAU

espiga (*f.*) See PAU

espingarda (*f.*) See AMIGADA

espocar a cilibina/silibrina (*v.*) See ESPORRAR; GOZAR (1)

esporão (*m.*) See PAU

esporra (*f.*) See PORRA (1)

esporrada (*f.*) (**ejaculação** *f.* ejaculation) shot; an instance or the act of coming; the discharge of seminal fluid; charge; load. See also GOZO

esporrar (*v.i.*) **1.** to ejaculate; to come; to cum; to come off; to cream; to drop (one's) load; to get it off; to get (one's) nuts/rocks off; to go off; to jack off; to shoot off; to shoot (one's) load/wad; to spunk; to unload. // (*v.r.*) **2.** to be in a state of sexual excitement so that one has an orgasm (literally & figuratively); to cream (one's) jeans. See also GOZAR

esporro (*m.*) rebuke; reprimand; assbite. See also BATE-BOCA; PUTEAÇÃO // **dar um esporro em** See PUTEAR (1)

esquentamento (*m.*) (**gonorréia** *f.* gonorrhea) clap; clapp; blennorrhea; blue balls; drip. See also DOENÇA DO MUNDO; ENGONOCADO

esquentar (*v.t. Lus.*) **1.** See ENTESAR (1) // **-se** (*v.r.*) **2.** See ENTESAR-SE

estaca (*f.*) See PAU

estado interessante (*m.*) See PRENHEZ

estar boiando (*v.*) See POR FORA

estar cagando (e andando) pra (*v.*) See CAGAR (E ANDAR) PRA (ALGO/ALGUÉM)

estar com a escrita atrasada (*v.*) to go without sexual activity for some time; to abstain from sexual intercourse for several days (primarily said of married men). See also FICAR NA MÃO; PÔR A ESCRITA EM DIA

estar com a gaiola aberta (*v.*) to have one's fly open (said of a male). See also BRAGUILHA; DIA DE PAGAMENTO

estar com a periquita queimada (*v.*) to be sexually excited; to be hot to trot; to be on the make (said of a woman). See also DAR BOLA; ESTAR DE PAU DURO

estar com a rosca ruim (*v.*) to be afflicted with piles. See also CASEIRA (5)

estar com fogo no rabo (*v.*) See ESTAR COM A PERIQUITA QUEIMADA

estar com o ferro em brasa (*v.*) See ESTAR DE PAU DURO

estardalho (*m. Lus.*) See RATUÍNA

estar de barraca armada (*v.*) See ESTAR DE PAU DURO

estar de barriga (*v.*) to be pregnant; to be with child; to be heavy with a child; to be quick with a child. See also EMPRENHAR (2)

estar de chico (*v.*) to be menstruating; to be on the rag; to have the rag on; to fly the red flag. See also FICAR DE CHICO

estar de escapamento aberto (*v.*) See PEIDORRAR

estar de facho apagado (*v.*) See PENDURAR A(S) CHUTEIRA(S)

estar de pau duro (*v.*) to have an erection; to have a bone/rod on; to stay See also ENTESAR-SE; ESTAR COM A PERIQUITA QUEIMADA

estar de pau feito (*v. Lus.*) See ESTAR DE PAU DURO

estar de rabo preso (com alguém) (*v.*) to owe favors (to someone); to bribe; to be influenced by a bribe; to get involved (with someone); to be implicated (as in a deal); to be at the mercy of (someone). See also TER (ALGUÉM) PRESO PELO RABO

estar de saco cheio (*v.*) See CHATEAR-SE

estar dois dedos abaixo de cu de cachorro (*v.*) to be completely down and out; to eat humble pie; to lead a dog's life; to be lower than dog shit; to be as low as whale shit; to have (one's) ass in a sling. See also CAGAR NA BANDEJA/BAIXELA (DE PRATA); NASCER DE CU PRA LUA

estar mais duro que pau de tarado (*v.*) See ESTAR SEM UM PUTO

estar marcando seis e meia (*v.*) See BROXAR; PENDURAR A(S) CHUTEIRA(S)

estar na merda (*v.*) to be in straitened circumstances of any kind; to be despairing of success; to be on (one's) ass; to be up shit creek (without a paddle); to be up the creek; to be shit out of luck; to get/have (one's) ass in a sling. See also CAGAR NA BANDEJA/BAIXELA (DE PRATA); ESTAR NO BEM-BOM; ESTAR SEM UM PUTO; FODIDO E MAL PAGO; FOSSA; ROER BEIRA DE PENICO; SER MÃE DE OURIÇO; TESO

estar no bem-bom (*v.*) to be/live in clover; to be like pigs in shit; to piss on ice; to shit in high cotton. See also CAGAR NA BANDEJA/BAIXELA (DE PRATA); ESTAR NA MERDA

estar numa bosta que faz gosto (*v.*) See ESTAR NA MERDA

estar num bagaço (*v.*) to be dead tired; to drag ass (2). See also BAQUEADO

estar roendo beira de penico (*v.*) See ROER BEIRA DE PENICO

estar se lixando pra (*v.*) See CAGAR (E ANDAR) PRA (ALGO/ALGUÉM)

estar sem um puto (*v.*) to be penniless; to be broke; to be on (one's) ass; to have shit-all money. See also ESTAR NA MERDA; TESO

estender a toalha (*v.*) See DAR O CU

estercar (*v.i.*) See CAGAR (1)

estrangular a cobra (*v.*) See CAGAR (1)

estrangular o sabiá (*v.*) See BATER PUNHETA

estranhar (alguém) (*v.t.*) to take (someone) for a homosexual; to treat (someone) as a queer. See also NÃO IR COM OS CORNOS DE (ALGUÉM); TOMAR LIBERDADES // **Tá me estranhando?** Do you take me for a queer? Don't treat me as (if I were) a queer!

estro (*m.*) See CIO (1)

estrovenga (*f.*) See PAU

estuprador (*m.*) See VIOLADOR

estuprar (*v.t.*) See VIOLAR

estupro (*m.*) See VIOLAÇÃO

eunuco (*m.*) capon; eunuch. See also CAGÃO; CAPADO

evacuação (*f.*) See CAGADA (1)

evacuar (*v.i.*) See CAGAR (1)

excremento (*m.*) See MERDA (1)

executar (*v.t.*) **1.** See FODER (1) (said of a male) // **2.** See LEVAR PRA CAMA

exibicionismo (*m.*) **1.** indecent exposure. See also BRECHAÇÃO; VOYEURISMO // **2.** See FEDOR (2)

exibicionista (*m.*) a male exhibitionist; a dangler; a dangle queen. See also TARADO

fábrica de anjos (f.) a clandestine clinic or lying-in hospital where abortions are performed. See also CURETEIRO; DESMANCHO

faca (f.) See FAU // **amolar/passar a faca** See FODER (1) (said of a male)

facada no matrimônio (f. Lus.) See TRAIÇÃO

faca e bainha (adj. & m.) See GILETE

facho (m.) See PAU // **estar de facho apagado** See PENDURAR A(S) CHUTEIRA(S) // **moça/ mulher do facho** See PUTA (1)

fadista (m.) **1.** See RUFIÃO (1) // (f.) **2.** See PUTA (1)

fado (m.) **1.** See GANDAIA // **2.** See VIDA

fagulheiro (m. Lus.) See CU (1)

falada (adj.) disreputed; disreputable (said of a promiscuous woman). See also ENXOVALHADO (2); GALINHA (1); HONESTA; PERDIDA; PUTA (1) // **ficar (mal) falada** to be promiscuous; to fruit; to become disreputed (said of a woman).

falar com (o) Miguel (v.) See IR FALAR COM (O) MIGUEL

falar pros peixes (v.) See VOMITAR

falo (m.) See PAU

falsificar os documentos (v.) See ENRUSTIR

falso (adj. & m.) See BICHA // **ser falso à bandeira/ao corpo** See DAR O CU (said of a man)

fancha (f.) See FANCHONA

fanchão (m. Lus.) See CAFETÃO

fanchona (f.) a female homosexual who plays the aggressive male role; dike; dyke; bulldike; bulldyke. See also LÉSBICA; MACHUDA

fanchonice (*f.*) **1.** (**lesbianismo** *m.* lesbianism) sapphism; sapphistry. See also ROÇADINHO // **2.** See ENRABAÇÃO

fanchonismo (*m.*) See FANCHO-NICE

fanchono (*m.*) an active pederast; angel; rough trade; sodomite; turk. See also BICHA; ENRABADOR

faneca (*f. Lus.*) See AMIGADA

fardeira (*f. Lus.*) See PUTA (1)

fardo (*m. Lus.*) See PUTA (1)

farfanho (*m. Lus.*) See PAU

farinha (*f.*) shammed masculinity; self-styled virility. See also ENRUSTIMENTO; FEDOR (2) // **sentar na farinha** to testify one's straight manhood; to give a demonstration of one's heterosexuality, either by explicit statement or by actions intended to have the same effect. // **teste da farinha** figuratively, an acid test/opportunity to prove someone's heterosexuality/masculinity by verifying/checking every pucker of his ass (referring to the act of sitting bareass on flour).

farinheiro (*m.*) See CU (1)

farpa (*f. Lus.*) See PEIDO

fartum (*m.*) See FEDOR (1)

faturar (*v.t.*) **1.** See FODER (1) (said of a male) // **2.** See LEVAR PRA CAMA

fava (*f.*) See COLHÃO (1) // **mandar às favas** See PUTEAR (1)

fazeção de cabeça (*f.*) See CATEQUESE

fazedor de anjo (*m.*) See CURETEIRO

fazer amor (*v.*) See FODER (1)

fazer aquilo (*v.*) See FODER (1)

fazer a vida (*v.*) to hustle; to hook; to trick; to turn a trick; to be on the street; to be on the turf; to peddle (one's) ass; to score; to streetwalk; to whore; to work as a prostitute. See also BATER CALÇADA; CAÇAR; CAIR NA VIDA; MICHETAR

fazer (um) boquete (*v.*) See FAZER (UMA) CHUPETA

fazer (um) broche (*v. Lus.*) See FAZER (UMA) CHUPETA

fazer (a) cabeça (de) (*v.*) See CATEQUIZAR

fazer cachorrinho (*v.*) to do a sex act with one partner entering the other from the rear; to dogfuck. See also ENRABAR

fazer (uma) cagada (*v.*) to make a blunder; to ruin/spoil something; to eff off; to fuck off; to fuck up; to jerk off; to screw off; to have (one's) head up (one's) ass. See also BOSTAR; EMBANANAR (1); FAZER NAS COXAS; FODER (2); MELAR (1); TER MERDA NA CABEÇA

fazer choque-choque/xoque-xoque (*v.*) See FODER (1)

fazer (uma) chupeta/chupetinha (em) (*v.*) to do fellatio; to blow; to suck off; to go down on (someone); to fellate. See also CHUPAR (=felar); DAR BEIJO NO QUEIJO

fazer cocô (*v.*) See CAGAR (1) (mainly child use)

fazer cu-doce (*v.*) to assume manners, refinement, or prestige which one does not have; to act or be aloof/coy/finical/prissy/snobbish; to put on airs; to stand on ceremony; to play hard to get; to want to be coaxed; to act like (one's) shit doesn't stink. See also TER O CU FOLHEADO A OURO

fazer cunete em (alguém) (*v.*) to lick/tongue/suck (someone's) ass; to rim; to ream; to blow; to eat; to French; to brown-nose. See also CHUPAR; FAZER MINETE

fazer das tripas coração (*v.*) **1.** See BOTAR PRA FODER // **2.** See DAR O CU

fazer frescura (*v.*) See FAZER CU-DOCE

fazer gaiola (*v.*) See DAR O CU

fazer (um) guloso (*v. Lus.*) See FAZER (UMA) CHUPETA

fazer mal a (*v.*) See DESCABAÇAR

fazer (um) manguito (*v. Lus.*) See DAR (UMA) BANANA PRA (ALGUÉM)

fazer mimi (*v.*) See FAZER MINETE

fazer minete em (alguém) (*v.*) to commit cunnilingus on (someone); to blow; to eat; to eat (someone) up with a spoon; to eat at the Y; to eat hair pie; to muff-dive; to perform; to cunnilingue. See also BOTAR A BOCA NO TROMBONE (1); CAIR DE BOCA (EM ALGUÉM); CHUPAR; FAZER CUNETE

fazer nas coxas (*v.*) **1.** to botch; to bungle; to do a botch-up job (of). See also FAZER (UMA) CAGADA; MIJAR FORA DA PICHORRA; TER MERDA NA CABEÇA // **2.** See CHAVASCAR (1)

fazer necessidade (*v.*) to go to the bathroom; to have a bowel movement; to urinate; to pay a call; to respond to nature's call; to powder (one's) puff. See also DAR UMA CAGADA; DAR UMA MIJADA; IR FALAR COM (O) MIGUEL

fazer neném (*v.*) See FODER (1)

fazer obra (*v.*) See CAGAR (1)

fazer rala-rala (*v.*) See FAZER ROÇADINHO

fazer roçadinho (*v.*) to engage in tribadism; to daddle; to frig; to rub; to belly-fuck (said of women). See also BOLINAR; TIRAR UM SARRO

fazer rua (*v.*) See BATER CALÇADA; FAZER A VIDA

fazer sabão (*v.*) **1.** See BOLINAR //
2. See FAZER ROÇADINHO

fazer saliência (*v.*) See FODER (1)

fazer (uma) sebastiana (*v. Lus.*)
See BATER (UMA) PUNHETA

fazer (uma) suruba (*v.*) to engage
in group sex and the swapping
of sexual partners; to swing; to
throw an orgy. See also CURRAR;
FAZER TROCA-TROCA; MENAGEAR

fazer troca-troca (*v.*) to take
turns having active/passive
anal intercourse (said of two or
more males); to dick it up. See
also COMER (O) CU (DE); DAR O
CU; FAZER (UMA) SURUBA

fazer trotuar/trottoir (*v.*) See
BATER CALÇADA

**fazer um programa/progra-
minha** (*v.*) to have sexual intercourse; to be sexually satisfied,
usually with a prostitute, chance
acquaintance, or a stranger; to
get an all-night trick; to get a
one-night stand. See also CHA-
VASCAR (2); DAR UMA SURRA DE
PICA EM (ALGUÉM); FEMEAR (2);
FODER (1); PÔR A ESCRITA EM DIA

fazer xixi (*v.*) See MIJAR (1)
(mainly child use)

fechação (*f.*) blatancy in dis-
playing gay traits; blatant
gayness; camping. See also BAN-
DEIRA; BICHICE; DESMUNHE-
CAÇÃO

fechar (*v.i.*) to display gay
characteristics blatantly; to
exhibit obvious effeminate gestures, speech, mannerisms, etc.;
to camp it up; to swish. See also
ASSUMIR; DAR BANDEIRA; DES-
MUNHECAR

fechar a cancela (*v.*) See PENDU-
RAR A(S) CHUTEIRA(S)

fechativo/-va (*adj.*) camp; campy;
flaming; flashy; swishy. See also
DESMUNHECADO

fedelho (*m.*) brat; child; a small/
mischievous boy (deprecia-
tively).

fedentina (*f.*) foul odor; rank
smell; reek; pong; stench. See
also FEDOR (1)

fedepê (*m. & f.*) See FILHA DA
PUTA

feder (*v.i.*) to smell bad; to stink;
to reek. // **Agora é que a merda
vai feder!** Now the shit's really
going to hit the fan! // **não
cheirar nem feder** to be a thing/
person/event of no conse-
quence/importance; to count
for nothing; to be of little/small
moment; to be of no moment.

feder e fazer barulho (*v.*) See
NÃO SER POUCA PORCARIA; See
also NÃO CHEIRAR NEM FEDER

fedido/-da (*adj.*) fetid; rank;
reeky; stinking; stinky; strong-
smelling. See also BACALHOEIRO;
CHULEPENTO

fedor (*m.*) **1.** stink; stench. See
also BODUM; CECÊ; CHULÉ (2);
FEDENTINA // **2.** pretentious but

feeble show; gaudy display; piss and wind. See also FARINHA; FRESCURA (2)

fedorento/-ta (*adj.*) **1.** See FEDIDO // **2.** cocky; pissy; pissy-ass. See also CHEIO DE FRESCURA; FRESCO (2)

feijoeiro (*m.*) See CU (1)

feira de ossos (*f.*) See BOCA DO LIXO

feita no torno (*adj.*) See FORNIDO; GOSTOSA (said of a woman)

feito nas coxas (*adj.*) bunglingly made/finished; botchy; bungling; half-baked; half-assed; queer-looking; raggedy-ass. See also CHAVASCADO

felação (*f.*) See CHUPETA

felador (*m*) See CHUPA-PICA

felar (*v.t.*) See CHUPAR

felatriz (*f.*) fellatrice; a prostitute who specializes in cocksucking. See also BEBECÊ (1); CHUPA-PICA

fêmea (*f.*) **1.** See PUTA (1) // **2.** See AMIGADA

femeação (*f.*) See GAVIONICE

femeaço (*m.*) See PUTARÉU

femear (*v.i.*) **1.** to pursue women; to seek women for sexual satisfaction; to honeyfuggle; to honeyfogle; to philander; to swing; to play around; to sleep around; to tomcat. See also GALINHAR; GANDAIAR; PAQUERAR // **2.** to patronize prostitutes; to whore; to go to a fish market; to go grousing. See also CHA-VASCAR (2); FAZER UM PROGRAMA; PERDER O CABRESTO; RUFIAR

femeeiro (*m.*) **1.** See PUTANHEIRO // (*adj.*) **2.** See MULHERENGO (2)

ferida (*f.*) See BOCETA

ferrada (*f.*) a case of harsh/unfair/injurious treatment; raw deal; a shafting; a royal fucking; the shitty end of the stick. See also SACANAGEM (2) // **dar uma ferrada em (alguém)** See FODER (2) // **levar uma ferrada** See FODER-SE

ferrado/-da (*adj.*) See FODIDO (2)

ferramenta (*f.*) See PAU

ferrar (*v.t.*) **1.** See FODER (2) // **-se** (*v.r.*) **2.** See FODER-SE

ferro (*m.*) See PAU // **amolar/ passar o ferro** See FODER (1) (used only by men) // **estar com o ferro em brasa** See ESTAR DE PAU DURO // **levar ferro** See DAR; DAR O CU

ferro em brasa (*m.*) See TESÃO (1)

ferro-frio (*m.*) **1.** state/quality of being sterile (referring to the male); effeteness; sterility. See also BROXURA; GELADEIRA (1) **2.** a sterile man; a fancy pants. See also BROXA; CAPADO; CAFÉ-REQUENTADO; MACHORRA; MANINHA

Ferro na boneca! (*int.*) See PAU NA MÁQUINA!

ferro-velho (*m.*) See BROXA

festa do cabide (*f.*) See SURUBA (1)
fezes (*f.pl.*) See MERDA (1)
ficar com o cu na mão (*v.*) See CA-GAR-SE
ficar de chico (*v.*) to begin a menstrual period; to menstruate; to get the rag on; to fall off the roof. See also DESMANTELAR; ESTAR DE CHICO; MATAR O FRANGO/PINTO
ficar de pau duro (*v.*) to achieve/hold an erection; to get it on; to get it up; to have a bone/rod on; to get/have the horn. See also ENTESAR-SE
ficar de saco cheio (*v.*) See CHATEAR-SE
ficar (mal) falada (*v.*) to be promiscuous; to fruit; to become disreputed (said of a woman). See also CAIR NA BOCA DO MUNDO; NÃO PRESTAR; PERDER-SE
ficar frio/fria (*v.*) to avoid becoming excited/upset; to stay calm; to cool it; to keep one's cool; not to get (one's) balls in an uproar. See also PARTIR PRA IGNORÂNCIA; SOSSEGAR O PITO // **Fica frio/fria!** Take it easy!
ficar na mão (*v.*) to be let down by someone; to be stood up; to be left out in the cold; to be left holding the bag/baby (literally, to masturbate while staying alone). See also ESTAR COM A ESCRITA ATRASADA

ficar na punheta (*v.*) See FICAR NA MÃO
ficar puto/-ta (da vida) (*v.*) See EMPUTECER-SE
fiel (*adj.*) faithful. See also TRAIDOR // **ser fiel à esposa** See COMER FEIJÃO COM ARROZ // **ser fiel ao marido** See RECATAR-SE
figa (*f.*) **1.** See PAU // **2.** an obscene gesture of contempt made with clenched fist and the thumb clasped between the fore and middle fingers. See also BANANA (2); PIRETE // **duma figa** darn; darned; damned; fucking.
figo (*m.*) genital ulcer, as in the ass. See also DOENÇA DO MUNDO
filha da puta / fiadaputa / filho da puta (*m. & f.*) **1.** A despicable/hateful person; son of a bitch; son of a gun; son of a so-and-so; sonabitchu; sumbitch; baker; bastard; birdturd; cuntface; cunthead; dickhead; fartface; fucker; fuckhead; louse; numb-nuts; old fart; peckerhead; pig-fucker; pisshead; prick; schmuck; scumbag; shit-heel; shmuck; silly fart; sleaze; so-and-so; stinkard; stinker; stupid fart; whoreson (the feminine form *filha* is more usual for both genders). See also ESCROTO (3); PUTEAR (1) // (*adj.*) **2.** See DE MERDA (1); ESCROTO; SACANA (5) (abbr. FDP)

filhadaputagem / filhadaputice (*f.*) See ESCROTIDÃO; SACANAGEM (2)

filho da mãe (*m.*) See FILHA DA PUTA

filho de coito danado (*m.*) a priest's/nun's son; sacrilegious/illegitimate child.

filho duma égua (*m.*) See FILHA DA PUTA

filial (*f.*) a mistress; a kept woman; the mistress's home. See also AMIGADA; MATRIZ; TEÚDA

filme pornô (*m.*) See under SACANAGEM

fim da espinha (*m.*) See BUNDA (1)

fim da picada, o (*m.*) **1.** the end; the stopping point; the last stop; the limit (literally); the last drop (that makes the cup run over); the last straw that breaks the camel's back (figuratively). // **2.** See BROXURA // **É o fim da picada!** That takes the cake! That beats the blooming cake! That beats the fucking cake!

fimose (*f.*) See BICO DE CHALEIRA

findinga (*f.*) See PUTA (1)

fió (*m.*) See CU (1)

fiofó (*m.*) See CU (1)

fissura (*f.*) an obsession; an idea or belief with which one is obsessed; a bug. See also TESÃO (4)

fissurado/-da (*adj.*) having a strong liking for an object/person/hobby; obsessed with an idea or goal; bug; bugs; ape shit. // **ser fissurado em** to be bugs about; to be crazy about. // **estar fissurado em** to be hot for; to want/desire (a person) sexually.

fissurar (*v.t.*) **1.** to fascinate; to obsess. See also ENRABICHAR (1) // **-se** (*v.r.*) **2.** to have an obsession; to have a bug up (one's) ass/nose.

fissureira (*f.*) See LÉSBICA

flato (*m.*) See PEIDO

flatulência (*f.*) See PEIDO

flores-brancas (*f.*) leucorrhea.

foda (*f.*) **1.** (**coito** *m.* coitus; **cópula** *f.* copulation; **fornicação** *f.* fornication) fuck (1); action; banana; bang; bed; belly to belly; bouncy-bouncy; bush patrol; the business; cooz; cooze; coozie; couz; couzie; couzy; cush; cuzzy; diddling; eff; gash; ground rations; he-ing and she-ing; humpery; in-and-out; Irish whist; jazz; jelly-roll; jig-jig; jing-jang; jive; lay; love; lovemaking; meat; nookey; nookie; nooky; piece; piece of ass; piece of tail; poke; pom-pom; poontang; pop; prong; puss; pussy; ride; roll in the hay; score; screw; sex job; shot; shtup; tail wagging; taste; tip; valentino; work; zig-zig. //

(=com mulher/puta) frail job; roll; trim; score; shot; a shot downstairs; a shot in the front door. // (=com negro/-gra) poontang. // (=homérica) party; sex job. // (=infantil/inocente/romântica) honey-fucking; honeyfuggling. // (=prolongada/gratificante) honeyfuggling. See also CHAVASCADA; PÃO COM BANHA; PAPAI E MAMÃE; PICAÇO; RAPIDINHA; SACANAGEM (1); SAÇARICO (1); SANDUÍCHE; SARRO; SURRA DE BOCETA; SURRA DE PICA; VIAGEM // **2.** (=dificuldade/problema) bad shit (2); ball-breaker; ball-buster; ball-wracker; cropper; deep shit; pisser; shit creek; the shitty end of the stick; son of a bitch (2). See also ESCULHAMBAÇÃO (1); OSSOS DO OFÍCIO; RABO DE FOGUETE; URUCUBACA // **É foda!** Tough shit!

fodança (*f.*) See SURUBA

foda no torno (*f.*) See TORNO

fodão (*m.*) **1.** a ballsy/gutsy/tough man; a ruffian; a hardass. See also BARRA-PESADA (2); CAGÃO // **2.** an energetic person; an officer/boss/teacher who harasses subordinates/students; an asskicker. See also PÔR O PAU NA MESA

Foda-se! / Que se foda! (*int.*) **1.** Fuck it! Screw it! Fuck a duck! Tough shit! See also under PUTEAR

Foda-se! / Vá se foder! (*int.*) **1.** Fuck you! Fork you! Screw you! Fubis! Fuck a duck! See also under PUTEAR; See also TÁ FODIDO!

fodeção (*f.*) (=sessão/sucessão de fodas) ball (2); sex job (2); party. See also SURUBA (2); TROCA-TROCA

fodelança (*f.*) See SURUBA

fode-mansinho (*m. & f.*) See CHATO (2)

foder / fuder (*v.i. & v.t.*) **1.** (=copular) to fuck; to ball; to bang; to bed; to boff; to canoe; to cool out; to diddle; to do it; to eff; to futz; to get any; to get it off; to get over (someone); to give it to (someone); to give (someone) the time; to go the limit; to go to bed with (someone); to have a bit of fish; to horse; to hump; to jam; to jazz; to jazz it; to jump; to knock off; to lay; to make it with (someone); to make love; to make out; to mess (around) with; to nail; to off; to plank; to play hide the weenie; to pluck; to poke; to pop; to pork; to pound; to prong; to pump; to push; to put; to put the blocks to (someone); to raunch; to ride; to scrag; to screw; to scrog; to shtup; to sleep with (someone); to throw a boff/bop/fuck/screw into (someone);

to tip; to twigle; to wap; to zig-zig. // (=com homem, por amor/dinheiro) to knock off; to score; to spread for (someone). // (=com mulher/puta) to be in the box; to bury the bone; to crawl; to dick; to dip (one's) wick; to get (one's) ashes hauled; to get in; to get/have (one's) nuts cracked; to give (her) some head; to haul (one's) ashes; to have; to have (one's) banana peeled; to have it off; to make; to mount; to plough; to plow; to ride; to stuff; to tear off a piece (of ass). // (=com negra) to change (one's) luck. // (=com ninfeta/menina) to honey-fuck; to honeyfuggle; to honeyfogle. // (=sem fecundar) to fire blanks; to shoot blanks. See also AVANÇAR O SINAL; CHAVASCAR; FAZER UM PROGRAMA; IR FUNDO; JAMBRAR; LEVAR (ALGUÉM) PRA CAMA; PINCELAR; PÔR A ESCRITA EM DIA; PULAR DO BONDE ANDANDO; SACARICAR (1); VIAJAR // **2.** (=prejudicar/estragar) to fuck (4); to fork; to frig; to fuck off; to fuck up; to give (someone) the finger; to job; to kick (someone's) ass; to ream; to screw; to shaft. See also BOSTAR; FAZER (UMA) CAGADA; FUTUCAR (2); MELAR; SACANEAR (3) // **-se** (*v.r.*) **3.** to fall; to fail; to come a cropper; to go to the dogs; to go to pot; to fall on (one's) ass; to get the shitty end of the stick; to come off badly; to be/get fucked; to be/get screwed. // **botar pra foder** to go all out; to break (one's) balls; to bust (one's) ass/nuts. // **de foder** fucking (2); fucky. // **não foder nem sair de cima** to dillydally; to shilly-shally. // **Nem fodendo!** Out of question! Not on your life! Not for love or money! In a pig's ass! // **Ou fode ou sai de cima!** Shit or get off the pot! // **Que se foda!** Fuck it! // **Vá se foder!** Fuck you! // **Branca pra casar, mulata pra foder e negra pra trabalhar.** White woman is useful as a wife; mulatto woman is useful as a sex object; Negro woman is useful as a slave (a proverb from slavery times, used only by white males).

foder a paciência (de) (*v.*) See CHATEAR (1)

foderoso/-sa (*adj.*) functioning/performing well; asskicking. See also DE MERDA (2); DO CARALHO

fodido/-da (*adj.*) **1.** (=difícil/problemático) fucking; fucky; effing; frigging; screwing; son of a bitch. See also DE FODER; DE MERDA (1) // **2.** (=lesado/prejudicado) fucked; fucked up; screwed; screwed up; on (one's) ass; rat-ass. See also EMBANA-

NADO // **Tá fodido!** Your ass is grass! // **Tô fodido!** My ass is grass!

fodido e mal pago / fodida e mal paga (*adj.*) victimized by bad luck; very unfortunate; fucked by the fickle finger of fate; fucked and far from home; screwed, blewed/blued, and tattooed; laid, relaid, and parlayed. See also COITADO (2); ESTAR NA MERDA

fogacho (*m.*) a warm/hot feeling; a hot flush; a sudden feeling of heat, due to menopause.

fogagem (*f.*) See CANCRO; DOENÇA-DO-MUNDO

fogareiro (*m.*) a girl/woman who is passionate and sexy; a hot baby; a hot patootie; a red-hot mamma. See also AREIA-GULOSA; GELADEIRA; GOSTOSA

fogo (*m.*) **1.** See TESÃO (2) // **2.** See FODA (2) // **3.** See PORRE // **de fogo** See PORRADO // **É fogo (na roupa)!** Hard lines! That's a hard nut to crack! That's too bad! That's too hot to handle! Tough shit!

fogo no rabo (*m.*) **1.** See TESÃO (2) // **2.** See FUROR UTERINO; GAVIONICE // **estar com fogo no rabo** See ESTAR COM A PERIQUITA QUEIMADA

fogoso/-sa (*adj.*) See TESUDO (1)

folgar (*v.i.*) **1.** See FODER (1) // **2.** See FEMEAR (1)

folgazão (*adj. & m.*) See PUTA-NHEIRO

fona (*f. Lus.*) See BUFA

fornicação (*f.*) See FODA (1)

fornicada (*f.*) See FODA (1)

fornicar (*v.i.*) See FODER (1)

fornido/-da (*adj.*) very well-built in the sexual sense; having an attractive body; stacked; zaftig; zoftig; built like a brick craphouse/shithouse (said usually of a woman). See also GOSTOSA; TESUDO (2)

fósforo (*m.*) See PAU // **não riscar o fósforo fora da caixa** See COMER FEIJÃO COM ARROZ // **palito de fósforo** See PAU

fósforo-queimado (*m.*) See BROXA

fossa (*f.*) depression; melancholy; the blues. // **cair na fossa** to drag ass (2) // **estar na fossa** See CAIR NA FOSSA; ESTAR NA MERDA

frangagem (*f.*) See BICHICE

frango (*m.*) **1.** See BICHA // **2.** (=escarro) hawk; mucus; phlegm. See also RANHO // **matança do frango** the initiation of menstruation; the first menstrual period of a woman; menarche. // **matar o frango** to be menstruating for the first time.

frango-assado (*m.*) coital position in which the woman lies on her back, drawing her knees up to her chest; anal intercourse in which the ass-person lies on his back, drawing his knees up to his chest and over the shoulders of the penis-person, who presses down on him face to face; face-to-face position in anal intercourse. See also CACHORRINHO; PAPAI E MAMÃE

frangote (*m.*) a catamite; a young inexperienced boy, such as a sodomite would desire for a companion; a gazook; a gunsel; a guntzel; a peg boy. See ALSO CATAMITA; FRANGO; LULU

franguinho (*m.*) See FRANGOTE

franjosca (*f. Lus.*) See AMIGADA

frascário/-ria (*adj. & m./f.*) See SACANA (1 & 4)

frasco (*m. Lus.*) **1.** See AMÁSIO // **2.** See PUTA (1) // **3.** See CU (1)

frasco de matéria (*m. Lus.*) See RATUÍNA

frega (*f.*) See PUTA (1)

frege (*m.*) **1.** See BAIXARIA (2) // **2.** See REBUCETEIO

freio (*m.*) See CABRESTO

fresco (*adj. & m.*) **1.** See BICHA; MARICAS // **2.** affected; pretentious; finicky; snobbish; prissy. See also CHEIO DE FRESCURA; CU-DOCE (2); FEDORENTO (2); GOSTOSÃO (2)

frescomóvel (*m.*) any very fancy/overlavish car; cuntmobile; pimpmobile; rape wagon.

frescura (*f.*) **1.** See BICHICE // **2.** snobbery; prissiness; conventionality; formality; etiquette (depreciatively). See also CU-DOCE (1); FEDOR (2); PURITANISMO // **cheio de frescura** full of intricacies and details; too particular/finical/affected; pissy; prissy.

fressura (*f.*) See FANCHONICE (1)

fressureira (*f.*) See LÉSBICA

fretar (*v.i.*) See FEMEAR

frete (*m.*) See PUTA (1)

freteira (*f.*) See PUTA (1)

fricação (*f.*) masturbation, as performed by another person, usually a prostitute; mutual masturbation. See also PUNHETA; SURUBA DE MÃO

fricador (*m.*) a masseur or male whore who specializes in jerking off or rubbing the male genitals. See also PUNHETEIRO

fricandó (*m.*) See BUNDA (1)

fricatriz (*f.*) a prostitute who specializes in masturbation; fricatrice. See also PUNHETEIRA

frigidez (*f.*) See GELADEIRA (1)

frincha (*f.*) See PUTA (1)

fronha (*m. & f.*) See BICHA

frouxo (*adj. & m.*) **1.** wishy-washy; milksop. See also BUNDA-MOLE; CAGÃO; VARUNCA // **2.** See BROXA // (*adj.*) **3.** slack; feeble; ineffectual; wimpy; soft-ass.

fruta (*f.*) See BICHA

fruta bichada (*f.*) a male homosexual infected with a VD; a dosed queer. See also CARNIÇA

frutão (*m.*) See BICHA

frutão do mar (*m.*) a sailor considered as a sex object (homosexual use). See also GOSTOSÃO

fubana (*f.*) See PUTA (1)

fuça (*f.*) / **fuças** (pl.) the face; mug; mugg; nose. // **ir às fuças de** See DAR UM CACETE EM // **levar nas fuças** See LEVAR UM CACETE (2) // **quebrar as fuças** See FODER-SE

fuçador (*m.*)/**-dora** (*f.*) See MINETEIRO

fuçar (*v.t.*) See FAZER MINETE EM

fuder (*v.i. & v.t.*) See FODER

fueirada (*f. Lus.*) See FODA (1)

fueiro (*m. Lus.*) See PAU

fufa (*f. Lus.*) See LÉSBICA

fúfia (*f. Lus.*) See PUTA (1)

fuleira (*f.*) See RATUÍNA

fuleiragem (*f.*) **1.** fancy; futility; oddity; vagary; whim; flippancy; giddiness; levity; a fickle liking for material pleasures. See also BAIXARIA (1); ESCROTIDÃO; GANDAIA // **2.** See SACANAGEM (1)

fuleiro/-ra (*adj.*) See BUNDA (2); CHULÉ (3)

fumo (*m.*) **1.** See PAU // **2.** See FODA (1) // **levar fumo** See DAR; DAR O CU // **passar o fumo** See FODER (1) (said of a male)

furada (*adj. & f.*) See DESCABAÇADA

furão (*m.*) See CABACEIRO; PUTANHEIRO

furar (*v.t.*) See DESCABAÇAR

furibundo/-da (*adj.*) See EMPUTECIDO

furico (*m.*) See CU (1)

furo (*m.*) See BURACO // **Juro que meu corpo tem um furo!** I swear! Upon my word! (jocular allusion to the asshole)

furor uterino (*m.*) (**ninfomania** *f.* nymphomania) a woman's inexhaustible sexual appetite (literally); extreme female promiscuity (figuratively). See also FOGO NO RABO; GALINHAGEM; GELADEIRA (1); SATIRÍASE; TARA

fusa (*f.*) See PUTA (1)

fuso (*m.*) See PAU

futucação (*f.*) **1.** the act or instance of fingering or poking someone's ass or cunt; feel; fingerfucking; fistfucking; fisting; postillioning. See also BOLINA (1); MÃO-BOBA // **2.** goose; the act of goosing or poking a finger into someone's anus (literally & figuratively); the act of reaming or deceiving another. See also SACANAGEM (2)

futucar (*v.t.*) **1.** to insert one or more fingers into someone's cunt/ass; to feel; to finger; to fingerfuck; to fistfuck; to play stinky-pinky. See also BOLINAR // **2.** to poke or threaten to poke a finger into someone's ass to produce shock or annoyance, either to make a joke or to start the person working or the like; to goose; to give (someone) the goose. See also FODER (2); SACANEAR (3)

futum (*m.* See BODUM; CECÊ

fuxicação (*f.*) **1.** See BOLINA (1) // **2.** See CHAVASCADA (3)

fuxicar (*v. . & v.t.*) **1.** See BOLI-NAR // **2.** See FAZER NAS COXAS //

3. To gossip; to slander. See also ARRASTAR (ALGUÉM) PELA RUA DA AMARGURA

fuxico (*m.*) **1.** rumors; gossip; slander; scuttlebutt. See also RUA DA AMARGURA // **2.** See BOLINA (1)

gabiru (*m.*) **1.** See PAQUERADOR; PUTANHEIRO // **2.** See FANCHO-NO

gado (*m.*) See PUTARÉU

gaiola (*f.*) See BRAGUILHA // **estar com a gaiola aberta** to have one's fly open (said of a male). // **fazer gaiola** See DAR O CU

gaita (*f. Lus.*) See PAU

gaiteiro/-ra (*adj.*) sexually mischievous; playfully lecherous; roguish; waggish. See also CONFIADO; GALINHA (2); MULHE-RENGO; SACANA (4); TESUDO (1) // **velho gaiteiro** alter cocker; alter kocker; molester.

gal (*f.*) See LÉSBICA

gala (*f.*) See PORRA (1)

galada (*f.*) See ESPORRADA

gala-rala (*m.*) See FERRO-FRIO

galdéria (*f. Lus.*) See PUTA (1)

galheiro (*m.*) See CORNO

galhudo (*m.*) See CORNO

galicado/-da (*adj.*) siff (1); syph; syphilitic; dosed; hot-tailed; infected with a VD. See also BOMBARDEADO; ENGONOCADO

galicar (*v.t.*) **1.** See BOMBARDEAR // **-se** (*v.r.*) **2.** See BOMBARDEAR-SE

gálico (*m.*) (**sífilis** *f.* syphilis) siff (2); syph; blood disease; boogie; boogie-woogie; Irish mutton; lues; chank; shank; the rail; the ral. See also CANCRO DURO; DOENÇA DO MUNDO

galinha (*f.*) **1.** (=mulher fácil/promíscua) minx; bag; B-girl; biddy; biffer; blister; broad; bum; charity girl; chippie; chippy; cunt; dame; dog; easy make; faloosie; floogy; floosie; floozie; floozy; fluff; fluffhead; flugie;

frail job; hussy; jade; loose girl/ woman; make; man chaser; no better than she should be; on the make peach; pickup; pig; punchboard; puss; quail; roundheels; scupper; sex job; shack job; shtup; slut; sweat hog; tart; tease; town pump; twist; V-girl; wet deck; whisker; witch; wolfess. See also AREIA-GULOSA; FALADA; GARANHONA; GOSTOSA; HONESTA; LARGA; PUDIBUNDA; PUTA (1); RATUÍNA; RECATADA // (adj., m. & f.) **2.** (=pessoa promíscua) free trader; fruit; fruity; loose person; swinger. See also GAITEIRO; SURUBEIRO

galinhagem (f.) (**promiscuidade** f. promiscuity; promiscuousness) free trade; fruitiness; the rabbit habit; coquetry; coquettishness; dalliance; flirtation; forwardness; musical beds; philandering; sleeping around. See also FUROR UTERINO; GANDAIA; GAVIONICE; SACANAGEM (1); SAÇARICO; VA-DIAGEM

galinhar (v.) (=promiscuir-se) to bash; to dally; to flirt; to fruit; to go in the loose; to philander; to play around; to play the wanton; to pull a train; to put out; to run around; to sleaze; to sleep around; to swing. See also DAR; DAR BOLA; FEMEAR; SI-RIGAITAR

galiqueira (f.) See GÁLICO

galo (m.) **1.** See PUTANHEIRO // **2.** a sexually athletic man; a man who ejaculates quickly and successively. // **cantar de galo (em casa)** to brag about one's machismo; to display one's male pride; to wear the pants; to rule the roast/roost; to be the boss/master (in one's own house-hold). // **dar uma de galo** See DAR UMA RAPIDINHA

galo de um terreiro só (m.) a man who is faithful to his spouse/permanent sexual partner. See also COMER FEIJÃO COM ARROZ

gamação (f.) See RABICHO

gamar (v.i. & v.t.) See ENRABICHAR-SE

gamela (f.) a woman whose vagina is dilated. See also APER-TADA; LARGA

ganapa (f. Lus.) See PUTA (1)

gança (f.) See PUTA (1)

gandaia (f.) **1.** any good time or way of life; complete, unrestricted, exciting, or dissipated good times or enjoyment; loose living; loafing; idleness; ball; party; orgy; blind. See also DESENTUPIDO; FULEIRAGEM; MACIOTA; MELA-CUECA; PAQUE-RA (1); PORRE; SURUBA; VADIA-GEM // **2.** See GALINHAGEM // **3.** See SACANAGEM (1) // **andar na gandaia** to lead an idle or dis-

solute life; to go in the loose. //
cair na gandaia to spree; to go
on the spree; to fall into prostitution.

gandaiar (*v.i.*) **1.** to bum; to loaf;
to spend/pass the time idly; to
have a good time; to have fun,
by dancing, drinking, necking,
in coitus, or at an exciting/wild
party; to ball; to have (oneself)
a ball; to fuck around. See also
BUNDAR (2); COÇAR O SACO;
VADIAR // **2.** See GALINHAR // **3.**
See FEMEAR

gandaieiro/-ra (*adj. & m./f.*) See
GAITEIRO; PUTANHEIRO

ganhar/apanhar barriga (*v.*) See
EMPRENHAR (2)

gano (*m.*) See PAU

ganso (*m.*) See PAU // **afogar o
ganso** See FODER (1) (used only
by men) // **botar o ganso de molho** See AFOGAR O GANSO

garagem (de concorde) (*f.*) See
GAMELA

garanhão (*m.*) See PUTANHEIRO

garanhona (*f.*) man chaser;
temptress; vamp; wolfess. See
also AREIA-GULOSA; GALINHA (1)

garanhonice (*f.*) See GAVIONICE

garina (*f. Lus.*) See AMIGADA

gases (*m.pl.*) See PEIDO // **soltar
gases** See PEIDAR

gata (*f.*) See GOSTOSA // **andar
às gatas** See FEMEAR

gatona (*f.*) See GOSTOSA

gaveta (*f.*) See BOCETA

gavião (*m.*) **1.** See PAQUERADOR;
PUTANHEIRO // **2.** a male homosexual seducer; a chickenhawk;
a wolf. See also BICHA; GAVIÃO
PAPA-PINTO

gavião-papa-pinto (*m.*) an adult
male who seeks out teenage
boys for homosexual purposes;
chickenhawk; chicken queen;
wolf. See also BICHA; CATAMITA;
GAVIÃO (2); NINFETO; PEDÓFILO;
SODOMITA

gavião-pega-pinto (*m.*) See
GAVIÃO-PAPA-PINTO

gavionar (*v.i.*) See CAMPAR;
PAQUERAR

gavionice (*f.*) the behavior of a
man who pursues a variety of
women for coitus, and constant-
ly seeks as much sexual intercourse as possible; satyriasis.
See also GALINHAGEM; PAQUERA
(1); PRIAPISMO; PUTANHEIRO (2)

geladeira (*f.*) **1.** (**frigidez** *f.* frigidity) lack of sexual capacity
and interest; the female equivalent of impotence. See also
FERRO-FRIO; FUROR UTERINO // **2.**
a frigid woman; a cold woman;
an Eskimo pie. See also AREIA-
GULOSA; FOGAREIRO; MANINHA

geladura (*f.*) See GELADEIRA (1)

genitália (*f.*) See PARTES

genitora (*f.*) one's mother; a
mother; old lady (a euphemism
for *mãe*, implying that the word
may be taken amiss).

geral (*f.*) **1.** See CURRA // **2.** a search; a police investigation. // **dar uma geral (em) 1.** See CURRAR // **2.** to search; to fuck (someone) over.

gestação (*f.*) See PRENHEZ

gestante (*adj. & f.*) See PRENHE

gigolô (*m.*) a young man who lives on the gains of a prostitute, or who is kept by an older man's mistress; a man supported by a woman; a fancy man; a honey man; a kept man; ponce; wallie; wally; ruffian; gigolo. See also CAFETÃO; CATACU; CORONEL; ESPÉCIE; MARMITA; RUFIÃO (2)

gigolotagem (*f.*) (**rufianismo** *m.* ruffianism) the behavior of a gigolo (but only in the sense of an easy/parasitic life, at the expense of a woman). See also CAFETINAGEM; VADIAGEM

giletar (*v.i.*) to be bisexual; to go/swing both ways. See also CORTAR PELOS DOIS LADOS; ENRUSTIR

gilete (*m. & f.*) a bisexual person; a man who plays both the active and passive role; a switch-hitter; a double-gaited man; lucky pierre. See also BICHA; COLUNA DO MEIO; ENRUSTIDO

gimbrar (*v.i. Lus.*) See RUFIAR

girafa (*f.*) See PUTA (1)

girar (a) bolsinha (*v.*) See BATER CALÇADA; FAZER A VIDA

girassol (*m.*) See CU (1)

giribide (*m. & f.*) See PUNHETA

glande (*f.*) See CHAPELETA

gloriosa (*f.*) See PUNHETA // **ser da gloriosa** to be a jerk, a habitual masturbator.

godemichê (*m.*) See CONSOLO

gona (*f.*) See ESQUENTAMENTO

gonorreia (*f.*) See ESQUENTAMENTO

gorro (*m.*) See COURINHO

gosma (*f.*) **1.** See FRANGO (2) // **2.** See PORRA (1)

gosmado (*m.*) speechification; harangue; rigmarole; bullshit. See also BABAQUICE; PAPO-FURADO

gosmar (*v.t.*) **1.** to hawk up; to spit out; to expectorate. // (*v.i.*) **2.** See ESPORRAR // **3.** to make a speech; to bullshit. See also CAGAR PELA BOCA; PUTEAR (1)

gostosa / gostosona (*adj. & f.*) (=mulher como objeto sexual) dish; barbecue; beddable; blister; bombshell; bundle; cake; cheese; cheesecake; chichi; chick; chicken; classis chassis; classy chassis; cooz; cooze; coozie; couz; couzie; couzy; cunt; easy make; eatin' stuff; flavor; fox; frail eel; frail job; furburger; furniture; a nice little piece of furniture; gash; ginch; hammer; hole; hunk; jazz; lay; make; mama; meat; mink; nookey; nookie; nooky; peach;

petticoat; piece; piece of ass; piece of tail; piece of trade; quail; raggle; sex pot; shaft; stuff; table grade; tail; tip; trade; twat; wolfess. // (=branca) white meat. // (=negra) dange broad; poontang. See also BOCETA; CALCINHA (2); CHAMEGOSO; COMIDA; FOGAREIRO; FORNIDO; GALINHA (1); GOSTOSÃO; LAMBISGOIA; PUTA (1); TESÃO (3); TESUDO (2)

gostosão (*m.*) **1.** boilermaker; crusher; frame; hunk; trade; a virile/sexually attractive man. // (=aeronauta) angel food. // (=marinheiro) seafood. // (=negro) dark meat. See also CHAMEGOSO; CUECA (2); PUTANHEIRO (2); TESUDO (2) // **/-sona** (*adj. & m./f.*) **2.** a conceited, important, or self-important person; big shit; hot shit. See also FRESCO (2)

gozar (*v.i.*) **1.** to reach a sexual climax; to experience an orgasm; to come; to come off; to go off; to pop the rocks/cookies. See also DAR UMA; ESPORRAR // (*v.t.*) **2.** to kid (someone); to razz. See also TIRAR UM SARRO DE (ALGUÉM)

gozo (*m.*) (**orgasmo** *m.* orgasm) come (2); sexual climax; the big O. See also ESPORRADA

grão (*m.*) See COLHÃO (1)

grávida (*adj. & f.*) See PRENHE

gravidez (*f.*) See PRENHEZ

grego (*m. Lus.*) See PAU

grelação (*f.*) ogling; ogle; gaze; leer. See also BRECHAÇÃO; PAQUERA (1)

grelar (*v.t.*) to ogle; to stare at; to make (meaning) eyes at; to gaze upon with lust; to lust for. See also BRECHAR; COCAR; PAQUERAR

grelo (*m.*) (**clitóris** *m.* clitoris) button; clit; goalie.

greludona (*f.*) See LÉSBICA

greta / greta-garbo (*f.*) See BOCETA

grila (*f. Lus.*) See BOCETA

grosso/-sa (*adj. & m./f.*) See ESCROTO (2 & 3) // **curto e grosso** blunt; downright; terse. // **ser curto e grosso** to rap; to sass; to outspeak; to speak right to the point (in coarse words).

grossura (*f.*) See ESCROTIDÃO

grota (*f.*) See BOCETA

gruta / gruta do amor (*f.*) See BOCETA

guampudo (*m.*) See CORNO

guinó (*f.*) See ESQUENTAMENTO

guloso (*m. Lus.*) See CHUPETA // **fazer um guloso** See FAZER (UMA) CHUPETA

gumitar (*v.t.*) See VOMITAR

gumito (*m.*) See VOMITADO

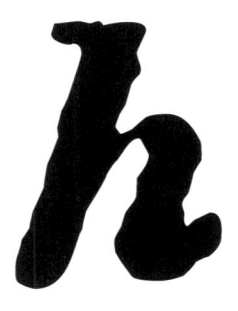

harém (*m.*) See PUTEIRO (figuratively)

hastear a bandeira vermelha (*v.*) See FICAR DE CHICO

hemorroidas (*f.pl.*) See CASEIRA (5)

hetera (*f.*) See PUTA DE ALTO BORDO

heterismo (*m.*) See GALINHAGEM (referring to women)

hímen (*m.*) See CABAÇO (1)

holanda (*f.*) See BUNDA (1)

homofobia (*f.*) the hatred of homosexuality; fag baiting; gay-bashing; queer baiting; homophobia. See also MISOGINIA

homossexual (*adj., m. & f.*) See BICHA; ENTENDIDO; LÉSBICA

honesta (*adj.*) chaste; virtuous (said of a woman/girl); a non-prostitute; a square broad. See also CABAÇUDA; FALADA; GALINHA (1); PERDIDA; PUDIBUNDA; PUTA (1); RECATADA

horizontal (*f.*) See PUTA (1)

Hugo (*m.*) See VOMITADA; VOMITADO // **chamar o Hugo** See VOMITAR

igreja/igrejinha verde (*f.*) **1.** premarital coitus; pre-marital deflowering; a pre-married couple. See also CABAÇO // **2.** See AMIGAÇÃO

impropério (*m.*) **1.** See PALAVRÃO // **2.** See PUTEAÇÃO

impudico/-ca (*adj.*) See SACANA (4)

incircunciso (*adj. & m.*) See BICO DE CHALEIRA (2); CHALEIRA

incomodada (*adj.*) menstruating; flying bravo; on the rag; unwell. See also CHICO; DE CHICO

incômodo (*m.*) See CHICO

incubado/-da (*adj. & m./f.*) See ENRUSTIDO

indecência (*f.*) See SACANAGEM (1)

indecente (*adj.*) See SACANA (4)

indecoroso/-sa (*adj.*) See SACANA (4) // **proposta indecorosa** See CANTADA

inferninho (*m.*) a disreputable/cheap/small/loudish bar, dance hall, nightclub, or the like; joint; dive; hell; hell-hole; hot spot; snake ranch; Crisco disco. See also PUTEIRO

infidelidade (*f.*) See TRAIÇÃO

infiel (*adj.*) See TRAIDOR

inhaca (*f.*) **1.** See FEDOR (1) // **2.** See URUCUBACA

inhame (*m.*) See PAU

inhanha (*f.*) See BOCETA

instrumento (*m.*) See PAU

inteira (*adj.*) See CABAÇUDA

intercrural (*adj.*) interfemoral. // **coito intercrural** interfemoral intercourse; belly-fucking; buttockry; Princeton rub; the Oxford style.

inversão (*f.*) See BICHICE; See also PERVERSÃO

invertido (*adj. & m.*) See BICHA

invicto/-ta (*adj.*) See CABAÇUDO; CABAÇUDA

ir aos arames (*v. Lus.*) See EMPUTECER-SE

ir às fuças de (alguém) (*v.*) See DAR UM CACETE EM (ALGUÉM)

ir com tudo (*v.*) See IR FUNDO

ir falar com (o) Miguel (*v.*) to go to the john/shitter; to visit the restroom; to pay a call. See also FAZER NECESSIDADE

ir fundo (*v.*) to enter into sexual intercourse, as opposed to even the most intimate petting; to go all the way; to go the limit (said of a girl or a couple). See also BOLINAR; BOTAR PRA FODER; CHAMARISCA; FODER (1); IR NAS BIMBAS; TIRAR UM SARRO

ir levar (o cabaço) pra São Pedro (*v.*) to protect/save one's virginity/chastity (said of a girl/woman); figuratively & depreciatively, to die a virgin. See also CABAÇO (1); RECATAR-SE

irmandade/confraria de são cornélio (*f.*) figuratively, a brotherhood of men who are cheated on by their wives/mistresses. See also CORNO ;/ **entrar pra irmandade de são cornélio** See CRIAR CORNO; VIRAR CORNO; LEVAR CHIFRE

irmão de são cornélio (*m.*) See CORNO

ir nas bimbas (*v.*) to perform active intercourse with limited penetration; to control the rate of penetration; to enjoy a partial entry. See also FAZER NAS COXAS; IR FUNDO

ir na sopa de (alguém) (*v.*) to follow (another male) in sexual intercourse with the same female (said of a male). See also BATER MANTEIGA

ir nas perninhas (*v. Lus.*) See TIRAR UM SARRO

ir nela (*v.*) See FODER (1) (used only by men)

ir no mato / ir ao mato (*v.*) See CAGAR (1)

ir pra cama com (alguém) (*v.*) See FODER (1)

ir pra puta que (o) pariu (*v.*) to disappear; to vanish; to leave; to depart; to die (said of an undesirable person/thing). See also APAGAR O PAVIO (3); DAR O PEIDO MESTRE; ESCAFEDER-SE; IR PRAS PICAS; PUTA QUE (O) PARIU

ir pras picas (*v.*) to get lost; to stray; to disappear; to come to nothing; to go to rack and ruin; to go down the drain; to end in smoke (said of money, securities, valuables, goods, plans, etc.). See also EMBOCETAR (1); IR PRA PUTA QUE (O) PARIU; PERDER-SE

irrumação (*f.*) a fellatio where one person slides his cock in and out of his partner's mouth; face-fucking; thrusting. See also CHUPETA

irrumar (*v.t.*) to force-fuck in the mouth; to face-fuck; to thrust. See also CHUPAR (=felar)

jambrar (*v i.*) to perform the sexual intercourse; to practise the sex-play techniques; to engage in sex job; to apply oneself to sexual activity to the point of exhaustion; to perform a variety of sexual services (said of either sex). See also DAR UMA SURRA DE BOCETA EM (ALGUÉM); DAR UMA SURRA DE PICA EM (ALGUÉM); PÔR A ESCRITA EM DIA // **botar/pôr pra jambrar** See FODER (1) (said of a male)

jamijão (*m.*) /**-jona** (*f.*) See MIJÃO

janeleira (*adj. & f.*) See GALINHA (1)

janjão (*m.*) See PAU

japonesa (*f.*) See FRANGO-ASSADO

jeba (*f.*) See PAU

jegue (*m.*) See AJUMENTADO

jereba (*f.*) See PUTA (1)

jiló (*m.*) See BICHA // **comer jiló** See ENRABAR (1)

joça (*f.*) See MERDA (3)

jogado/-da pras traças (*adj.*) discarded; discharged; rejected; shitcanned; out on (one's) ass. See also JOGAR PRAS TRAÇAS

jogar/derramar água fora da bacia (*v.*) See ABICHARAR; ASSUMIR; DESMUNHECAR

jogar com duas bolas (*v.*) See FODER (1)

jogar merda no ventilador (*v.*) to air (someone's) dirty linen; to touch a sore spot; to scandalize; to fuss; to make a fuss about private vices; to alarm. See also BOTAR A BOCA NO TROMBONE (2)

jogar (algo) na privada (*v.*) to waste/dissipate something foolishly; to squander; to piss (something) away; to piss money against the wall.

jogar pras traças (*v.*) (=abandonar/rejeitar) to discard; to throw away; to shitcan. See also JOGADO PRAS TRAÇAS

jostra (*f.*) See MERDA (3)

judas (*m.*) See PAU // **afogar o judas** See AFOGAR O GANSO // **enforcar o judas** See FODER (1)

jumento (*m.*) See AJUMENTADO

juntar os trapos/trapinhos (*v.*) See AMIGAR-SE

jurema (*f.*) See BARBIANA

lacraia (*f.*) **1.** See BOCETA // **2.** See PUTA (1)

lacrimejo (*m.*) pre-ejaculate lubricatory fluid; pre-come juice; pre-cum; penis butter. See also MOLHO: PORRA (1)

lady (*f.*) See LÉSBICA

lagosta (*f.*) See GOSTOSA

lambe-cricas (*m. & f. Lus.*) See MINETEIRO

lambe-cu (*m. & f.*) **1.** See CUNETEIRO // **2.** See PUXA-SACO

lambe-fraldas (*m. & f. Lus.*) See MINETEIRO

lambe-pratos (*m. & f. Lus.*) See MINETEIRO

lambideira (*f.*) See BANHO DE GATO

lambisgoia (*f.*) an unattractive or dull woman; cold biscuit; hard-off; scag; scank; skag; skank. See also BUCHO (3); GOSTOSA

langonha (*f. Lus.*) See PORRA (1)

lápis (*m.*) See PAU // **apontar o lápis** See BATER PUNHETA // **passar o lápis** See FODER (1) (said of a male)

laracha (*f. Lus.*) See PAU

larada (*f. Lus.*) See MERDA (1)

larga (*adj.*) having a dilated vagina (implying that one is a loose woman). See also APERTADA; BOCETA; DESCABAÇADA; GALINHA; GAMELA

largar o pau (em) (*v.*) See FODER (1) (said of a male)

larilas (*m. Lus.*) See BICHA

lasca (*f.*) See BOCETA

lascada (*f.*) **1.** See FODA (1) // **2.** See PUTA (1)

lascadinha (*f.*) See RAPIDINHA

lascão (*m.*) See PAU

lascar (*v.t.*) **1.** See FODER (1) // **2.** See DESCABAÇAR // **de lascar (o cano)** See DE FODER

lascívia (*f.*) See SACANAGEM (1)

lascivo/-va (*adj.*) See SACANA (4)

lasquinha (*f.*) See BOLINA (1); SARRO // **tirar uma lasquinha** See BOLINAR

latrina (*f.*) See PRIVADA

lavagem (*f.*) (**clister** *m.* clyster) enema; clysma; torch job.

lavar roupa pra fora (*v.*) See CORNEAR

leia (*f.*) See PUTA (1)

leiteria (*f.*) See PEITOS; See also PADARIA

lena (*f.*) See CAFETINA

lenço (*m. Lus.*) See PEITUDA // **sem lenço e sem documento** See FODIDO E MAL PAGO

lençol de baixo (*m. Lus.*) See GENITORA

lençol de cima (*m. Lus.*) one's father. See also PAPAI E MAMÃE

lenha (*f.*) See PAU

leno (*m.*) See CAFETÃO

lenocínio (*m.*) See CAFETINAGEM

lesbiana (*f.*) See LÉSBICA

lesbianismo (*m.*) See FANCHONICE (1)

lésbica (*f.*) les; lesbian; lesbine; lesbo; lez; lezzie; kissing fish; slacks; twilight woman. // (=que assume o papel masculino) Amy-John; baby-butch; boon-dagger; bull; bullbitch; bulldagger; bulldike; bulldyke; butch; diesel dyke; dike; dyke; gal officer; husband; mintie; tomboy; top sergeant. // (=que assume o papel feminino) fairy lady; fem; femme; mama; marge; Mary; molly dyke; wife. See also BICHA; CHOFER DE CAMINHÃO; FANCHONA; ROÇADEIRA

lésbico/-ca (*adj.*) lesbian; sapphic. See also ENTENDIDO

leucorreia (*f.*) See FLORES-BRANCAS

levantar (*v.t.*) **1.** See ENTESAR // (*v.i.*) **2.** See ENTESAR-SE (referring to the cock)

levantar a/o moral (*v.*) to arouse sexual desire; to turn on (said of an aphrodisiac, referring to the male). See also MOTOR DE ARRANQUE

levantar o pau mole (*v.*) figuratively, to get back to the subject; to return/go back to (one's) muttons; to get down to the nitty-gritty. See also MUDAR DE PAU PRA CACETE

levantar o problema (*v.*) See DAR O CU

levar a breca (*v.*) See IR PRA PUTA QUE (O) PARIU; IR PRAS PICAS

levar chifre (*v.*) to be cheated on; to be cuckolded (said of a husband/bridegroom/suitor/paramour). See also CRIAR CORNO; VIRAR CORNO

levar ferro (*v.*) **1.** See DAR; DAR O CU // **2.** See FODER-SE

levar fumo (*v.*) **1.** See DAR; DAR O CU // **2.** See FODER-SE

levar nas fuças (*v.*) See LEVAR UM CACETE (2)

levar na tampa (*v. Lus.*) See DAR O CU

levar no cu (*v.*) See DAR O CU; TOMAR NO CU

levar (alguém) pra cama (*v.*) to succeed sexually with someone; to make/approach a rapid conquest; to bed; to make; to make out; to make time with (someone). See also CANTAR; FODER (1); PÔR A ESCRITA EM DIA

levar uma ferrada (*v.*) See FODER-SE

levar um cacete (*v.*) **1.** See DAR; DAR O CU // **2.** (=apanhar) to take a beating; to get beaten; to be fucked over. See also DAR UM CACETE EM (ALGUÉM)

libélula (*f.*) **1.** See BICHA // **2.** See PUTA (1)

liberdades (*f.pl.*) undue familiarity/intimacy; liberties; molestation; sexual harassment. See also CANTADA; CONFIANÇA; CHAMEGO (2); PAQUERA (1) // **dar liberdades** See DAR BOLA // **tomar liberdades** to take liberties; to become cheeky/saucy/

bold; to molest; to make a pass at (a woman); to pick up.

libertinagem (*f.*) See SACANAGEM (1)

libertino/-na (*adj. & m./f.*) See SACANA (1 & 4)

libidinagem (*f.*) See SACANAGEM (1)

libidinoso/-sa (*adj.*) See SACANA (4)

licenciosidade (*f.*) See SACANAGEM (1)

licencioso/-sa (*adj.*) See SACANA (4)

liceu (*m.*) See PUTEIRO (figuratively)

limões (*m.pl. Lus.*) See PEITOS

limpar o cavalo (*v.*) See FODER (1)

linguado (*m. Lus.*) a kiss in which the tongue of one person explores the oral cavity of another, and vice versa; a French kiss.

linguiça (*f.*) See PAU // sanduíche de linguiça. See SANDUÍCHE

liso/-sa (*adj. & m./f.*) See TESO

livre e desimpedido/-da (*adj.*) See DESENTUPIDO

lixar (*v.t. Lus.*) **1.** See FODER (1) // -se (*v.r.*) **2.** See EMPUTECER-SE // **3.** See FODER-SE // **estar se lixando pra** See CAGAR (E ANDAR) PRA (ALGO/ALGUÉM)

loba (*f.*) See PUTA (1)

loló (*m.*) **1.** See CU (1) // **2.** See BUNDA (1)

lopes (*m.pl. Lus.*) See MERDA (1)

lordear (*v.i.*) See BUNDAR (1)

lordo / lorto (*m.*) **1.** See CU (1) // **2.** See BUNDA (1)

loureira (*f.*) See PUTA (1)

lua (*f.*) See CHICO

lubricidade (*f.*) See SACANAGEM (1)

lúbrico/-ca (*adj.*) See SACANA (4)

lues (*f.*) See GÁLICO

lugar onde o sol não bate (*m.*) See CU (1)

lugar que não vê o sol (*m.*) See CU (1)

lulu (*m.*) a young boy kidnaped, kept, and used as the object of anal intercourse by an older man; the young male companion of a sodomite; a peg boy; a catamite; a prushun. See also BICHA; CATAMITA; FRANGOTE

lúmia (*f. Lus.*) See PUTA (1)

lúmio (*m.*) See BICHA

lupanar (*m.*) See PUTEIRO

luxúria (*f.*) See SACANAGEM (1)

luxurioso/-sa (*adj.*) See SACANA (4)

mabuge (*f. Lus.*) See PENTELHO; PENTELHEIRA

maçaranduba (*f.*) See PAU

maçarico (*m.*) See PAU

machão (*m.*) he man; a tough or rough man; a tough/rough-looking man; butch; jock; jocko-macho; stud. See also ENRUSTIDO; MARICAS

machear (*v.i. & v.t. Lus.*) See FODER (1) (said of a male)

macheza (*f.*) masculinity; manliness; virility; machismo. See also BICHICE

machoa (*f.*) See LÉSBICA

machona (*f.*) See LÉSBICA

machorra (*f.*) a barren female. See also CAFÉ-REQUENTADO; DONZELONA; FERRO-FRIO; MANINHA; PARIDEIRA (2)

machuda (*adj. & f.*) butch; dykey; manlike woman; masculine-mannered; masculine-looking woman. See also FANCHONA

macio (*m.*) **1.** See CU (1) // **2.** See BICHA

maciota (*f.*) an easy or pleasant way of life; idleness; laziness; leisure. See also BEM-BOM; GANDAIA

macorongo (*m.*) See GIGOLÔ

madalena (*f.*) See PUTA (1)

madama (*f.*) **1.** See PUTA (1) // **2.** See CAFETINA

madeira (*f.*) See PAU

madre (*f.*) See MÃE-DO-CORPO

madrinha (*f.*) See LÉSBICA

mãe do corpo (*f.*) (**útero** *m.* uterus) womb.

mãezinha (*f.*) See CAFETINA

magana (*f. Lus.*) See PUTA (1)

maganagem (*f. Lus.*) See SACANAGEM

maganão/-nona (*m. & f. Lus.*) See SACANA (1)

maganice (*f. Lus.*) See SACANAGEM

magano/-na (*adj. Lus.*) See SACANA (4)

magoada de amor (*adj. Lus.*) See PRENHE

magoadinha (*adj. Lus.*) See PRENHE

mala (*f.*) **1.** See PAU // **2.** the male genitalia, especially when prominently displayed through tight pants; basket; box; equipment (mostly homosexual use). See also BARRACA ARMADA; BICHA BAGAGEIRA; COLHÃO (1); PENDURICALHOS

mala-frapê (*f.*) See MEIO PAU (homosexual use)

mal-americano (*m.*) See GÁLICO

mal-canadense (*m.*) See GÁLICO

mal-céltico (*m.*) See GÁLICO

mal de barraca (*m.*) See GÁLICO

mal de coito (*m.*) See GÁLICO

mal de frenga (*m.*) See GÁLICO

mal de santa eufêmia (*m.*) See GÁLICO

mal de são semento (*m.*) See GÁLICO

mal de vênus (*m.*) See GÁLICO

mal dos chifres (*m.*) See DOR DE CORNO

mal e porcamente (*adv.*) See NAS COXAS

mal-escocês (*m.*) See GÁLICO

mal-francês (*m.*) See GÁLICO

mal-gálico (*m.*) See GÁLICO

mal-germânico (*m.*) See GÁLICO

malhar (*v.i.*) See BOLINAR; TIRAR UM SARRO

malhar em ferro frio (*v.*) to strive fruitlessly; to work to no avail; to waste one's time and effort; to piss in the wind.

malho (*m.*) **1.** See PAU // **2.** See SARRO; BOLINA (1)

malinado/-da (*adj.*) See GALICADO

malinar (*v.t.*) **1.** See BOMBARDEAR // **-se** (*v.r.*) **2.** See BOMBARDEAR-SE

mal-napolitano (*m.*) See GÁLICO

malote (*m. Lus.*) See RATUÍNA

mal-polaco (*m.*) See GÁLICO

mal-turco (*m.*) See GÁLICO

mamãe e papai (*f.*) See PAPAI E MAMÃE

mamas (*f.pl.*) See PEITOS

mamilo (*m.*) See BICO DO PEITO

maminha (*f.*) See BICO DO PEITO

mana-rapaz (*m. Lus.*) See MARICAS

mancada (*f.*) See CAGADA (2)

manceba (*f.*) See AMIGADA

mancebia (*f.*) See AMIGAÇÃO

mandar à merda (*v.*) **1.** See PUTEAR (1) // **2.** See JOGAR PRAS TRAÇAS

mandar às favas (*v.*) **1.** See PUTEAR (1) // **2.** See JOGAR PRAS TRAÇAS

mandar brasa (*v.*) See FODER (1) (said of a male)

mandar o Bernardo às compras (*v. Lus.*) See FODER (1)

mandar o carocho (*v. Lus.*) See FODER (1)

mandar pra/à puta que (o) pariu (*v.*) See PUTEAR (1)

mandar praquela parte (*v.*) See PUTEAR (1)

mandioca (*f.*) See PAU

mandrião (*m. Lus.*) See PAU

mangalho (*m.*) large penis; good-sized cock. See also AJUMENTADO; BICHA BAGAGEIRA; PAU

mangalhudo (*adj.*) See AJUMENTADO

manga-rosa (*f.*) See MINETE // **chupar manga-rosa** See FAZER MINETE

mango (*m.*) See PAU

mangue (*m.*) **1.** See PUTEIRO // **2.** See ZONA (1)

manguito (*m.*) See BANANA (2) // **fazer um manguito** See DAR (UMA) BANANA PRA (ALGUÉM)

manhosa (*f. Lus.*) See PUTA (1)

manico (*m.*) See COLHÃO (1)

maninha (*adj.*) unable to bear young; barren; sterile (said of women/female animals). See also CAFÉ-REQUENTADO; FERRO-FRIO; GELADEIRA; MACHORRA; PARIDEIRA

maniplo / manípulo (*m.*) See COLHÃO (1)

maniva (*f.*) See PAU

manjuba (*f.*) See PAU

manso (*adj. & m.*) See CORNO; CORNO MANSO

manteiga (*f.*) See PORRA (1) // **bater manteiga** to have sexual intercourse with an unwashed woman who has just completed coitus with another man.

manteigueira (*f.*) See BOCETA

manzape / manzapo (*m.*) See PAU

mão-boba (*f.*) **1.** the act or instance of touching/exploring a girl's or woman's body manually and surreptitiously; a feel. See also BOLINA (1) // **2.** fingerfucking; fistfucking; postillioning. See also FUTUCAÇÃO (1) // **3.** See BOLINADOR

mão-cabeluda (*m.*) See PUNHETEIRO

mão-louca (*f.*) See MÃO-BOBA (2)

mãozinha (*f.*) an act of masturbation, done for one person by another; hand job. See also PUNHETA; SURUBA DE MÃO // **dar uma mãozinha pra (alguém)** to rub (someone) to orgasm; to frig; to fudge.

mapa-múndi (*m.*) See BUNDA (1)

máquina (*f.*) See GOSTOSA // **dar um pau na máquina 1.** See FODER (1) (said of a male) // **2.** to drive a car rapidly; to flat out; to speed; to barrel ass; to rip-ass. // **Pau na máquina!** Hurry up! Get the lead out of your ass!

marafa (*f.*) **1.** See GANDAIA; SACANAGEM (1) // **2.** See VIDA

marafaia (*f.*) See PUTA (1)

marafona (*f.*) See PUTA (1)

marafonear (*v.i.*) See CHAVASCAR (2); FEMEAR (2)

marafoneiro (*m.*) See PUTA-NHEIRO (1)

marcar seis e meia (*v.*) See BRO-XAR; PENDURAR A(S) CHUTEIRA(S)

marchador (*m.*) See CORONEL

marchante (*m.*) See CORONEL

margarida (*f.*) See BOCETA

marialva (*m. Lus.*) See PUTA-NHEIRO

maria sapatão (*f.*) **1.** See LÉSBICA // **2.** See CONSOLO

maricagem (*f.*) See BICHICE; FRESCURA

maricão (*m.*) See MARICAS

maricas / mariquinhas (*adj. & m.*) (**efeminado** *adj. & m.* effeminate) sissy; cissy; sis; boy; buttercup; capon; cookie pusher; cooky pusher; faggoty; fancy pants; flit; flitty; lacy; lily; limp wrist; milksop; mintie; mollycoddle; nance; Nancy; pansified; pansy; pantywaist; prissy; puss; pussy; swish; twink; twinkle-toes; willy-boy; womanish; wrist-slapper (considered less derogatory than *bicha* or *veado* because the connotation is more often of effeminate mannerisms than of sexual acts). See also ABICHARADO; BICHA; DESMUNHECADO; FRESCO; MACHÃO

maricona (*f.*) See BICHA; MARICAS

marida (*f.*) See LÉSBICA

marimacho (*m.*) See LÉSBICA

mariposa (*f.*) See PUTA (1)

mariquinhas (*m.*) See MARICAS

marmelada (*f. Lus.*) See BOLINA (1); CHAMEGO (2); SARRO (2)

marmelos (*m.pl. Lus.*) See PEITOS

marmita (*f.*) a woman who supports a man; an old lady. See also CORONEL; ESPÉCIE; GIGOLÔ; TEÚDA

marmota (*f.*) **1.** See BOCETA // **2.** See BUNDA (1)

marreta (*f.*) See PAU

marretada (*f.*) See FODA (1)

marretado/-da (*adj.*) See FEITO NAS COXAS

marretar (*v.i.*) **1.** See FODER (1) // (*v.t.*) **2.** See FAZER NAS COXAS

marsapa (*f.*) See PAU

marsapo / marzapo (*m.*) See PAU

martelada (*f.*) See FODA (1)

martelar (*v.i. & v.t.*) See FODER (1)

martelo (*m.*) See PAU

mastro (*m.*) See PAU

mastruço (*m.*) See PAU

masturbação (*f.*) See PUNHETA

masturbador (*adj. & m.*) **1.** See PUNHETEIRO // **2.** See FRICADOR

masturbadora (*f.*) See FRICATRIZ; PUNHETEIRA

masturbar (*v.t.*) **1.** See PUNHE-TAR; BOLINAR // **-se** (*v.r.*) **2.** See BATER PUNHETA; TOCAR SIRIRICA

masturbatório/-ria (*adj.*) jerkoff. // **fantasias masturbatórias** jerkoff fantasies.

matança do frango/pinto (*f.*) (**menarca** *f.* menarche) the beginning of menstrual function; the initiation of menstruation; the first menstrual period of a woman. See also CHICO

matar o frango/pinto (*v.*) to be menstruating for the first time. See also DESMANTELAR; FICAR DE CHICO

matar zezinho (*v.*) See BATER PUNHETA

material (*m.*) See GOSTOSA

matriz (*f.*) one's wife; one's legal wife; better half; one's own household, as opposed to his kept woman's abode. See also FILIAL

mau passo (*m.*) the act or an instance of being sexually initiated, deflowered, or prostituted (referring to the woman). See also DESCABAÇADA; PERDIDA // DAR O MAU PASSO See PERDER O CABAÇO; CAIR NA VIDA // **Quem dá o mau passo perde o cabaço**. a self-explanatory proverb.

má vida (*f.*) See VIDA // **mulher de má vida** See PUTA (1)

meato urinário (*m.*) cock crack; piss-slit; meatus urinarius.

medalhão (*m. Lus.*) See PAU

medir o chão (*v.*) See CAGAR (1)

meia-cômoda (*f. Lus.*) See CU (1)

meia-foda (*m. & f.*) See CAGA-BAIXINHO

meia-nove (*m.*) sixty-nine; sixty-nining; cannibal; swaffonder; swassonder; simultaneous/mutual cunnilingus/fellatio. See also CHUPETA; MINETE; PAPAI E MAMÃE (abbr. 69)

meio (*m.*) See CU (1)

meio pau (*m.*) an incomplete erection; half-mast. See also TESÃO (1)

mela-cueca (*m.*) a cheap dance or ball; dancing; shindig; hop. See also GANDAIA (1)

melar (*v.t.*) **1.** to soil/spoil something; to ruin/dirty something, as a plan or the successful completion of a task, by blundering; to fuck up. See also BOSTAR; FAZER CAGADA; FODER (2) // (*v.i.*) **2.** See IR PRAS PICAS

melê (*m.*) **1.** See CAGADA (2) // **2.** See MIXÓRDIA // **3.** See REBUCETEIO

meleca (*f.*) dried nasal secretion/discharge; bugger; booger; boogie. See also RANHO

meleira (*f.*) See MELÊ

membro (*m.*) See PAU

membro viril (*m.*) See PAU

membrudo (*adj.*) See AJUMENTADO

menage (*m.*) See BAIÃO DE TRÊS

menagear (com) (*v.t.*) to engage in sexual intercourse with two partners simultaneously; to swing. See also FAZER (UMA) SURUBA

menarca (*f.*) See MATANÇA DO FRANGO/PINTO

menarquia (*f.*) See CHICO

mengar (*v.i.*) to perform lascivious movements; to wiggle; to wriggle (while dancing). See also SAÇARICAR (1)

menopausa (*f.*) change of life; menopause; climacteric. See also FOGACHO

menorreia (*f.*) See CHICO

menstruação (*f.*) See CHICO

menstruada (*adj.*) See INCOMODADA

menstruar (*v.i.*) to begin a menstrual period; to be menstruating; to menstruate. // (=com atraso, indicando gravidez) to come around. See also ESTAR DE CHICO; FICAR DE CHICO

mênstruo (*m.*) See CHICO

merda (*f.*) **1.** (**excremento** *m.* excrement; **fezes** *f.pl.* feces) shit (1); business; crap; do; dreck; drek; hockey; hocky; hookey; hooky; poo; poop; poo-poo; poos; poot. See also CAGALHÃO; COPROFILIA; COPROFAGIA // **2.** (=besteira/disparate) bullshit; bull; chickenshit; crap; diddly-shit. See also BABAQUICE // **3.** (=coisa imprestável) shit (2); rubbish. // (*int.*) **4.** Shit! See also PUTA MERDA!; PUTEAR // **Agora é que a merda vai feder!** Now the shit's really going to hit the fan! Sparks are about to fly! // **a mesma merda** same old shit (SOS). // **cheio de merda** affected; finicky; full of hang-ups; pissy; pissy-ass; tight-ass; tight-assed. // **de merda 1.** (=maldito) fucking (1); fucky. // **2.** (=reles/ordinário) shitty (2); chickenshit (3); fucking (3). // **estar na merda** to be in straitened circumstances of any kind; to be despairing of success; to be on (one's) ass; to be up shit creek (without a paddle); to be shit out of luck; to get/have (one's) ass in a sling. // **não ter (nem) merda pra cagar** See ESTAR NA MERDA; ESTAR SEM UM PUTO // **não valer a merda que caga** to be useless/worthless (said of a person); not to be worth a shit. // **Puta merda!** Holy shit! Holy fuck! (appreciatively); Shit! Hell! (depreciatively) // **ter merda na cabeça** to behave stupidly/blindly; to be chronically wrong/awkward/heedless; to have (one's) head up (one's) ass; to have shit for brains. // **Vá à merda!** Go to hell! Go to blazes! Go to the deuce/dickens!

merdalhada (*f.*) dross; scum; trash; heap of rubbish; worthless things/people. See also MIXÓRDIA; ZONA (2)

merda nenhuma (*f. & pr.*) See PICAS

merda no ventilador (*f.*) shit hits the fan; scandal; stampede; helter-skelter; dirty linen washed in public. See also REBUCETEIO // **jogar merda no ventilador** to air (someone's) dirty linen; to touch a sore spot; to scandalize; to fuss; to make a fuss about private vices; to alarm.

merdinha (*m. & f.*) See BOSTINHA; TITICA (2)

meretrício (*m.*) **1.** See VIDA // **2.** See ZONA (1) // **alto meretrício** See BOCA DO LUXO // **baixo meretrício** See BOCA DO LIXO

meretrícula (*f.*) an adolescent whore; a sitter. See also PUTA (1)

meretriz (*f.*) See PUTA (1)

mês (*m.*) See CHICO

messalina (*f.*) See PUTA (1)

Meta/Mete na bunda! (*int.*) See ENFIA NO CU!

meteção (*f.*) See FODEÇÃO

meter (*v.i.*) See FODER (1)

meter no reguinho (*v.*) See ENRABAR (1)

meter os tampos dentro (*v. Lus.*) See DESCABAÇAR

metida (*f.*) See FODA (1)

micção (*f.*) See MIJADA

michê (*m.*) **1.** male whore; hustler; ass peddler; bunny; pimp. See also BICHA; CATACU // **2.** a prostitute's sale or business transaction; a trick; a whore's remuneration. See also PROGRAMA; SEIXO

michela (*f.*) See PUTA (1)

michetagem (*f.*) male prostitution; the bottle. See also CAFETINAGEM; VIDA

michetar (*v.i.*) to hustle; to find a paying customer; to score (said of a male or female prostitute); to peddle (one's) ass; to work as a hustler or male prostitute to male homosexuals. See also FAZER A VIDA

micheteira (*f.*) See PUTA (1)

mictório (*m.*) See MIJADOURO (1)

Miguel (*m.*) See PRIVADA (1) // **(ir) falar com (o) Miguel** to pay a call; to powder (one's) puff.

mija (*f. Lus.*) See MIJADA

mijada (*f.*) the act or an instance of pissing; the quantity of piss passed at one time; a leak; number one. See also CHUVEIRINHO; NECESSIDADE // **dar uma mijada** to take a piss; to take a leak; to let fly; to make a pit stop; to number one.

mijadeiro (*m.*) See PENICO

mijadela (*f.*) **1.** stream of piss. See also MIJADA // **2.** piss-stain. See also BIZIU

mijadouro (*m.*) **1.** (=recinto) piss-house; pissoir; urinal; convenience. See also PRIVADA (1) // **2.** (=bacia/vaso) piss-bowl; urinal. See also PENICO; PRIVADA (2)

mijaneira (*f.*) a desire to urinate; a call; incontinence. See also NECESSIDADE

mijão (*m.*) /**-jona** (*f.*) **1.** a person/child who frequently wets himself; a bed-wetter. // **2.** See CAGÃO

mijar (*v.i.*) **1.** to piss; to leak; to let fly; to pee; to piddle; to tinkle; to urinate; to wee; to wee-wee; to wet; to whiz; to whizz; number one. See also DAR UMA MIJADA // **-se** (*v.r.*) **2.** to wet oneself. See also PEDIR PENICO // **Bicho que mija pra trás põe o homem pra frente**. a proverb used to signify that tame animals, especially females, are the most useful ones. // **não dar (nem) pra mijar** to be a drop in the bucket (said of money). // **saber por onde formiga mija** to be a jack of all trades; to know what's what; to know how many beans make five.

mijar fora da pichorra (*v.*) **1.** to exorbitate; to exceed; to overstep (said of one's attributions/ prerogatives); to go beyond the limits of one's authority; to go out of bounds; to carry (something) too far. See also TOMAR LIBERDADES; VIOLENTAR (3) // **2.** See TRAIR; CORNEAR // **3.** See FAZER NAS COXAS

mijar fora do caco/penico (*v.*) See MIJAR FORA DA PICHORRA

mijar no(s) pé(s) (*v.*) See BROXAR

mijar pra trás (*v.*) See PEDIR PENICO; CAGAR-SE // **Bicho que mija pra trás põe o homem pra frente**. a proverb used to signify that tame animals, especially females, are the most useful ones.

mijinha (*f. Lus.*) See TITICA (2)

mijinhas (*m. & f. Lus.*) See FRESCO

mijo (*m.*) (**urina** *f.* urine) piss; pee; wee; wee-wee; whee; whiz; whizz. See also CHUVEIRINHO // **beber o mijo** to throw a party or to stand the drinks to celebrate the birth of one's child. // **pagar o mijo** See BEBER O MIJO // TESÃO DE MIJO piss hard-on; pride of the morning.

mijo de padre (*m.*) weak coffee; warmed-over coffee. See also TRÊS-EFE

militriz (*f.*) See PUTA (1)

mimi (*m.*) See MINETE // **fazer mimi** See FAZER MINETE

mina (*f.*) See LÉSBICA

minete (*m.*) (**cunilíngua** *f.* cunnilingus; cunnilinctus) the act or instance of stimulating a woman's cunt orally; cuntlapping; lapping; box lunch; fur pie; hair burger; hair pie; seafood; blow job; French; French kiss. See also CHUPETA;

CUNETE; MEIA-NOVE // **fazer minete em (alguém)** to blow; to perform; to eat; to eat (someone) up with a spoon; to muff-dive.

mineteiro (*m.*) /**-ra** (*f.*) clit-licker; gobbler; growl biter; muff diver; muffer; a person who performs cunnilingus habitually. See also CUNETEIRO

mingau (*m.*) See PORRA (1)

minhoca (*f.*) See PAU

minhocão (*m.*) See MANGALHO

minhocuçu (*m.*) See MANGALHO; PAU

minotauro (*m.*) See CORNO

miraia (*f.*) See PUTA (1)

mirão (*m.*) See BRECHEIRO

mirone (*m.*) See BRECHEIRO

misoginia (*f.*) woman-hating; misogyny. See also HOMOFOBIA

misógino (*m.*) **1.** woman-hater; misogynist. // (*adj.*) **2.** misogynous.

misturar as pernas/os pelos (*v.*) See FODER (1)

mixórdia (*f.*) jumble; mishmash; pell-mell; goat fuck/rope/screw; a mixed-up situation; shitstorm; snafu; commfu; cummfu; fubar; fumtu; janfu; sapfu; susfu; tarfu; tuifu. See also CAGADA (2); CU DE MÃE JOANA; MERDALHADA; REBUCETEIO; ZONA (2)

mixoscopia (*f.*) See VOYEURISMO

mobília (*f.*) See CABAÇO (1) //

bulir na mobília de See DESCABAÇAR

moca (*f. Lus.*) See PAU

moça (*f.*) **1.** See PUTA (1) // **2.** See DESCABAÇADA

mocada (*f. Lus.*) See FODA (1)

moça do fado / moça do facho (*f.*) See PUTA (1)

mocar (*v.i. & v.t. Lus.*) See FODER (1)

moçar (*v.t.*) **1.** See DESCABAÇAR // (*v.i.*) **2.** See CAIR NA VIDA; PERDER-SE

mochila (*f.*) **1.** See MUXIBA // **2.** See COLHÃO (1) // **rastejar com mochila** See DAR O CU

molhada / molhadinha (*adj.*) sexually aroused (said of a woman); hot; hot to trot; on the make. See also TESUDO (1)

molhada no biscoito (*f.*) See FODA (1)

molhar o bagre/biscoito/nabo/pavio/pincel (*v.*) See AFOGAR O GANSO

molho (*m.*) the coital fluid in a woman; luke. See also CHICO; LACRIMEJO // **botar o ganso de molho** See AFOGAR O GANSO

mona (*f.*) **1.** See BICHA-LOUCA // **2.** See FANCHONA; LÉSBICA

monco (*m.*) See RANHO

mondrongo (*m.*) See MANGALHO

moquetona (*f.*) See LÉSBICA

mordoma (*f.*) See CAFETINA

morrinha (*f.*) **1.** See FEDOR (1); BODUM; CECÊ // (*adj.*) **2.** Very parsimonious; stingy; close; tight as Kelsey's nuts; tight as O'Reilly's balls. // **3.** See CHATO (3)

mosca (*f.*) **1.** a prostitute who sits in bars in order to meet prospective clients; a bar-girl; a B-girl. See also PUTA (1); RATUÍNA // **2.** See CU (1) // **3.** See BOCETA

mosqueiro (*m.*) See CU (1)

mosquito (*m.*) See CU (1)

motor de arranque (*m.*) aphrodisiac. See also LEVANTAR A/O MORAL

movimento homossexual (*m.*) a movement of male and female homosexuals working as a minority group to obtain freedom from discrimination; gay lib. (abbr. MH)

muco (*m.*) See RANHO; FRANGO (2)

mucumbu (*m.*) (**cóccix** *m.* coccyx) tail bone. // **secar o mucumbu** See APAGAR O PAVIO (3); DAR O PEIDO MESTRE

mudar a água às azeitonas (*v. Lus.*) See MIJAR (1)

mudar de pau pra cacete (*v.*) to drop/change the subject; to stray from the subject; to digress. See also LEVANTAR O PAU MOLE

mula (*f.*) See CAVALA

muleta (*f.*) See MANGALHO

mulheragem (*f.*) See GAVIONICE

mulherão (*m.*) See GOSTOSA

mulher à toa (*f.*) See PUTA (1)

mulher da comédia (*f.*) See PUTA (1)

mulher-dama (*f.*) See PUTA (1)

mulher da rótula (*f.*) See PUTA (1)

mulher da rua (*f.*) See PUTA (1)

mulher da vida (*f.*) See PUTA (1)

mulher da zona (*f.*) See PUTA (1)

mulher de má nota (*f.*) See PUTA (1)

mulher de vida airada/fácil (*f.*) See PUTA (1)

mulher do fado (*f.*) See PUTA (1)

mulher do fandango (*f.*) See PUTA (1)

mulher do mundo (*f.*) See PUTA (1)

mulherengo (*m.*) **1.** See PUTANHEIRO // (*adj.*) **2.** sexually attracted to women; horny; hunky. See also GAITEIRO; TESUDO (1)

mulher errada (*f.*) See PUTA (1)

mulherio (*m.*) womenfolk. See also PUTARÉU

mulher perdida (*f.*) See PERDIDA; PUTA (1)

mulher pública (*f.*) See PUTA (1)

mulher solteira (*f.*) See PUTA (1)

mulher vadia (*f.*) See PUTA (1)

mumu (*m.*) See CORNO

mundana (*f.*) See PUTA (1)

mundo (*m.*) See VIDA // **cagar pro mundo** not to give a (flying) fuck for nothing/anything. // **cair na boca do mundo** to become disreputed (said of a woman). // **cair no mundo** See CAIR NA VIDA // **cu do mundo** a jumping-off place. // **doença do mun-**

do venereal disease; dose. // **mulher do mundo** See PUTA (1) // **penico do mundo** a place with high rainfall (depreciatively). // **querer que o mundo se foda** See CAGAR PRO MUNDO

murixaba / muruxaba (*f.*) **1.** See PUTA (1) // **2.** See AMIGADA **muxiba** (*f.*) the sagging breasts of an elderly woman (depreciatively); bubs. See also PEITA-ÇA; PEITOS

nabo (*m.*) See PAU
nádegas (*f.pl.*) See BUNDA (1)
nagalho (*m. Lus.*) See PAU
naifo (*m. Lus.*) See CAPADO
nalgas (*f.pl. Lus.*) See BUNDA (1)
não cagar nem desocupar a moita (*v.*) See NÃO FODER NEM SAIR DE CIMA
não cheirar nem feder (*v.*) to be a thing/person/event of no consequence/importance; to be a trivial person; to count for nothing; to be of little/small moment; to be of no moment; to be a man with a paper ass. See also CAGAR (E ANDAR) PRA (ALGO/ALGUÉM); NÃO SER POUCA PORCARIA
não dar no couro (*v.*) See BROXAR
não dar (nem) pra mijar (*v.*) to be a drop in the bucket (said of

money). See also ESTAR SEM UM PUTO
não foder nem sair de cima (*v.*) to be irresolute; to be wishy-washy; to dillydally; to shilly-shally. See also OU FODE OU SAI DE CIMA!; PUTEAR
não ir com os cornos de (alguém) (*v.*) to feel antipathy for/to/against/towards (someone); to take a dislike to (someone); to have it in for (someone); to bear a grudge against (someone). See also ESTRANHAR (ALGUÉM)
não mostrar os panos (*v.*) See PERDER O CABAÇO
não prestar (*v.*) to be no good (said of a person); to be disreputed (said of a promiscuous woman); to bash; to put out.

See also FICAR (MAL) FALADA; NÃO TER VERGONHA NA CARA

não riscar (o fósforo) fora da caixa (*v.*) See COMER FEIJÃO COM ARROZ

não ser flor que se cheire (*v.*) See NÃO PRESTAR

não ser pouca porcaria (*v.*) to count for much; to establish one's worth; to make oneself felt; to assert one's rights; to be an aggressive/self-assured person; to be (real) hot shit. See also NÃO CHEIRAR NEM FEDER; PICA-GROSSA; PÔR O PAU NA MESA

não ter (nem) merda pra cagar (*v.*) See ESTAR NA MERDA; ESTAR SEM UM PUTO

não ter saco (para) (*v.*) to have no patience (for/to); not to be able to stomach (something/someone). See also CHATEAR-SE

não ter um puto (*v.*) See ESTAR SEM UM PUTO

não ter vergonha na cara (*v.*) to have no shame; to be shameless; to be lecherous; to be a low-down dirty shame. See also NÃO PRESTAR; TOMAR LIBERDADES; TOMAR VERGONHA NA CARA

não tirar a bunda do lugar (*v.*) to be passive/unresponsive; to move/work slowly; to fail to cope; to be useless; to have lead in (one's) ass/pants; to sit there with (one's) finger/thumb up (one's) ass; to stand around with (one's) finger up (one's) ass. See also BUNDAR (2); COÇAR O SACO; SENTAR A BUNDA

não valer a merda que caga (*v.*) to be valueless; to be useless/worthless (said of a person: character, word); to be no good; not to be worth a shit. See also POUCA PORCARIA

não ver o padeiro (*v. Lus.*) See RECATAR-SE

nascer de cu (virado) pra lua (*v.*) to be born lucky; to be born under a lucky star. See also CAGAR NA BANDEJA/BAIXELA (DE PRATA); ESTAR DOIS DEDOS ABAIXO DE CU DE CACHORRO

nas coxas (*adv.*) bunglingly; sloppily and hastily; pell-mell; helter-skelter. See also CHAVASCADO

navio-escola (*m.*) a prostitute whose clients are much younger than herself; an old prostitute. See also COURO (1); PUTA (1)

necessidade(s) (*f./pl.*) call; nature's call; bathroom needs; a desire to urinate or to have a bowel movement. See ALSO APERTADO; CAGADA (1); CAGANEIRA; MIJADA; MIJANEIRA // **fazer necessidade** to go to the bathroom; to have a bowel movement; to urinate; to pay a call; to powder (one's) puff.

negócio (*m.*) **1.** See PAU // **2.** See BOCETA

Nem fodendo! (*int.*) Out of question! Not on your life! Not for love or money! In a pig's ass! See also under PUTEAR

nena (*f. Lus.*) See PORRA (1)

nervo (*m.*) See PAU

nhaca (*f.*) **1.** See FEDOR (1) // **2.** See URUCUBACA // **3.** See BOCETA

nhanha (*f.*) See BOCETA

nica (*f.*) See BOCETA

nicada (*f.*) See FODA (1)

nicar (*v.i.*) See FODER (1)

nicas (*f.pl.*) **1.** See TITICA (2) // **2.** See PICAS

ninfeta (*f.*) an adolescent or pre-adolescent girl as an adult sex object; nymphet; jail bait. See also DEBUTANTE

ninfeto (*m.*) an adolescent or pre-adolescent boy as a gay sex object; faunet; faunlet; chicken; peg boy. See also CATAMITA; GAVIÃO-PAPA-PINTO

ninfômana (*f.*) See AREIA-GULOSA

ninfomania (*f.*) See FUROR UTERINO

ninfomaníaca (*f.*) See AREIA-GULOSA

ninho de rola (*m.*) See BOCETA

nó (*m. Lus.*) See CU (1)

No cu! / No seu/teu cu! (*int.*) Up your ass! See also under PUTEAR

noitada (*f.*) See PROGRAMA; See also GANDAIA

nome / nome feio (*m.*) See PALAVRÃO; PUTEAÇÃO

nó na(s) tripa(s) (*m.*) intestinal obstruction; volvulus. See also PRISÃO DE VENTRE

No seu/teu cu! (*int.*) Up your ass! See also under PUTEAR

nu/nua (*adj.*) See PELADO

ó (*m.*) See CU (1) // **o ó da nação** an absurdity; nonsense; bullshit. // **ser o ó da nação** to take the fucking cake; to be improbable/incredible.

obra (*f.*) See CAGADA (1); MERDA (1) // **fazer obra** See CAGAR (1)

obrar (*v.i.*) See CAGAR (1)

obscenidade (*f.*) See SACANAGEM (1)

obsceno/-na (*adj.*) See SACANA (4)

O buraco é mais embaixo! (*int.*) It's shit for the birds! Tell it to the Marines! That's another pair of shoes! (applied to anything unacceptable to, improbable for, or phony to the speaker, implying that the truth is something else). See also TÁ BOA, SANTA?

oca (*f. Lus.*) See BUNDA (1)

O cacete! / O caralho! (*int.*) My ass! Blow it out! Horse shit! Like hell! In a pig's ass! See also under PUTEAR; See also BANANA (2)

o caralho a quatro (*m.*) (and) such; (and) so forth; (and) the like; (and) all that (kind of) crap.

ocupada (*adj. Lus.*) See PRENHE

ofender (*v.t.*) See DESCABAÇAR

ofendida (*adj.*) See DESCABAÇADA

oferecida (*adj. & f.*) See GALINHA (1)

olho-cego (*m.*) See CU (1)

olho do cu (*m.*) See CU (1)

olho mágico (*m.*) peephole. See also BURACO DA FECHADURA

onanismo (*m.*) See PUNHETA

onanista (*adj., m. & f.*) See PUNHETEIRO; PUNHETEIRA

onanizar-se (*v.r.*) See BATER PUNHETA

onde as costas perdem o nome (*adv. & m.*) See BUNDA (1)

o que Luzia levou na horta (*m.*) See PAU

o que Luzia perdeu na capoeira (*m.*) See CABAÇO (1)

Ora bolas! (*int.*) See BOLAS!

organista (*m. Lus.*) See PUTANHEIRO

órgão (*m.*) See PAU

orgasmo (*m.*) See GOZO

orgia (*f.*) See SURUBA (1)

orgo (*m. Lus.*) See CU (1)

ornato (*m. Lus.*) See PEITOS

orogenitalismo (*m.*) See CHUPETA; CUNETE; MEIA-NOVE; MINETE

osso do pai joão (*m.*) See MUCUMBU

ossos do ofício (*m.pl.*) the headaches/difficulties/problems inherent in any occupation; the fortunes of life; the way things happen; the shitty end of the stick. See also FODA (2); RABO-DE-FOGUETE // **São os ossos do ofício!** That's the way the elephant farts/the frogs fuck/the mothers muck!

ostra (*f.*) See PUTA (1)

Ou caga ou desocupa a moita! (*int.*) See OU FODE OU SAI DE CIMA!

Ou dá ou desce! (*int.*) See OU FODE OU SAI DE CIMA!

Ou fode ou sai de cima! (*int.*) Shit or get off the pot! See also NÃO FODER NEM SAIR DE CIMA; PUTEAR

ouriçar (*v.t.*) **1.** See ENTESAR (1) // **-se** (*v.r.*) **2.** See ENTESAR-SE

ouriço (*m.*) See FOGO NO RABO; TESÃO (2) // **Pior que isso é ser mãe de ouriço!** That's the way the elephant farts/the frogs fuck/the mothers muck!

outra, a (*f.*) See AMIGADA; FILIAL

ova (*f.*) figuratively, a denial or objection, specifically in the negatory phrase **Uma ova!**

ovo (*m.*) See COLHÃO (1) // **babar o ovo (de)** See PUXAR O SACO (DE) // **chupar o ovo de 1.** to perform scrotilingus on (someone). // **2.** See PUXAR O SACO (DE) // **contar com o ovo na bunda/no cu da galinha** to count one's chickens before they are hatched; to reckon without one's host; to prognosticate. // **de pocar o ovo 1.** See DO CACETE; DO CARALHO (appreciatively) // **2.** See DE FODER (depreciatively)

paca / pacas (*adv.*) See PRA CA-
RALHO
pachacha / paxaxa (*f.*) See
BOCETA
pachocho / paxoxo / pachoucho
(*m.*) See BOCETA
pachola (*m. Lus.*) See PUTA-
NHEIRO
pacholice (*f. Lus.*) See SACA-
NAGEM
pachouchada (*f.*) See PALAVRÃO
pachoucho (*m.*) See BOCETA
pachucha / paxuxa (*f.*) See
BOCETA
pacona (*f.*) See LÉSBICA
pacova (*f.*) See BANANA (2)
padaria (*f.*) See BUNDA (1); See
also LEITERIA
pagar (um) boquete (*v.*) See
FAZER (UMA) CHUPETA
pagar o mijo (*v.*) See BEBER O
MIJO

pagar prestação (*v.*) See ESTAR DE
CHICO; MENSTRUAR
pai de chiqueiro (*m.*) See PUTA-
NHEIRO
pai-d'égua (*m.*) See PUTANHEIRO
palavra cabeluda (*f.*) See
PALAVRÃO (1)
palavrada (*f.*) See PALAVRÃO
palavra de Cambronne (*f.*) See
MERDA; See also CAMBRONE
palavrão (*m.*) **1.** coarse term/
expression; cuss word; dirty
word; four-letter word; taboo
word. // **2.** (=chulismo/baixo
calão) (**coprolalia** *f.* coprolalia)
back talk; dirty talk; foul language; French; name-calling;
names; rough stuff; scurrility.
See also BAIXARIA (1); BOCA-SU-
JA; COBRAS E LAGARTOS; PU-
TEAÇÃO

palha de aço (*f.*) See BOCETA
palito de fósforo (*m.*) See PAU
paloma (*f.*) See PUTA (1)
panaca (*adj., m. & f.*) See BUNDA-MOLE
panaro (*m.*) See BUNDA (1)
panasca (*m. Lus.*) See BICHA
panasquice (*f. Lus.*) See BICHICE
pandeiro (*m.*) See BUNDA (1)
panela (*f. Lus.*) See CU (1)
paneleira (*f. Lus.*) See BUNDEIRA
paneleirice (*f. Lus.*) See BICHICE; FRESCURA
paneleiro (*m. Lus.*) See BICHA
panilas (*m. Lus.*) See BICHA
paninho (*m. Lus.*) See MARICAS
pantaleão (*m. Lus.*) See PAU
pantera (*f.*) See GARANHONA
panzina (*f.*) See PRENHEZ
pão com banha (*m.*) sexual intercourse with a woman who has just completed coitus with another man. See also CHAVASCADA; FODA (1) // **comer pão com banha** See BATER MANTEIGA
papa-anjo (*m. & f.*) an adult who seeks out children for sexual purposes. See also PEDÓFILO
papai e mamãe (*m./f.*) coital position with the man on top and the woman on her back; the commonest position for marital coitus; male-atop-female position; heterosexual intercourse; belly to belly; bumper to bumper; he-ing and she-ing; missionary position. See also BRINCAR DE CASINHA; FODA (1); CACHORRINHO; CASTIÇAL; CATA-CAVACO; CAVALINHO; COMES E BEBES; COQUEIRINHO; FRANGO-ASSADO; LENÇOL DE BAIXO; LENÇOL DE CIMA; MEIA-NOVE; TESOURINHA; TORNO
papa-merda (*m. & f.*) **1.** See BUNDA-MOLE // **2.** See CUNETEIRO
papa-pica (*m.*) See BICHA; CHUPA-PICA
papar (*v.t.*) **1.** See FODER (1) (said of a male) // **2.** See LEVAR PRA CAMA
papar na caixa (*v. Lus.*) See DAR O CU
papel higiênico (*m.*) toilet-paper; ass-wipe; ass-wiper; bum fodder; bung fodder. See also CAIXEIRO
papel mofado/queimado (*m.*) a married man. See also AMIGADO
papista (*m.*) See ENRABADOR; SODOMITA
papo-furado (*m.*) idle/untruthful talk; baloney; bluff; bullshit; chickenshit. See also BABA-QUICE; GOSMADO
papo-seco (*m.*) See MARICAS
papoula (*f.*) See BOCETA
papuda (*f.*) See BOCETA
paquera (*f.*) **1.** dalliance; flirtation; woman-chasing; philandering; seduction; a sexual approach to someone. See also CAÇAÇÃO; CANTADA; GANDAIA; GAVIONICE; GRELAÇÃO; LIBER-

DADES // (*m.*) **2.** See PAQUERA-DOR

paqueração (*f.*) See Paquera (1)

paquerador (*adj. & m.*) wolf (1); lady-killer; woman chaser; heart-breaker; honey-cooler; cake-eater; wallie; wally. See also PUTANHEIRO (2)

paquerar (*v.t.*) to dally; to flirt; to philander; to chase; to court; to woo; to hand (someone) a line; to make a pass at (a woman). See also BATER CALÇADA; CAÇAR; CAIR NA GANDAIA; CAMPAR; CANTAR; ENRABICHAR; FEMEAR; GANDAIAR; GRELAR; TOMAR LIBERDADES

paqueródromo (*m.*) the pick-up place; spot for meeting prospective sex partners. See also BICHÓDROMO; PONTO

paquete (*m.*) **1.** See CHICO // (*Lus.*) **2.** See CAFETÃO

paraíba (*f.*) See LÉSBICA

par de botas (*m.*) See AMÁSIO

parida (*adj. & f.*) a woman in childbirth; a woman recently delivered of young. See also PRENHE; RESGUARDO (2)

parideira (*adj. & f.*) **1.** (a woman) old enough to bear young. See also DEBUTANTE // **2.** a progenitive woman. See also MACHORRA; MANINHA

parir (*v.i. & v.t.*) **1.** to be delivered of; to give birth to; to bear; to bring forth. See also EMPRENHAR // **2.** to be shocked/surprised/alarmed; to have a kitten; to have a shit fit; to shit green/blue. See also EMPUTECER-SE // **ir pra puta que (o) pariu** to disappear; to vanish; to leave; to depart; to die (said of an undesirable person/thing). // **mandar à/pra puta que (o) pariu** See PUTEAR (1) // **Puta que (o) pariu!** Holy cow! Holy fuck! Holy shit!

parque de diversões (*m.*) See BOCETA

parruda (*adj. & f.*) See CABAÇUDA

parrusca (*f.*) See PUNHETA

parte (*f.*) **1.** See PAU // **2.** See BOCETA // **mandar praquela parte** See PUTEAR (1)

parte central (*f.*) **1.** See PAU // **2.** See BOCETA

partejar (*v.t.*) to assist women in childbirth; to deliver. See also EMPRENHAR

partes (*f.pl.*) sexual parts; genitalia; genitals; netherlands; privates; pudenda; rhubarb. See also PENDURICALHOS

partes gagas (*f.pl. Lus.*) See PENDURICALHOS

partes pudendas (*f.pl.*) See PARTES

partir pra ignorância (*v.*) to come/get to blows; to come to close quarters; to come to grips (with someone); to have a brush (with someone); to become aggressive/fierce/raging/rude. See also DAR UM CACETE EM (ALGUÉM); DESCOMPOR-SE (2); EMPUTECER-SE; ENGROSSAR (2); FICAR FRIO; PÔR O PAU NA MESA; PUTEAR (1)

parturiente (*f.*) See PARIDA

passada (*adj. & f.*) See DESCA-BAÇADA

passar (*v.t.*) See FODER (1)

pássara (*f.*) See BOCETA

passar a faca (*v.*) See FODER (1) (said of a male)

passar cheque (*v.*) to smear the partner's cock with shit (said of the ass-person in anal intercourse).

passarela (*f.*) a gay male cruising area; meat rack. See also BICHÓDROMO; CAÇAÇÃO; PONTO

passarinha (*f.*) See BOCETA

passarinho (*m.*) See PAU

passar na cara (*v.*) See FODER (1) (said of a male)

passar nas armas (*v.*) **1.** See FO-DER (1) (said of a male) // **2.** See DESCABAÇAR

passar no(s) peito(s) (*v.*) **1.** See FODER (1) (said of a male) // **2.** See DESCABAÇAR

passar o ferro/fumo/lápis/pau (*v.*) See FODER (1) (said of a male)

passar (o) seixo (*v.*) to fail to pay a trick debt; to welsh on a prostitute; to evade payment of any sexual service.

passar uma cantada em (*v.*) See CANTAR

pastel de pelo (*m.*) See BOCETA

pataqueira (*f.*) See RATUÍNA

pata que o pôs (*f.*) See PUTA QUE (O) PARIU; PUTEAR (1)

patente (*f.*) See PRIVADA (2)

patrícias (*f.pl.*) See CASEIRA (5)

patriota (*adj. & f.*) See PEITUDA

patrocinar um vate (*v.*) See DAR O CU

patusco (*m.*) See POMBO

pau (*m.*) (**falo** *m.* phallus; **pênis** *m.* penis; **priapo** *m.* priapus) cock; arm; baby-maker; banana; billy; bushwhacker; the business; cranny hunter; creamstick; dang; dange; dick; ding-a-ling; dingbat; ding-dong; dingle-dangle; dingus; dink; dirk; dong; doodle; dork; enob; gravy giver; gun; hammer; hang-down; hootchee; hotchee; Irish root; jang; jiggling bone; jing-jang; jock; jockam; jockum; johnson; joint; jones; joy knob; joystick; knob; leather stretcher; little brother; lobcock; lollipop; love-muscle; man-root; meat; middle leg; nature's scythe; old slimy; peacemaker; pecker; peenie; pencil; peter; piccolo; pikestaff; pile-driver; pilgrim's staff; pistol; plug-tail; plum-tree-shaker; pole; prick; prong; pud; pudding; pump handle; putz; rammer; rod; root; rump-splitter; schlang; schlong; schlontz; shaft; shlang; shlong; shlontz; skin flute; spitter; stargazer; sugarstick; tallywagger; third leg; tong; tool; trouser snake; wag; wand; wang; waterworks; whang; whanger; winkle; yang; ying-yang; yard; yum-yum. // (=de criança) wag. // (=duro) stiff cock; bone; hard; hard-on; head; heart; tent; old faceful. // (=incircunciso) blind meat. // (=mole) weener; weeney; weenie; weinie; wiener; wienie. See also BIMBA; CHALEIRA; CONSOLO; MANGALHO; PENDURI-CALHOS; PICOLÉ; PINCEL; SE-RINGA; TESÃO (1) // **bater com o pau na mesa** See PÔR O PAU NA MESA // **estar de pau duro** to have an erection; to have a bone/rod on; to stay. // **estar mais duro que pau de tarado** See ESTAR SEM UM PUTO // **ficar de pau duro** to achieve/hold an erection; to get it on; to get it up. // **largar o pau (em)** See FODER (1) (said of a male) // **levantar o pau mole** to get back to the subject; to get down to the nitty-gritty. // **mudar de pau pra cacete** to drop/change the subject; to stray from the subject. // **pôr o pau na mesa** to assert power; to impose one's authority; to kick ass and take names.

pau-barbado / pau-barbudo (*m.*) See PAU

pau da vida (*adj.*) See EMPU-TECIDO

pau de cabeleira (*m.*) **1.** See PAU // **2.** a go-between for lovers. See also CAFETÃO

pau de fumo (*m.*) See PAU

pau de sebo (*m.*) See PAU

pau mole (*m.*) **1.** See PINCEL // **2.** figuratively, the most basic elements, especially when unwelcome or unpleasant; harsh realities; practical details; basic facts of a matter; the nitty-gritty. // **levantar o pau mole** to return/go back to (one's) muttons; to get down to the nitty-gritty.

pau na máquina! (*int.*) Hurry up! Get the lead out of your ass! See also under PUTEAR // **dar um pau na máquina 1.** See FODER (1) (said of a male) // **2.** to drive a car rapidly; to speed; to flat out; to barrel ass; to rip-ass.

pau no seu/teu cu! (*int.*) Fuck you! Fubis! Go pound salt up your ass! See also under PUTEAR

pavio (*m.*) See PAU // **apagar o pavio** See DAR O PEIDO MESTRE; ESTAR NUM BAGAÇO; PENDURAR A(S) CHUTEIRA(S) // **molhar o pavio** See AFOGAR O GANSO

p. da vida (*adj.*) See EMPUTE-CIDO

p. dentro da roupa (*adj.*) See EMPUTECIDO

peão (*m.*) See FANCHONO
peba (*m.*) See BICHA
pebas (*f.pl.*) See BUNDA (1)
peça (*f.*) See PAU
pecar (*v.i.*) See FODER (1)
pecar na mão (*v.*) See BATER
PUNHETA
pechota (*f.*) See PAU
pécora (*f.*) See PUTA (1)
pedaço (de mau caminho) (*m.*)
See GOSTOSA
pê da vida (*adj.*) See EMPUTECIDO
pé de boi (*m. & f.*) See CU DE
FERRO
pé de mesa (*m.*) See MANGALHO
pé de pano (*m.*) See AMÁSIO
pederasta (*m.*) See BICHA;
CATAMITA; SODOMITA
pederastia (*f.*) See ENRABAÇÃO
pedicação (*f.*) See ENRABAÇÃO
pedir penico (*v.*) to lose courage;
to become cowardly; to throw
up the sponge; to throw/toss in
the sponge; to give up; to
chicken out. See also CAGAR-SE;
MIJAR-SE; TIRAR O CU DA RETA
pedofilia (*f.*) a sex fondness for
children; sexual intercourse
with an extremely young girl/
boy; infant prostitution; honey-fucking; molestation; pedophilia. See also TARA
pedófilo (*m.*) /**-la** (*f.*) a person
who seeks children for sexual
satisfaction; child molester; pe-
dophile. See also GAVIÃO-PAPA-
PINTO; PAPA-ANJO; TARADO

pedreiro (*m.*) a man whose wife
was deflowered by another
man. See also CORNO
pega (*f. Lus.*) See PUTA (1)
pegação (*f.*) See CAÇAÇÃO
pega pra capar (*m.*) See REBUCE-
TEIO
pegar (*v.t.*) **1.** See CAÇAR // **2.**
See VIOLAR // **3.** See PARTEJAR
pegar a baba (*v.*) See DAR O CU
pegar de jeito (*v.*) See VIOLAR
pegar na marra (*v.*) See VIOLAR
peia (*f.*) See PAU
peida (*f.*) See BUNDA (1)
peidante (*m.*) See CU (1)
peidão/-dona (*adj. & m./f.*) See
PEIDORREIRO
peidar (*v.i.*) to fart; to flatulate;
to break wind; to pass gas; to
pass wind; to blow a fart; to let
a fart; to lay a fart; to cut a fart;
to poot. See also PEIDORRAR
peidei (*m.*) the day the eagle
shits; payday (*peidei* is 1st sin-
gular preterite of *peidar*, pun-
ning on "payday").
peido (*m.*) (**flato** *m.* flatus; **flatulência** *f.* flatulence; flatulency) fart; poot; wind; Scotch
warming pan. See also BUFA
peido mestre (*m. Lus.*) the
death; one's last breath. // **dar
o peido mestre** to draw one's
last breath; to die; to kick the
bucket.
peidorra (*f.*) a noisy fart.

peidorrada (*f.*) the act of farting continually; a fit/outburst of farting.

peidorrar (*v.i.*) to burst into farts; to fart continually. See also PEIDAR

peidorreiro/-ra (*adj. & m./f.*) a person who farts constantly/frequently; a whistle breeches.

peitaça (*f.*) large/prominent breasts (specifically of a well-developed young woman); bubs; headlights; knobs; knockers; pair; bazoongies (appreciatively). See also MUXIBA; PEITOS

peitaço (*m.*) See PEITAÇA

peitaria (*f.*) See PEITAÇA

peitinhos (*m.pl.*) an adolescent girl's breasts; smaller shapely breasts; bubbies; muffins. See also BOTAR PEITO

peito (*m.*) See COLHÃO (2) (figuratively) // **amigo do peito** asshole buddy; buttfuck buddy; bosom friend. // **bico do peito** teat; tit; nipple. // **botar peito** to arrive at puberty (said of a girl, when her tits are growing).

peitos (*m.pl.*) (**seio** *m.* breast) bosoms; tits; bazoom; big brown-eyes; boobs; boobies; breast-works; bubbies; bubs; cans; chichi; droopers; eyes; globes; hooters; jugs; knobs; lungs; maracas; melons; titties; voos. See also BICO DO PEITO; MUXIBA; PEITAÇA; REGO (2) // **passar nos**

peitos See FODER (1) (said of a male); DESCABAÇAR

peituda (*adj. & f.*) big-bosomed; bosomy; busty; chesty.

peitudo (*adj. & m.*) See COLHUDO (2)

peixão (*m.*) See GOSTOSA

peixe-fresco (*m.*) a novice prostitute; a sitter. See also DEBUTANTE; PUTA (1); PUTA VELHA

pejada (*adj.*) See PRENHE

pejar (*v.i.*) See EMPRENHAR (2)

peladinha (*f.*) See BOCETA

pelado/-da / peladão/-dona (*adj.*) naked; stark naked; bareass; bare-assed; in Adam's pajamas; in one's birthday suit; in the altogether. See also DESCOMPOSTO

pelanca (*f.*) See MUXIBA

pelar o ganso/sabiá (*v.*) See BATER PUNHETA

pele (*f.*) See COURINHO // **não ser pele de pica, que vai e vem e vem e vai** to be steadfast to one's principles; to stick to one's guns; to stand fast. // **ter amor à pele** to be uncircumcised; to wink.

pelota (*f. Lus.*) See PAU // **em pelota** See PELADO

pelote (*m.*) See COLHÃO (1)

pemba (*f.*) **1.** See PAU // **2.** See BIMBA (1)

pé na bunda (*m.*) a surprising/shocking refusal, rejection, or piece of bad news; a kick in the ass; a shot in the ass. See also PÉ NO SACO

penachada (*f. Lus.*) See FODA (1)

penca (*f.*) See PENDURICALHOS

pendurar a(s) chuteira(s) (*v.*) to become impotent because of age; to arrive at climacteric (said of a male). See also BROXAR

pendureza (*f.*) See PINCEL

penduricalhos / pendurucalhos (*m.pl.*) cock and balls; the balls; the male genitalia; the family jewels; equipment. See also COLHÃO (1); MALA; PARTES; PAU

penga (*f.*) See PUTA (1)

penico / pinico (*m.*) **1.** pot; potty; piss-pot; chamber-pot; jerry. See also COMADRE; MIJADOURO (2) // **2.** an ordinary soldier; Joe Shit the Ragman (depreciatively). // **cagar no mesmo penico** to be intimate/ very well acquainted/thick as thieves (referring to two people); to piss through the same quill. // **estar roendo beira de penico** See ROER BEIRA DE PENICO // **mijar fora do penico** See MIJAR FORA DA PICHORRA // **pedir penico** to lose courage; to become cowardly; to throw/toss in the sponge; to throw up the sponge; to give up; to chicken out. // **Penico que muitos mexem acaba fedendo.** Too many cooks spoil the broth. // **roer beira de penico** to suffer great hardships; to have some hard knocks; to lead a dog's life; to be on (one's) ass; to get/have (one's) ass in a sling.

penico do mundo (*m.*) a place with high rainfall (depreciatively). See also CU DO MUNDO

peniqueira (*f.*) a female servant; a maid (depreciatively). See also CABUNGUEIRO

pênis (*m.*) See PAU

pé no saco (*m.*) **1.** See CHATICE; SACO (2) // **2.** See CHATO (2)

pente (*m.*) (**púbis** *m.*/*f.* pubis) the triangle or the area of female pubic hair; beard; beaver; fur; mink. See also ENTREPERNA; PENTELHEIRA

pentelhação (*f.*) See CHATEAÇÃO

pentelhar (*v.t.*) See CHATEAR

pentelheira (*f.*) a hairy cunt; beaver; mink; muff. See also PENTE

pentelho (*m.*) **1.** pubic hair; short hairs; cock hair; bird's nest; tail feathers. See also CUELHO // **2.** See CHATO (2) // **mais enrolado que pentelho de africano** See EMBANANADO

pentelhudo/-da (*adj.*) **1.** hairy (said of sexual parts); covered with short hairs; having thick pubic hair. // **2.** See CHATO (3)

pepino (*m.*) See FODA (2); RABO DE FOGUETE

perder a barriga (*v.*) to have a miscarriage (said of a pregnant woman); to miscarry. See also DESMANCHO; TIRAR (A BARRIGA)

perder as pregas (*v.*) to perform passive anal intercourse for the first time; to become a queer. See also ABICHARAR; DAR O CU

perder o cabaço (*v.*) to be deflowered; to be debauched; to fall off the apple tree (primarily said of, but not restricted to, women). See also CAIR NA VIDA; MOÇAR; PERDER-SE; RECATAR-SE // **Quem dá o mau passo perde o cabaço** a self-explanatory proverb.

perder o cabresto (*v.*) to be deprived of his virginity; to be initiated in sex (said of a man). See also CHAVASCAR (2); FEMEAR (2); QUEBRAR O CABRESTO

perder os documentos (*v.*) See ABICHARAR; ASSUMIR; DAR O CU

perder-se (*v.r.*) to get lost (said of a girl/woman); to fall into prostitution; to go astray. See also CAIR NA BOCA DO MUNDO; FICAR (MAL) FALADA; IR PRAS PICAS; PERDER O CABAÇO

perdida (*f.*) a lost/fallen woman; a loose woman. See also CABAÇUDA; DESCABAÇADA; FALADA; HONESTA; MAU PASSO; PUTA (1)

perereca (*f.*) See BOCETA

perfumaria (*f.*) See BOLINA (1); ROÇADINHO

períneo / perineu (*m.*) See ENTREPERNA

periquita (*f.*) / **periquito** (*m.*) See BOCETA // **estar com a periquita queimada** to be sexually excited; to be hot to trot; to be on the make (said of a woman). // **queimar a periquita** See FODER (1)

periquito (*m.*) **1.** See BOCETA // **2.** See CHUPÃO

pernada (*f.*) See FODA (1)

perobinho (*m.*) See CATAMITA; FRANGOTE; LULU

perobo (*m.*) See CATAMITA

perseguida (*f.*) See BOCETA

persientra (*m. Lus.*) See PAU

peru / piru (*m.*) See PAU // **do peru** See DO CARALHO

perua / pirua (*f.*) See PUTA (1)

perversão (*f.*) See TARA; See also INVERSÃO

pervertido/-da (*adj. & m./f.*) See TARADO

pêssega (*f. Lus.*) See AMIGADA

pêssego (*m. Lus.*) **1.** See CU (1) // **2.** See BICHA

pessegueiro (*m. Lus.*) See BICHA

peteca (*f.*) See BOCETA

pevide (*f.*) See CU (1)

piada de bocagem / piada do Bocage (*f.*) dirty story; coarse jest; spicy joke; saucy wisecrack. See also BAIXARIA (1)

piada de salão (*f.*) a joke without a dirty tone/point; a clean sort of story. See also PIADA DE BOCAGEM

piada de salão de barbeiro (*f.*) See PIADA DE BOCAGEM

pica (*f.*) See PAU // **buraco da pica dura** glory hole; glory. // **Pica de velho é língua**. a derogatory proverb, meaning that elderly men are all impotent, and cunnilingus is their last resort. // **dar uma surra de pica em (alguém)** to give (a female) a real good time in bed; to lay (said of a male).

piça / pissa (*f.*) See PAU

picaço (*m.*) **1.** See MANGALHO // **2.** extremely gratifying/slow intercourse; honey-fucking; honeyfuggling. See also FODA (1); SURRA DE BOCETA; SURRA DE PICA

piçada / pissada (*f.*) See FODA (1)

pica de mel (*m.*) See GOSTOSÃO

pica-doce (*m.*) See GOSTOSÃO

pica-grossa (*m. & f.*) a very important person; influential/notable person; bigshot; hot shit (3). See also NÃO SER POUCA PORCARIA

picante (*adj.*) See SACANA (4) (said of things)

piçar / pissar (*v.i. & v.t.*) See FODER (1)

picareta (*f.*) See PAU

picas (*f.pl. & pr.*) nothing; not a thing; absolutely nothing; nothing at all; fuck-all; doodle-shit; doodley-shit. See also PORRADA (2); PRA CACETE // **ir pras picas** to stray; to disappear; to come to nothing; to end in smoke; to get lost (said of money, securities, valuables, goods, plans etc.).

picha / pixa (*f.*) See PAU

pichana (*f.*) See BOCETA

pichorra (*f.*) See PENICO // **mijar fora da pichorra 1.** to go beyond the limits of one's authority/attributions/prerogatives; to go out of bounds; to carry (something) too far. // **2.** See TRAIR; CORNEAR // **3.** See FAZER NAS COXAS

pichuleta (*f.*) See BIMBA

picirica / pissirica (*f.*) **1.** See FODA (1) // **2.** See PAU

piciroca (*f.*) See PAU

piço (*m.*) See FODA (1)

picolé / picolé quente (*m.*) the cock considered for fellatio; piccolo. See also PAU; SERINGA

picudo (*adj.*) See AJUMENTADO

pila (*f.*) See PAU

pilorda (*f.*) See BIZIU

pílula (*f.*) contraceptive pill; See also ANTICONCEPCIONAL

pimba (*f.*) See BIMBA

pimbinha (*f.*) See BIMBA

pimenta (*f.*) See SACANAGEM (1) (figuratively)

pinar (*v.t.*) See FODER (1)

pincel (*m.*) the relaxed penis; weener; weenie; weeney; weinie; wienie; wiener. See also BROXA; PAU // **molhar o pincel** See AFOGAR O GANSO

pincelada (*f.*) **1.** See FODA (1) // **2.** sexual intercourse without penetration, as performed by an impotent man; dry fuck; dry hump. See also BOLINA (1); BROXADA; BROXURA; SARRO (1)

pincelar (*v.i.*) to do the sex act without penetration (said of an impotent man); to dry fuck; to dry hump. See also BOLINAR; BROXAR; FODER (1); TIRAR UM SARRO

pingação (*f.*) See ESQUENTA-MENTO

pingadeira (*f.*) **1.** See CHICO // **2.** See ESQUENTAMENTO // **3.** runny nose. See also RANHO

pinga-fogo (*m.*) See ESQUENTAMENTO

pingo (*m.*) See RANHO

pingola (*f.*) See PAU

pingolada (*f.*) See FODA (1)

pingolar (*v.t.*) See FODER (1)

pingueira (*f.*) See ESQUENTA-MENTO

pinguelada (*f.*) See FODA (1)

pinguelo (*m.*) **1.** See PAU // **2.** See GRELO

pingulim (*m.*) See BIMBA (1)

pinica (*f.*) See RATUÍNA

pinica e cai (*f.*) See CARNIÇA; PUTA PODRE

pinico (*m.*) See PENICO

pino (*m.*) **1.** See PAU // (*Lus.*) **2.** See PUTEIRO

pinocada (*f. Lus.*) See FODA (1) // **dar uma pinocada** See FODER (1)

pinocar (*v.i. & v.t. Lus.*) See FODER (1)

pinoia (*f.*) **1.** See PUTA (1) // **2.** See TITICA (2) // **3.** See CHATEAÇÃO; CHATICE // Uma **pinoia**! See UMA OVA!

pinto (*m.*) See PAU // **matança do pinto** the initiation of menstruation; the first menstrual period of a woman. // **matar o pinto** to be menstruating for the first time.

pintosa (*f.*) See BICHA-LOUCA

pintoso/-sa (*adj.*) See ASSUMIDO; DESMUNHECADO; FECHATIVO

Pior que isso é ser mãe de ouriço! (*int.*) That's the way the elephant farts! That's the way the frogs fuck! That's the way the mothers muck! (said in resignation or commiseration) See also FODA (2); OSSOS DO OFÍCIO; SER MÃE DE OURIÇO; VIDA

pipi (*m.*) **1.** See BIMBA // **2.** See MIJO (mainly child use) // (*Lus.*) **3.** See MARICAS // **fazer pipi** See MIJAR (1) (mainly child use)

piranha / piranhuda (*f.*) See PUTA (1)

piranheiro (*m.*) **1.** See PUTA-NHEIRO // **2.** See CAFETÃO

pirete (*m.*) a lewd insulting gesture made by holding up the middlefinger with the others folded down, and meaning "fuck you" or "up yours"; the bird; the finger. See also BANANA (2); FIGA (2)

pirilau (*m. Lus.*) See BIMBA (1)

piriri (*m.*) See CAGANEIRA

piroca (*f.*) See PAU // **mais mole/ moleza que piroca de cocoroca** very easy/easily; effortlessly; like shit through a tin horn.

pirocada (*f.*) See FODA (1)

pirocar (*v.t.*) See FODER (1)

piroqueira (*f.*) See PUTA (1)

pirrola (*f.*) See BIMBA (1)

piru (*m.*) See PAU

pirua (*f.*) See PUTA (1)

pirulitar-se (*v.r.*) See ESCAFEDER-SE

pirulito (*m.*) See PAU; PICOLÉ

pisa-flores (*m.*) See MARICAS

pisar no sacramento (*v.*) See AVANÇAR O SINAL

pisa-verdes (*m.*) See MARICAS

piscante (*m.*) See CU (1)

pissa (*f.*) See PAU

pissada (*f.*) See FODA (1)

pissar (*v.i. & v.t.*) See FODER (1)

pistola (*f.*) See PAU

pistolada (*f.*) See FODA (1)

pistoleira (*f.*) See PUTA (1)

pito (*m.*) **1.** See PAU // **2.** See BOCETA // **estar de pito aceso** See ESTAR DE PAU DURO; ESTAR COM A PERIQUITA QUEIMADA // **sossegar o pito** to grow quiet; to calm down (after coitus); to relax; to become satiated/satisfied/ pleased sexually; not to get (one's) balls in anuproar.

pito aceso (*m.*) See TESÃO (1 & 2)

pitoca (*f.*) See BIMBA

pitomba (*f.*) See LÉSBICA

pituí / pituim (*m.*) See BODUM

pívia (*f. Lus.*) **1.** See PUNHETA // (*pr.*) **2.** See PICAS

pixa (*f.*) See PAU

pixana (*f.*) See BOCETA

pixota (*f.*) See BOCETA

pneu (*m.*) See CAMISINHA

pneu murcho (*m.*) See BROXA

Pô! / Poh! (*int.*) See PORRA (2)

pó de arroz (*m.*) See MARICAS

podólatra (*m. & f.*) foot fetishist; feetishist (see comment under PODOLATRIA); toe queen. See also TARADO

podolatria (*f.*) foot fetishism; podophilia; feetishism (word coined by the author). See also TARA

poia (*f. Lus.*) See MERDA (1); CAGALHÃO

polaca (*f.*) See PUTA (1)

polução (*f.*) See ESPORRADA

polução noturna (*f.*) wet dream; pollution; nocturnal emission.

pomba (*f.*) **1.** See BOCETA // **2.** See PAU

Pombas! (*int.*) See PORRA (2)

pombinha (*f.*) See BOCETA

pombo / pombo sem asa (*m.*) a turd which is wrapped up in paper and thrown out. See also CAGALHÃO

ponteiro (*m.*) See PAU

ponte que partiu (*f.*) See PUTA QUE (O) PARIU; PUTEAR (1)

ponto (*m.*) the place where prostitutes or hustlers look for customers. See also BICHÓDROMO; CAÇAÇÃO; PAQUERÓDROMO; PASSARELA; ZONA (1)

popa (*f.*) See BUNDA (1) // atracar de popa See DAR O CU

popó (*m.*) See BUNDA (1)

popoca (*f.*) See BOCETA

pôr a boca no mundo (*v.*) See BOTAR A BOCA NO TROMBONE (2)

pôr a escrita em dia (*v.*) to spend a night or a longer period in intimacy with a woman; to shack up; to spend several uninterrupted hours of sexual foreplay, intercourse, and variations on intercourse; to engage in sexual activity to the point of exhaustion; to catch up on one's sex life; to have sex at long last (said of a male). See also DAR UMA RAPIDINHA; DAR UMA SURRA DE PICA EM (ALGUÉM); ESTAR COM A ESCRITA ATRASADA; FAZER UM PROGRAMA; FODER (1); JAMBRAR; LEVAR (ALGUÉM) PRA CAMA; PULAR DO BONDE ANDANDO; SOSSEGAR O PITO

porcalhão/-lhona (*adj.* & *m.*/*f.*) filthy (person); lousy; crumb; slob. See also ENXOVALHADO (1); ESCROTO (3)

porcaria (*f.*) **1.** See FODA (1) // **2.** See SACANAGEM (1) // **3.** See PALAVRÃO // **4.** See MERDA (3) //

não ser pouca porcaria to establish one's worth; to make oneself felt; to assert one's rights; to count for much; to be an aggressive/self-assured person; to be (real) hot shit. // **ser pouca porcaria** to be valueless/worthless; not to be worth a shit.

porcariada (*f.*) See MERDALHADA

por fora (*adj.*) ignorant; misinformed; possessing/offering inaccurate information/advice; full of shit; full of crap; full of bull; half-assed. See also BUNDA-MOLE // **estar mais por fora que braço de afogado/joelho de escoteiro/umbigo de vedete** not to know (one's) ass from (one's) elbow

pôr na rua da amargura (*v.*) See ARRASTAR (ALGUÉM) PELA RUA DA AMARGURA

pôr (alguém) na vida (*v.*) to introduce/initiate (someone) to prostitution; to turn (someone) out. See also PROSTITUIR

pornô (*adj.*) See DE SACANAGEM under SACANAGEM

pornografia (*f.*) See SACANAGEM (1)

pornógrafo (*m.*)/**-fa** (*f.*) pornographer; muckracker. See also SACANAGEM

poronga (*f.*) See PAU

pôr o pau na mesa (*v.*) to assert power; to impose one's authority; to have unpolished vigor;

to behave roughly/angrily; to get on one's high horse; to kick ass and take names. See also BOTAR A BOCA NO TROMBONE (2); EMPUTECER-SE; FODÃO (2); NÃO SER POUCA PORCARIA; PARTIR PRA IGNORÂNCIA

pôr pra jambrar (*v.*) See FODER (1) (said of a male)

porra (*f.*) **1.** (**esperma** *m.* sperm; **sêmen** *m.* semen) come; cum; ball-bearing oil; cream; gism; goat's milk; hockey; hocky; hookey; hooky; Irish confetti; jism; jizz; jizzum; love juice; scum; spunk; white stuff. // (=de negro) soul sauce. // (=de oriental) rice pudding. // (=seca) crud. See also LACRIMEJO; MOLHO // (*int.*) **2.** See PUTA MERDA! (appreciatively); MERDA! (depreciatively) // **a porra de** See DE MERDA (1) // **da porra** See DO CARALHO // **Uma porra!** See UMA OVA!

porrada (*f.*) **1.** a cudgeling or clubbing; a punch; a belt; a sock; a clout; a cuff; a blow. See also BAIXARIA (2) // **2.** a large number or quantity; a slew; oodles (of something); a heap; a shithouse full; a shitload; a shitpot; a good shit/deal of (something). See also PICAS // **cair de porrada em (alguém) / encher (alguém) de porrada** See DAR UM CACETE EM (ALGUÉM)

porrado/-da (*adj.*) drunk; blue (2); screwed (2); shit-faced (see comment under PORRE)

porra-louca (*adj., m. & f.*) a foolish person; one who refuses to think or act seriously; a horse's ass; a screwball; a madcap; a nut. See also DESPIROCADO

porra-louquice (*f.*) foolishness; folly; rashness; craziness; nuttiness.

porra nenhuma (*f. & pr.*) See PICAS

porraz (*m.*) See PAU

porre (*m.*) a drinking spree; a drinking-bout; a blind; drunkenness (the vast number of bêbado and bebedeira synonyms does not imply taboo connotations; in fact, most of these words are included in the standard dictionaries). See also GANDAIA (1); SURUBA (1) // **um porre** See CHATICE; CHATO (2)

porreiro/-ra (*adj. Lus.*) See DO CARALHO

porreta (*adj.*) See DO CARALHO

porrete (*m.*) See PAU

porrilhão (*m.*) See PORRADA (2)

pôr-se em (alguém) (*v. Lus.*) See FODER (1)

pôr só a cabecinha (*v.*) See IR NAS BIMBAS

porta-malas (*m.*) See BUNDAÇA

porta-seios (*m.*) See SUTIÃ

posterior (*m.*) See BUNDA (1)

potranca (*f.*) See GOSTOSA BOCETA (*f.*) See BUNDA (1)

pra cacete / pra caralho (*adv.*) fucking (4); plenty; good and plenty; in great quantity; a dime a dozen; greatly; very; very much; very well; fucking well; like hell; like shit; as hell; as shit. See also PICAS; PUTAMENTE

pratilheira (*f. Lus.*) See ROÇADEIRA

prativai / pra ti vai (*m.*) See PAU

precheca / prexeca (*f.*) See BOCETA

precisão (*f.*) See NECESSIDADE

pregada (*f.*) See FODA (1)

pregas (*f.pl.*) See CU (1) // **perder as pregas** to perform passive anal intercourse for the first time; to become a queer. // **tomar nas pregas** See DAR O CU; FODER-SE

prego (*m.*) See PAU

pregueado (*m.*) See CU (1)

pregueira (*adj. & f.*) See BUNDEIRA

pregueiro (*adj. & m.*) See BUNDEIRO

prenha (*adj.*) See PRENHE

prenhe / prenha (*adj.*) knocked up; pregnant; preggy; enceinte; in a delicate/interesting condition. See also PARIDA

prenhez (*f.*) pregnancy; gestation; Irish toothache.

prepúcio (*m.*) See COURINHO

preservativo (*m.*) See CAMISINHA

prestação (*f.*) See CHICO // **pagar prestação** See ESTAR DE CHICO; MENSTRUAR

prevaricação (*f.*) See TRAIÇÃO

prevaricar (*v.i.*) See TRAIR; CORNEAR

preventivo (*m.*) See CAMISINHA

prexeca (*f.*) See BOCETA

priapismo (*m.*) a persistent/unfailing hard-on; an insatiable desire to have sexual intercourse; Irish toothache. See also GAVIONICE; SATIRÍASE; TESÃO-TEIMOSO

priapo (*m.*) See PAU

prisão de ventre (*f.*) constipation; costiveness. See also ENTUPIDO; NÓ NA(S) TRIPA(S)

privada (*f.*) **1.** (=recinto) shitter; biffy; can; crapper; doniker; donnicker; joe; john; lat; latrine; loo; privy; rest-room; toilet; water-closet. // **2.** (=vaso) shit-stool; shit-pan; commode; pan; pope; stool. See also MIJADOURO (1 & 2) // **jogar (algo) na privada** to waste/dissipate something foolishly; to squander; to piss (something) away.

procurada (*f.*) See BOCETA

procurar tatu (*v.*) See FODER (1)

programa (*m.*) casual sex; a casual sex act; a brief sexual encounter; a one-night stand; an assignation; a trick; an all-night trick. See also CASO (2); CHAVASCADA; COBERTOR DE ORELHA; MICHÊ; SUADOURO // **fazer um programa** See CHAVASCAR (2); FEMEAR (2)

programeira (*f.*) **1.** See PUTA (1) // **2.** See GALINHA (1)

promiscuidade (*f.*) See GALINHA-GEM

promíscuo/-cua (*adj. & m./f.*) See GALINHA (1 & 2)

pronta (*adj.*) See PRENHE

proposta indecorosa (*f.*) See CANTADA

prostíbulo (*m.*) See PUTEIRO

prostituição (*f.*) See VIDA

prostituir (*v.t.*) **1.** to make a whore of (a woman); to blemish; to debauch; to prostitute; to lead astray. See also DESBRAGAR; DESCABAÇAR; PÔR (ALGUÉM) NA VIDA; VIOLAR // **-se** (*v.r.*) **2.** See CAIR NA VIDA; DAR O MAU PASSO

prostituta (*f.*) See PUTA (1)

protetor (higiênico) (*m.*) See CAMISINHA

proxeneta (*m.*) **1.** See CAFETÃO // (*f.*) 2. See CAFETINA

proxenetismo (*m.*) See CAFE-TINAGEM

pua (*f.*) See PAU // **sentar a pua** See FODER (1) (said of a male)

púbis (*m. & f.*) See PENTE

pucela (*f.*) See CABAÇUDA

pucelo (*m.*) See CABAÇO (1)

pudendo/-da (*adj.*) See PUDICO // **partes pudendas** See PARTES

pudibunda (*adj. & f.*) a prudish woman; a young woman who is not a prostitute; old maid; nice Nellie; square broad. See also CABAÇUDA; GALINHA (1); HONESTA; RECATADA

pudibundo/-da (*adj.*) See PUDICO

pudicícia (*f.*) See PUDOR; RECATO

pudico/-ca (*adj.*) chaste; shy; prudish; old-maidish; nice Nellie; tight-ass; tight-assed. See also PURITANO; SACANA (4)

pudor (*m.*) chastity; pudency; shyness; shamefacedness. See also RECATO

puérpera (*f.*) See PARIDA

pular a cerca (*v.*) to have sexual relations extramaritally; to be sexually unfaithful to one's wife (said of married men). See also COMER FEIJÃO COM ARROZ; CORNEAR; CRIAR CORNO; TRAIR

pular/saltar do bonde andando (*v.*) to perform sexual intercourse involving withdrawal of the penis so that no semen is ejaculated into the vagina; to have coitus interruptus/reservatus (said of a male). See also CHAVASCAR (1); DAR UMA RAPIDINHA; FODER (1); PÔR A ESCRITA EM DIA

pum (*m.*) See PEIDO

punheta (*f.*) (**masturbação** *f.* masturbation) jerking off; jacking off; balling off; bashing the bishop; choking the chipmunk; coming (one's) mutton; cracking nuts; diddling; dishonorable discharge; dolloping the weener; fisting off; flogging the poodle; jerking the gherkin; knitting; manual labor; onanism; paddling the pickle; playing solitaire; pounding the pud; pud-pulling; pumping off; self-abuse; self-stimulation; snapping the twig; solitary pleasure; squeezing off; stropping (one's) beak; taking care of business; tossing off; wanking off; waving the wand; whacking off. // (=disfarçada/com a mão no bolso) pocket pool. // (=grupal) circle jerk. See also BOLINA (1); FRICAÇÃO; MÃOZINHA; SIRIRICA; SURUBA DE MÃO // **bater/tocar punheta** to jerk; to jerk off; to jack off; to ball off; to beat off; to beat the dummy; to beat the meat; to beat the tom-tom; to cuff (one's) meat; to diddle; to fist off; to flog the dummy; to flong (one's) dong; to fuck off; to get it off; to knit; to milk; to play with (oneself); to pound (one's) peenie; to pull; to pull off; to pull (one's) pud; to pump off; to screw off; to spank the monkey; to squeeze off; to stroke; to take care of business; to toss off; to wank; to wank off; to whack off. // **ficar na punheta** See FICAR NA MÃO

punhetar (*v.t.*) **1.** to stimulate a boy's or man's penis manually; to fudge; to fingerfuck; to jerk/jack/pull (someone) off. See

also BOLINAR; DAR UMA MÃOZINHA PRA (ALGUÉM) // **-se** (*v.r.*) **2.** See BATER PUNHETA

punheteira (*f.*) a prostitute who specializes in rubbing the male genitals. See also FRICATRIZ; PUTA (1)

punheteiro (*m.*) **1.** jerk; jerk-off; masturbator; wanker. See also FRICADOR // **/-ra** (*adj.*) **2.** masturbatory; jerkoff. // **fantasias punheteiras** jerkoff fantasies.

purgação (*f.*) See ESQUENTA-MENTO

puritanismo (*m.*) prudery; priggery; priggism. See also CU-DOCE; FRESCURA (2); PUDOR; RECATO

puritano/-na (*adj. & m./f.*) prude; prudish; nice Nellie; bluenose; old maid; prig; priggish; tight-ass; tight-assed. See also CU-DOCE (2); PUDIBUNDA; PUDICO; RECATADA; SACANA (4)

puta (*f.*) **1.** (**prostituta** *f.* prostitute) bitch; alley cat; ass peddler; bag; baggage; bat; bawd; bim; bird; bird of the game; blister; brass; bug; bunny; call-girl; chippie; chippy; coffee-grinder; cow; dog; done; doxy; drab; Dutch widow; fallen woman; fancy woman; fishmonger's daughter; flash woman; flatbacker; flesh-peddler; game hen; game pullet; gooh; harlot; hook; hooker; hustler; Jezebel; Kate; kelsey; lone dove; lone duck; mare; moose; mud-kicker; mutton; painted woman; partridge; party girl; pelican; pheasant; pickup; piece of trade; playmate; plover; pro; prossie; prossy; prostie; prosty; punk; pure; purest pure; quail; scarlet woman; Scotch warming pan; shank; shemale; shtup; sidewalk susie; slattern; slut; streetwalker; strumpet; tart; tommy; tramp; trull; wench; wet hen; whisker; whore; wolfess; working girl. // (=companheira de bandido/mulher de malandro) moll. // (=fanzoca/macaca) groupie; starfucker. // (=novata) sitter; pig-meat. // (=veterana) aunt; auntie. See also BARBIANA; CARNIÇA; COURO (1); DESCABAÇADA; ESPÉCIE; FALADA; GALINHA (1); GOSTOSA; HONESTA; MERETRÍCULA; MOSCA (1); NAVIO-ESCOLA; PEIXE FRESCO; PERDIDA; PUNHETEIRA; PUTA DE ALTO BORDO; PUTA PODRE; RATUÍNA; SUADEIRA; TOLERADA // (*adj.*) **2.** (=grande/tremendo) bitching; bigass; whacking (appreciatively); fucking (depreciatively). See also DE FODER; DO CARALHO // **filha/filho da puta** son of a bitch; son of a gun; son of a so-and-so; sonabitchu; sumbitch; baker; bastard; cuntface; cunthead;

dickhead; fuckhead; numbnuts; peckerhead; pig-fucker; pisshead; scumbag; shit-heel; so-and-so; whoreson. // **ir pra puta que (o) pariu** to disappear; to vanish; to leave; to depart; to die (said of an undesirable person/thing). // **mandar à/pra puta que (o) pariu** See PUTEAR (1) // **Puta, patrão e cachaça em qualquer canto se acha**. There are plenty of bitches, bosses, and boozes everywhere.

puta de alto bordo (*f.*) courtesan; courtezan. See also PUTA (1)

putal (*m.*) See ZONA (1)

putame (*m.*) See PUTARÉU

putamente (*adv.*) to a very great degree; to the max; as blazes; as hell; as shit. See also ATÉ O CU FAZER BICO; PRA CACETE

puta merda! (*int.*) Hell's bells! Hot damn! Holy shit! Holy fuck! Holy cow! Fuck a duck! (appreciatively); Shit! Hell! Dammit! What the fuck! What the deuce! The deuce take it! Fuck a duck! (depreciatively). See also under PUTEAR

putanheiro (*m.*) **1.** (=frequentador de puteiro) a regular frequenter of brothels; john; score; trick. // (=bruto) freak trick. // (=rico) champagne trick. See also CHUPA-GÁS; SEIXEIRO // **2.** (=mulherengo) whoremonger; ass man; big ass man; cocksman;

jelly-roll; make-out artist; mutton-monger; philanderer; stud; tomcat; wallie; wally; whore-hopper; whoremaster; wolf; woman chaser. See also CABACEIRO; GAVIONICE; GOSTOSÃO (1); PAQUERADOR // **3.** (=devasso) See SACANA (1)

puta podre (*f.*) a prostitute who has or is suspected of having a venereal disease; a V-girl. See also CARNIÇA; PUTA (1)

puta que (o) pariu (*f.*) **1.** See CU DO MUNDO // (*int.*) **2.** See PUTA MERDA! // **ir pra puta que (o) pariu** See under PUTA // **mandar à/pra puta que (o) pariu** See PUTEAR (1) (abbr. PQP)

puta rampeira (*f.*) a cheap/low prostitute. See also RATUÍNA

puta respeitosa (*f.*) See PUTA DE ALTO BORDO

putaréu (*m.*) several prostitutes, serving under one madam or pimp; stable; a gathering of whores. See also MULHERIO; PUTEIRO

putaria (*f.*) **1.** See SACANAGEM (1) // **2.** See GANDAIA; SURUBA // **casa de putaria** See PUTEIRO

puta velha (*f.*) **1**. See COURO (1) // **2.** an expert (of either sex); a hard-boiled person; a cunning person. See also PEIXE-FRESCO

puteação (*f.*) rude language; a-buse; verbal abuse; assbite; dressing down; rough stuff; tongue-lashing; French; name-calling; names; scurrility. See also BAIXARIA (1); BATE-BOCA; COBRAS E LAGARTOS; ESCROTIDÃO; ESPOR-RO; PALAVRÃO

puteador/-ra (*adj.* & *m./f.*) See BOCA-SUJA; DESBOCADO

putear (*v.t.*) **1.** to abuse (some-one) by cursing; to cuss; to call names; to dress down; to eff and blind; to gross out; to rough up; to chew out; to chew (someone's) ass out; to cut (someone) a new asshole; to kick (someone's) ass; to ream (someone) out; to ream (some-one's) ass out; to shit on (some-one); to send (someone) to the devil; to tell (someone) where to go; to tell (someone) to go to hell/the devil (see below). See also BATER BOCA; CAGAR PELA BOCA; DAR (UMA) BANANA PRA (ALGUÉM); DAR UMA CHUPADA EM (ALGUÉM) (2); GOSMAR (3); PARTIR PRA IGNORÂNCIA // (*v.i.*) **2.** See FEMEAR (2) // Exclama-tions of astonishment: **Cacete! Cacilda! Caralho! Caramba! Pombas! Porra! Pô! Puta merda! Puta que (o) pariu! Putisgrila! Putz! Puxa! Puxa vida!** Fuck a duck! Hell's bells! Holy cats! Holy cow! Holy fuck! Holy shit! Hot damn! Hot shit! Well I never! Well now! // Exclamations of anger/annoyance: **Ai meu saco!**

Bolas! Cacete! Cacilda! Caralho! Chiça! Com a breca! Com os diabos! Diabo(s)! Diacho! Droga! Merda! Ora bolas! Pô! Pombas! Porra! Puta merda! Puta que (o) pariu! Putz! Que diabo! Raio(s)! Saco! Aw nuts! Balls! Dash it all! Deuce take it! Devil! Dickens! Doggone! Fuck! Fuck a duck! Hell! Hell's bells! Horse shit! Nerts! Nertz! Nuts! Oh fudge! Shit! The deuce/devil/ dickens! What the deuce/devil/ dickens/hell! What the fuck! // Exclamations of contempt/dis-belief/opposition: **Aqui, ó! Bela merda! Bela porcaria! Enfia no cu! Grande coisa! Grande merda! Meta/Mete na bunda! Nem fodendo! No seu/teu cu! O cacete! O caralho! Uma ova! Uma pinóia! Uma porra!** Big shit! Blow it out (your asshole)! Cram it! Fuck a duck! Horse shit! In a/the pig's ass! In a/the pig's eye! In your hat! Kiss my ass! Like hell! Like shit! My ass! Ram it! Shit in your hat! Shove/Stick it! Shove/Stick it up your ass/rinctum! Up thine with turpentine! Up your ass/brown! Up your ass with sandpaper! Up yours! You know what you can do with it! // Exclamations of dismay/disinterest: **À merda! Às favas! Dane-se! Estou cagando (e andando) pra...! Foda-se! Pros**

diabos! **Que se dane! Que se foda!** Dammit! Doggonit! Fuck a duck! Fuck it! Fuck the Army! I don't give a flying fuck about...! Screw it! Tough shit! // Exclamations of indignation/determination: **Caralhos me fodam se...! Carrascos me currem se...! Estrupícios me estuprem se...! Macacos me mordam se...! Raios me partam se...! Quero ser um mico de circo se...!** I'll be damned/ danged/darned/jiggered/ hanged/hornswoggled/ switched/a monkey's uncle if...! I'll be dipped in shit if...! I'll be fucked if...! // Insulting epithets: **Seu bastardo! Seu puto! Sua puta! Seu viado do caralho! Seu/Sua fedepê! Seu/Sua filho/ filha da mãe! Seu/Sua filho/filha da puta! Seu filho duma égua! É a mãe!** You baker! You bastard! You bitch! You motherfucker! You son of a bitch! Your old lady's one! // Expressions of anger at/contempt for/rejection of (a person): **Dane-se! Desinfeta! Foda-se! Pau no seu/teu cu! Sai fora! Vá à merda! Vá amolar o boi/bugiar/catar cavaco/enxugar gelo/lamber sabão/pastar/ pentear macacos/plantar batata/plantar fava/pro diabo que o carregue/pro inferno/pros quintos dos infernos/se catar/se da-**

nar/tomar banho/ver se eu estou na esquina! Vai dar/encher o cu de rola/pra ponte que partiu/pra puta que te pariu/te catar/te foder/tomar no cu! Vá pra pata que o pôs/pra puta que o pariu/se foder/tomar no seu cu/tomar suco de caju! Catch/Get the hell! Damn you! Fork you! Fubis! Fuck a duck! Fuck off! Fuck you! Get screwed! Go and bait yourself! Go and eat cake! Go chase yourself! Go fly a kite! Go fuck/impale yourself! Go jump in the lake! Go piss up a rope! Go pound salt up your ass!Go take a flying fuck at a rolling doughnut! Go take a flying fuck at a rubber duck! Go to blazes/hell! Go to the deuce/devil/dickens! Kiss my ass! Nuts to you! Screw you! Shit in your hat! The devil with you! To hell with you! Up your ass/brown! Up your ass with sandpaper! Up yours! // Expressions of incitement/command: **Bota pra foder! Ferro na boneca! Larga brasa! Manda brasa! Ou caga ou desocupa a moita! Ou dá ou desce! Ou fode ou sai de cima! Pau na máquina! Pé na tábua! Senta a pua! Vai fundo!** Get the lead out of your ass/pants! Shit or get off the pot!

putedo (*m.*) **1.** See PUTEIRO // **2.** See PUTARÉU

puteiro (*m.*) (**bordel** *m.* brothel) whorehouse; barrelhouse; bawdyhouse; bed house; call-house; call-joint; canhouse; cathouse; chippie-joint; crib; doss; dosshouse; flash house; fleshpot; gaff; hookshop; jag house; joy house; juke; juke house; massage parlor; nautch-joint; notchery; notch-house; nunnery; parlor house; rap club; rap parlor; rap studio; rib joint; snake ranch; sporting house; stews. // (=barato) hookshop. / / (=de bichas) jag house; molly house; peg house. See also BURACO (2); CASA DE MASSAGEM; CASA DE TOLERÂNCIA; INFER-NINHO; PUTARÉU; ZONA (1)

puto (*m.*) **1.** See MICHÊ (1) // **2.** See CATAMITA // **-ta** (*adj.*) **3.** See EMPUTECIDO // **um puto** a minor coin; a penny; small change; chicken-feed; pin-money. // **estar sem um puto / não ter um puto** to be penniless; to be broke; to be on (one's) ass; to have shit-all money.

puto/-ta da vida (*adj.*) See EM-PUTECIDO (abbr. PDV)

Puxa! / Puxa vida! (*int.*) See PUTA MERDA!

puxar o saco (de) (*v.*) (=bajular) to suck (2); to suck ass; to suck off; to brown-nose; to eat shit; to piss down (someone's) back. See also ARRASTAR O CU NA AREIA

puxa-saco (*m. & f.*) servile flatterer; one who obsequiously curries favor, as from his superiors; ass-kisser; ass-sucker; brown-noser; cocksucker; kiss-ass person; suck-off; tokus licker. See also CABUNGUEIRO

puxa-saquismo (*m.*) flattery, especially to curry favor; kiss ass; ass-kissing; brown-nosing. See also VASELINA

puxa-saquista (*adj.*) obsequiously flattering; kiss-ass.

puxavante (*m.*) See AMIGADA

Puxa vida! (*int.*) See PUTA MERDA!

puxeira (*f.*) See PINGADEIRA (3)

puxo (*m.*) **1.** (**tenesmo** *m.* tenesmus) painful/ineffective straining at stool. See also CAGADA (1) // **2.** labor pain(s); contraction(s) of the womb during the process of childbirth.

quadrilátero do pecado (*m.*) See ZONA (1)

qualira (*m.*) See BICHA; CATAMITA

qualiragem (*f.*) See BICHICE

quartau (*m.*) See GOSTOSA

quartos (*m.pl.*) See BUNDA (1) // **cair com os quartos** See DAR O CU // **dar com os quartos de lado** See TIRAR O CU DA RETA

quartudo/-da (*adj.*) See BUNDUDO

quebra-louça (*m.*) **1.** See FECHAÇÃO // **2.** sexual relations between two homosexuals who have the same tastes and proclivities; a sister act. See also BICHA; VIAGEM

quebrar a louça (*v.*) **1.** See FECHAR; DESMUNHECAR // **2.** to have sexual intercourse with another gay (said of a homosexual). See also BICHA; VIAJAR

quebrar o cabaço (de) (*v.*) See DESCABAÇAR

quebrar o cabresto (de) (*v.*) to deprive a boy of his virginity; to initiate (a man) in sex; to pop (his) cherry. See also PERDER O CABAÇO

queijo (*m.*) **1.** See PORRA (1) // **2.** See SEBINHO // **atirar pros queijos** See DAR O CU // **dar beijo no queijo** to perform fellatio on an uncircumcised penis; to cure the blind.

queijudo (*adj. & m.*) 1. See TESUDO (1) // 2. See SEBENTO

queimar a periquita (*v.*) See FODER (1)

queimar (a) rodinha/rosca (*v.*) See DAR O CU

quenga (*f.*) See PUTA (1)
quengada (*f.*) See PUTARÉU
quenguista (*m.*) See PUTANHEIRO
Que se dane! (*int.*) See FODA-SE!
(1)
Que se foda! (*int.*) See FODA-SE! (1)
quiabo (*m.*) See PAU
quibas (*m.pl.*) See COLHÃO (1)
quinto(s) dos infernos (*m.; m.pl.*)
See CU DO MUNDO // **ir pro(s)**
quinto(s) dos infernos See IR PRA

PUTA QUE (O) PARIU // **mandar**
pro(s) quinto(s) dos infernos See
PUTEAR (1)
quiosque (*m. Lus.*) **1.** See BUNDA
(1) // **2.** See CU (1)
quirica (*f.*) See BOCETA
quiromania (*f.*) See PUNHETA
quiromaníaco (*m.*) See PUNHE-
TEIRO (1)
quito (*m. Lus.*) See COLHÃO (1) //
bute aos quitos See PÉ NO SACO

rabada (*f.*) See BUNDA (1)

rabalegre (*f.*) See GALINHA (1)

rabeira (*f.*) See BUNDEIRA

rabeta (*m. Lus.*) See BICHA

rabicho (*m.*) **1.** crush; infatuation; passion; seduction; love; lovesickness. // (*Lus.*) **2.** See BICHA

rabiosca (*f. Lus.*) See BUNDA (1)

rabiosque / **rabioste** / **rabiote** (*m.*) See BUNDA (1)

rabistel (*m. Lus.*) See BUNDA (1) (mainly child use)

rabo (*m.*) **1.** See CU (1) // **2.** See BUNDA (1) // **bater/dar com o rabo na cerca** See DAR O PEIDOMESTRE // **chute no rabo** See PÉ NA BUNDA // **dar o rabo** See DAR O CU // **estar com fogo no rabo** See ESTAR COM A PERIQUITA QUEIMADA // **fogo no rabo** See TESÃO (2); FUROR UTERINO; GAVIONICE // **levar/tomar no rabo** See DAR O CU; TOMAR NO CU // **socar no rabo** See ENRABAR (1) // **ter o rabo preso (com alguém)** See ESTAR DE RABO PRESO // **ter (alguém) preso pelo rabo** to have (someone) by the balls; to have (someone) by the tail. // **Xexéu e vira-bosta, cada qual do rabo gosta**. Like with like. Birds of a feather flock together. Every ass likes to hear himself bray.

rabo aceso (*m.*) See TESÃO (1 & 2)

rabo de foguete (*m.*) a job, task, activity, or goal that is extremely difficult to accomplish; ball-breaker; ball-buster; ball-wracker; deep shit; pisser; a hard nut to crack. See also FODA

(2); OSSOS DO OFÍCIO // **pegar/ segurar em rabo de foguete** to embark on a risky enterprise; to run the risk; to ask for trouble; to make a rod for one's own back; to put (one's) ass on the line.

rabo de saia (*m.*) See CALCINHA (2)

rabudo/-da (*adj.*) See BUNDUDO

racha (*f.*) **1.** See BOCETA; ENTRE- PERNA // **2.** a heterosexual woman; fish (lesbian/gay use). See also BOFE (4)

racha-bicheira (*f.*) See BOCETA- MAQUIADA

rachada (*f.*) See RACHA (2)

raimunda (*f.*) an unattractive/ ugly woman who has attract- ive/large buttocks (from the rhyming slang "ruim de cara e boa de bunda"). See also BUCHO (3); BUNDAÇA; BUNDUDO

raiz (*f.*) See PAU

rala-rala (*m.*) See ROÇADINHO (1) // **fazer rala-rala** See FAZER ROÇADINHO

rameira (*f.*) See PUTA (1)

ramiasco (*m. Lus.*) See BICHA

ranço (*m. Lus.*) See TESÃO (1)

randevu / rendez-vous (*m.*) See CASA DE TOLERÂNCIA

ranho (*m.*) (**muco** *m.* mucus) snot; snivel; nasal mucus. See also FRANGO (2); MELECA; PIN- GADEIRA (3)

ranhoso/-sa (*adj.*) snotty; sniv-e- ling.

rapariga (*f.*) **1.** See PUTA (1) // **2.** See AMIGADA

raparigueiro (*m.*) See PUTA- NHEIRO

rapidinha (*f.*) a short/fast act of sexual intercourse; a bunny fuck; a funch; a quickie; a quick bang. See also CHAVASCADA (1); FODA (1) // **dar uma rapidinha** to bunny-fuck; to wham-ba*m.*

rapioca (*f.*) **1.** See SACANAGEM (1); GANDAIA; SURUBA // **2.** See ZONA (1)

rascoa (*f.*) See PUTA (1)

rasteira (*f.*) See COMADRE

rastejar com mochila (*v.*) See DAR O CU

rata (*f.*) **1.** See PARIDEIRA (2) // **2.** See CAGADA (2) // (*Lus.*) **3.** See BOCETA

rateira (*f. Lus.*) See PUTA (1)

ratuína (*f.*) a cheap prostitute; beast; beastie; beasty; B-girl; broad; bum; hedge whore; quiff; scupper; V-girl; weed monkey. See also GALINHA (1); MOSCA (1); PUTA (1); PUTA RAM- PEIRA

rebaixolice (*f. Lus.*) See SACA- NAGEM

reboque (*m.*) See PUTA (1)

rebosteio (*m.*) See REBUCETEIO

rebu (*m.*) See REBUCETEIO

rebuceteio (*m.*) brawl; commo- tion; uproar; hurly-burly; hurry-scurry; mess; ruckus; rumpus; helter-skelter; shit hits the fan; snafu. See also BATE-BOCA; CAGADA (2); CU DE MÃE JOANA; MERDA NO VENTILADOR; MIXÓRDIA; ZONA (2)

rebuliço (*m.*) See REBUCETEIO

recatada (*adj. & f.*) a woman who protects her virginity; a woman who saves her sexual favors, as for her husband; a tight-assed woman; a square broad. See also CABAÇUDA; GALINHA (1); HONESTA; PUDIBUNDA

recatar-se (*v.r.*) to protect/save one's virginity/chastity; to save one's sexual favors, as for another (said of a girl/woman); to save it. See also CAIR NA VIDA; COMER FEIJÃO COM ARROZ; DAR; DAR O MAU PASSO; DESCOMPOR-SE (3); IR LEVAR (O CABAÇO) PRA SÃO PEDRO; PERDER O CABAÇO

recato (*m.*) pudency; chastity; shyness; prudery (referring to the woman). See also CABACISMO; PUDOR; PURITANISMO

recurso (*m.*) See CASA DE TOLERÂNCIA

redondo (*m.*) See CU (1)

refrigerado (*m.*) See BICHA

regada (*f.*) See REGO

região glútea (*f.*) See BUNDA (1)

rego (*m.*) **1.** ass crack; crack; the crack between the ass-cheeks. See also BUNDA (1); CU (1) // **2.** hollow between a woman's breasts; cleavage. See also PEITOS

regras (*f.pl.*) See CHICO

regueira (*f.*) See REGO

regurgitar (*v.t.*) See VOMITAR

remelexo (*m.*) an obscene or lascivious dance; cement-mixer; circus; cooch; hoochie-coochie; hoochy-coochy; hootchie-cootchie. See also SAÇARICO (1)

resguardar-se (*v.r.*) See RECATAR-SE

resguardo (*m.*) **1.** See RECATO // **2.** aftercare. See also PARIDA

respeitosa (*f.*) See PUTA DE ALTO BORDO

reta (*f.*) See PAU // **tirar o cu da reta** to evade an unpleasant task; to avoid shamefully one's duty or work; to cover (one's) ass; to shirk; to side-step; to dodge.

retado/-da (*adj.*) **1.** See TESUDO (1) // **2.** See DO CARALHO

retar (*v.t.*) See ENTESAR

reto (*m.*) See CU (1)

retreta / retrete (*f.*) See PRIVADA (1)

ripa (*f.*) See PAU

ripada (*f.*) See FODA (1)

robalo (*m.*) See PAU

roça (*f. Lus.*) See ENRABAÇÃO

roçadeira (*f.*) a lesbian who engages in tribadism; daddler. See also LÉSBICA roçadinho (*m.*) **1.** (**tribadismo** *m.* tribadism) rubbing; rub-off; belly-fucking; frottage; bumper to bumper. See also FANCHONICE (1); SIRIRICA // **2.** See BOLINA (1); SARRO // **fazer roçadinho** to daddle; to frig; to rub; to belly-fuck; to engage in tribadism (said of women).

roçado (*m.*) See ROÇADINHO

roçona (*f.*) See ROÇADEIRA

rodar a baiana (*v.*) See FECHAR; DESMUNHECAR

rodar/girar (a) bolsinha (*v.*) See BATER CALÇADA; FAZER A VIDA

rodinha (*f.*) See CU (1) // **queimar a rodinha** See DAR O CU

roedeira (*f.*) See DOR DE CORNO

roer beira de penico (*v.*) to suffer great hardships; to have some hard knocks; to lead a dog's life; to be on (one's) ass; to get/have (one's) ass in a sling; not to have a pot to piss in. See also ESTAR NA MERDA; SER MÃE DE OURIÇO

rói-couro (*m.*) See ZONA (1)

rola (*f.*) See PAU // **ninho de rola** See BOCETA

rolo (*m.*) See REBUCETEIO

roncolho (*m.*) **1.** a badly castrated man or animal (literally); an impotent man (figuratively & depreciatively). See also BROXA; CAPADO // (*adj.*) **2.** having only one testicle. See also BOIOTA

rongó (*f.*) See PUTA (1)

rosa (*f.*) See CU (1)

rosca / rosquinha (*f.*) See CU (1) // **estar com a rosca ruim** to be afflicted with piles. // **queimar a rosca** See DAR O CU

rosca ruim (*f.*) See CASEIRA (5)

rosetar (*v.i.*) See FEMEAR

roseteiro (*adj.&m.*) See PUTANHEIRO

roto (*m. Lus.*) See BICHA

roupa de baixo (*f.*) See TRAJES MENORES

rua da amargura (*f.*) See ZONA (1) // **arrastar pela rua da amargura / pôr na rua da amargura** to blacken the character of (someone); to malign; to defame; to blemish; to besmirch; to do anything to injure or denigrate another; to piss on (someone); to prostitute; to lead astray; to make a whore of (a woman).

rua da palma, número cinco/nº 5 (*f.*) See PUNHETA

rufianismo (*m.*) See GIGOLOTAGEM

rufião (*m.*) **1.** (=brigão/briguento por mulher) bully; hard-ass; hoodlum; chooligan; ruffian. See also BARRA-PESADA (2) // **2.** (=parasita de mulher/puta) ponce; wallie; wally. See also CAFETÃO; GIGOLÔ

rufiar (*v.i.*) to be supported by a woman/prostitute (said of a man); to live on the gains of his wife/mistress; to ponce. See also FEMEAR (2)

sabão (*m.*) **1.** See BOLINA (1); SARRO // **2.** See ROÇADINHO // **3.** See ESPORRO; PUTEAÇÃO // **fazer sabão 1.** See BOLINAR // **2.** See FAZER ROÇADINHO // PASSAR UM SABÃO EM (ALGUÉM) See DAR UMA CHUPADA EM (ALGUÉM); PUTEAR (1) // **mandar lamber sabão** See PUTEAR (1)

saboeira (*adj. & f.*) See ROÇADEIRA

sabugo (*m.*) See PAU

sacal (*adj.*) See CHATO (3)

sacana (*m. & f.*) **1.** (=devasso) lecher; alter cocker; alter kocker; ass man; big ass man; cocksman; debauchee; dirty old man; goat; hot-pants; hot stuff; jelly-roll; mink; old goat; rake; rakehell; wanton; whoremonger. See also PUTANHEIRO; TARADO // **2.** (=pederasta) See CATAMITA; SODOMITA // **3.** (=masturbador) See PUNHETEIRO // (*adj.*) **4.** lecherous; assy; bawdy; blue; cockish; depraved; dirty; filthy; gross; horny; hot; hot stuff; lascivious; lewd; libertine; libidinous; licentious; lovelace; lubricious; lubricous; lustful; nasty; obscene; off-color; porn; porny; rakehell; rakish; raunchy; rough; scurrilous; shitty; smutty; spicy; twisted; wanton; warm in the tail; whorish. See also CHULO; DESBRAGADO; GAITEIRO; PURITANO; TARADO (2); TESUDO (1) // **5.** (=malicioso/malévolo) mean; evil; spiteful; wily. See also ESCROTO (2); FILHA DA PUTA; SAFARDANA

sacanagem (*f.*) **1.** (**concupiscência** *f.* concupiscence; **depravação** *f.* depravity; **lascívia** *f.* lasciviousness; **libertinagem** *f.* libertinism; **libidinagem** *f.* libidinousness; **licenciosidade** *f.* licentiousness; **lubricidade** *f.* lubricity; **pornografia** *f.* pornography) lechery; lecherousness; bawdiness; debauch; debauchery; dirt; dissipation; dissoluteness; filth; lewdness; lust; nastiness; rakishness; raunch; rough stuff; scurrility; smut; smuttiness; voluptuousness; wantonness; whoredom. See also CHAMEGO (1); CONFIANÇA; FODA (1); GALINHAGEM; TARA // **2.** (=mau caráter/patifaria) rascality; knavery; double-cross; low blow; dirty trick; dirty work. See also ESCROTIDÃO; FERRADA; FUTUCAÇÃO (2) // **de sacanagem** (=pornográfico) X-rated; hardcore; softcore; tits-and-ass. // **filme de sacanagem** blue flick; blue/dirty movie; fuck film; nudie; flesh flick; skin flick; stag film. // **foto de sacanagem** beaver shot; beefcake; cheesecake; fruitcake; French postcard; tit art; tits-and-ass photo. // **literatura/leitura de sacanagem** JO literature; JO reading; written pornography; rough stuff. // **revista/revistinha de sacanagem** skin mag; cheese-cake mag; nudie; Tijuana Bible; JO rag. // **Sem sacanagem!** No kidding! On the level! No shit! // **Sem sacanagem?** No kidding? Honest? No shit?

sacanear (*v.i.*) **1.** See BATER PUNHETA // (*v.t.*) **2.** See PUNHETAR // **3.** To take advantage of (someone); to treat (someone) unfairly; to deceive; to double-cross; to fuck; to trick. See also CAGAR EM (ALGUÉM); FODER (2); FUTUCAR (2)

saçaricar / sassaricar (*v.i.*) **1.** to move the body in a wanton manner while walking or dancing (literally); to engage in sexual intercourse (figuratively). See also MENGAR; FODER (1) // **2.** See GALINHAR; GANDAIAR; VADIAR

saçarico / sassarico (*m.*) **1.** a wiggling/swaying movement of the body/hips; sexual intercourse. See also REMELEXO; FODA (1) // **2.** A companion; a partner; a playfellow; a playmate. See also COBERTOR DE ORELHA // **3.** See GALINHAGEM; GANDAIA; VADIAGEM

saco (*m.*) **1.** (**escroto** *m.* scrotum) basket; bag; sac; future. See also COLHÃO (1) // **2.** annoyance; a cause of annoyance; something which annoys. See also CHATICE // **3.** patience; tolerance. // (*int.*) **4.** Oh fudge! See also BOLAS!; MERDA!; See also under PUTEAR // **chacoalhar o saco** See FODER (1) // **coçar o saco** to be lazy; to stand around lazily instead of working; to bum; to fuck off; to screw around. // **dar no saco (de) / encher o saco (de)** See CHATEAR (1) // **estar/ficar de saco cheio** See CHATEAR-SE // **não ter saco (para)** to have no patience (for/to); not to be able to stomach (something/someone). // **puxar o saco (de)** to flatter; to suck; to suck ass; to suck off; to brown-nose; to eat shit; to piss down (someone's) back. // **ser um pé no saco** to be a pain in the ass/neck. // **ter (o) saco roxo** to be fearless/tough (said of a man); to be ballsy. // **torrar o saco (de)** See CHATEAR (1)

saco roxo (*m.*) See MACHEZA

sadomasoca (*m.&f.*) a sadomasochist; sadie-maisie (2); rough trade; top; bottom. See also BARRA-PESADA (2); COUREIRO; TARADO

sadomasoquismo (*m.*) sadie-maisie (1); S and M; sadomasochism; English culture. See also TARA

safadagem (*f.*) See SACANAGEM

safadeza (*f.*) See SACANAGEM (2)

safadismo (*m.*) See SACANAGEM

safado/-da (*adj. & m./f.*) See SACANA (1, 4 & 5)

safardana (*m. & f.*) rascal; scoundrel; badass; birdturd; motherfucker; son of a bitch. See also ESCROTO (3); SACANA (5)

safar-se (*v.r.*) See ESCAFEDER-SE

sáfico/-ca (*adj.*) See LÉSBICO

safismo (*m.*) See FANCHONICE (1)

saído/-da (*adj.*) See CONFIADO; GAITEIRO; GALINHA (2); SACANA (4)

sair (com) (*v.t.*) See FODER (1)

salão, de (*adj.*) See DE SALÃO

saliência (*f.*) **1.** See TESÃO (2) // **2.** See FODA (1) // fazer saliência See FODER (1)

saliente (*adj.*) See SAÍDO

saliromania (*f.*) a sexual practice/preference which involves filth and unsanitary tastes; a sexually filthy state or act. See also COPROFAGIA; COPROFILIA; UROLAGNIA; TARA

Salomão tá vendendo botão sem selo! (*int.*) See DIA DE PAGAMENTO

salta-pocinhas (*m.*) See MARICAS

saltar/pular do trem em movimento (*v.*) See PULAR DO BONDE ANDANDO

sandalinha (*f.*) See LÉSBICA

sanduíche (de linguiça) (*m.*) sexual intercourse in which two males fuck one woman simultaneously; cluster fuck; threesome. See also BAIÃO DE TRÊS; COLUNA DO MEIO; CURRA; FODA (1); SURUBA (2);

sanita (*f. Lus.*) See PRIVADA (2)
sanitário (*m.*) See PRIVADA (1)
santa causa (*f.*) See BICHICE (2)
são-cornélio (*m.*) See TRAIÇÃO // **confraria/irmandade de são cornélio** figuratively, a brotherhood of men who are cheated on by their wives/mistresses. // **entrar pra irmandade de são cornélio** See CRIAR CORNO; VIRAR CORNO; LEVAR CHIFRE // **irmão de são cornélio** See CORNO
São os ossos do ofício! (*int.*) See PIOR QUE ISSO É SER MÃE DE OURIÇO!
saparrão (*m. Lus.*) See BICHA
sapata (*f.*) See LÉSBICA
sapatão (*m.*) See LÉSBICA
sapataria (*f.*) See FANCHONICE (1)
sapateado (*m.*) See FANCHONICE (1)
sapatilha (*f.*) See LÉSBICA
sapatona (*f.*) See LÉSBICA
sapeca (*adj.*) **1.** See GALINHA (2); SACANA (4) // (*f.*) **2.** See GALINHA (1)
sapequice (*f.*) See GALINHAGEM
sarâmbia (*f. Lus.*) See PUNHETA
sarda (*f. Lus.*) See PAU
sardão (*m. Lus.*) See PAU
sarrafada (*f.*) See FODA (1)
sarrafar (*v.t.*) See FODER (1)
sarrafo (*m.*) See PAU
sarrar / sarrear (*v.i. & v.t.*) See BOLINAR; TIRAR UM SARRO
sarrista (*adj.*) See SACANA (4)

sarro (*m.*) **1.** sexual intercourse without penetration/without removing the clothes; belly-fucking; body rubbing; colle-giate fucking; dry fuck; dry hump; foreplay; frottage; Oxford style; Princeton rub. See also BOLINA (1); ENCOXADA; FODA (1); PINCELADA (2); ROÇADINHO; SURUBA LEVIANA // **2.** necking; petting; petting party; grab-ass; grabarse; a period/session of necking/petting, usually by one couple. See also CHAMEGO (2) // **tirar um sarro** to go through the motions of sexual intercourse without penetration, usually without removing the clothes; to play amorously; to play grab-ass; to belly-fuck; to dry fuck; to dry hump; to neck; to pet.
sassaricar (*v.i.*) See SAÇARICAR
sassarico (*m.*) See SAÇARICO
satiríase (*f.*) chronic hyperexcitability of the penis; the male equivalent of nymphomania; satyriasis. See also FUROR UTERINO; GAVIONICE; PRIAPISMO; TARA; TESÃO-TEIMOSO
satirismo (*m.*) See SATIRÍASE
sebastiana (*f. Lus.*) See PUNHETA // **fazer uma sebastiana** See BATER (UMA) PUNHETA
sebento/-ta (*adj.*) covered with smegma; cheesy; cheesey (said of a penis). See also CHULEPENTO

sebinho (*m.*) (**esmegma** *m.* smegma) cock cheese; dick cheese; head cheese; man cheese.

seca-gás (*m.*) See CHUPA-GÁS

secar o mucumbu (*v.*) See APAGAR O PAVIO (3); DAR O PEIDO MESTRE

seco (*adj.*) See ATRASADO; TESUDO (1)

secura (*f.*) See ATRASO; TESÃO (2)

sedém / sedenho (*m.*) See BUNDA (1)

sedução (*f.*) **1.** See CANTADA // **2.** See CHAMEGO (1)

sedutor/-ra (*adj. & m./f.*) **1.** See PAQUERADOR; GALINHA (1); GARANHONA / **2.** See CHAMEGOSO

seduzir (*v.t.*) **1.** See CANTAR; ENRABICHAR // **2.** See ENTESAR; DESCABAÇAR

se foder (*v.r.*) See FODER-SE // **Vá se foder! / Vai te foder!** See FODA-SE! (2)

segóvia (*f. Lus.*) See PUNHETA

seio (*m.*) See PEITOS

seixeiro (*m.*) a prostitute's customer who welshes on her; one who patronizes prostitutes but does not pay them; a welsher. See also BOCA DE SOLA; CHUPA-GÁS; PUTANHEIRO (1); SUADEIRA

seixo (*m.*) nonpayment of a trick debt; an instance of welshing on a prostitute; a welsh. See also MICHÊ (2) // **passar (o) seixo** to fail to pay a trick debt;

to welsh on a prostitute; to evade payment of any sexual service.

selada (*adj.*) See CABAÇUDA

selo (de garantia) (*m.*) See CABAÇO (1) // **abrir o selo (de)** See DESCABAÇAR // **Salomão tá vendendo botão sem selo!** See DIA DE PAGAMENTO

sem camisinha (*adj. & adv.*) See DESCAMISADO; DESPREVENIDO

sêmen (*m.*) See PORRA (1)

sem lenço e sem documento(s) (*adj.*) See FODIDO E MAL PAGO

Sem sacanagem! (*int.*) No kidding! On the level! No shit! // **Sem sacanagem?** No kidding? Honest? No shit?

sem vaselina (*adv.*) figuratively, being treated or treating (someone) abruptly/awkwardly/bluntly/clumsily/roughly; forthright; up (one's/someone's) ass. See also COM AREIA; COM VASELINA; CURTO E GROSSO

sensual (*adj.*) See CHAMEGOSO (1)

sensualidade (*f.*) See CHAMEGO (1)

sentante (*m.*) See BUNDA(1)

sentar (*v.i.*) See DAR O CU

sentar a bunda (*v.*) to sit down in order to pass the time idly; to sit and relax; to squat. See also BUNDAR (2); COÇAR O SACO; NÃO TIRAR A BUNDA DO LUGAR

sentar a pua (*v.*) See FODER (1) (said of a male)

sentar na boneca/cenoura (*v.*) See DAR O CU

sentar praça (*v.*) See CAIR NA VIDA

sentina (*f.*) See PRIVADA (1)

ser da gloriosa (*v.*) to be a jerk/a habitual masturbator. See also BATER PUNHETA

serena (*f. Lus.*) See BUFA

ser falso à bandeira/ao corpo (*v.*) See DAR O CU (said of a man)

seringa (*f.*) the cock considered for anal intercourse. See also PAU; PICOLÉ // **tirar o cu da seringa** See TIRAR O CU DA RETA

ser mãe de ouriço (*v.*) to have a hell of a time; to have a nut to crack; to be in dire straits; to suffer great hardships; to be on (one's) ass; to be up shit creek (without a paddle). See also ESTAR NA MERDA; ROER BEIRA DE PENICO; PIOR QUE ISSO É SER MÃE DE OURIÇO!

ser pouca porcaria (*v.*) to be valueless/worthless; to be no good; not to be worth a shit. See also NÃO VALER A MERDA QUE CAGA

serralho (*m.*) See PUTEIRO (figuratively)

serviço (*m. Lus.*) See PENICO

serviço completo (*m.*) See COMES E BEBES

sessenta e nove (*m.*) See MEIA-NOVE

sesso (*m.*) See BUNDA (1)

sevícia(s) (*f.pl.*) See BARRA-PESADA (3); CACETE (2)

seviciar (*v.t.*) See DAR UM CACETE EM (ALGUÉM)

sexofone (*m.*) phone sex; JO call.

sífilis (*f.*) See GÁLICO

sifilítico/-ca (*adj.*) See GALICADO

sifu (corr. of **se foder**) See FODER-SE

sigoga (*f.*) See PUNHETA

sim-senhor (*m. Lus.*) See BUNDA (1)

sirigaita (*f.*) See GALINHA (1)

sirigaitar (*v.i.*) to grant sexual favors freely and indiscriminately; to be promiscuous (said of a girl/woman); to play around; to play the wanton; to pull a train; to run around. See also DAR; DAR BOLA; GALINHAR

siririca (*f.*) the act or an instance of stimulating a woman's vagina manually; the masturbatory practices of the women; manual stimulation of the clitoris; pounding; fingerfucking; finger job. See also BOLINA (1); PUNHETA; ROÇADINHO (1) // **tocar siririca** to fingerfuck (herself); to finger; to feel (herself); to play with herself.

sobita (*m. & f.*) See FILHA DA PUTA (1)

socar no rabo (*v.*) See ENRABAR (1)

socar pilão (*v.*) See BATER PUNHETA

sodomia (*f.*) See ENRABAÇÃO

sodomita (*m.*) (=pederasta ativo) sodomite; angel; bugger; turk; ass-fucker; rough trade. See also BICHA; CATAMITA; ENRABADOR; GAVIÃO-PAPA-PINTO

sodomizar (*v.t.*) See ENRABAR (1)

soltar a franga (*v.*) See FECHAR; DESMUNHECAR

soltar os cachorros (*v.*) See BOTAR A BOCA NO TROMBONE (2)

soltar os cachorros em cima de (alguém) (*v.*) to eject (someone) violently; to throw (someone) out on (someone's) ass.

soltar plumas (*v.*) See DAR BANDEIRA (1 & 2)

solteira (*f.*) See PUTA (1)

solteirona (*f.*) See DONZELONA

soltura (*f.*) **1.** See SACANAGEM (1) // **2.** See CAGANEIRA

sopa (*f.*) See BEM-BOM; MACIOTA // **dar sopa** See DAR BOLA // **ir na sopa de (alguém)** See BATER MANTEIGA

sossegar o pito (*v.*) to grow quiet; to calm down (after coitus); to relax; to become satiated/satisfied/pleased sexually; not to get (one's) balls in an uproar. See also FICAR FRIO; PÔR A ESCRITA EM DIA

suadeira (*f.*) a woman/prostitute who lures a man to her room or to a secluded spot by promising sexual favors and then robs him; a prostitute who preys on her customers; a beast; a ginger; a mud-kicker. See also BARBIANA; PUTA (1); SEIXEIRO

suador (*m.*) a man accomplice of the *suadeira*; a blackmailer; a racketeer.

suadouro (*m.*) a method of blackmailing a man whereby a female accomplice of the blackmailer entices the victim into a compromising sexual situation, at which point the blackmailer enters and threatens exposure of the man unless money is paid; any method of holdup or robbery whereby a prostitute lures a man to her room or to a secluded spot and then robs him; a badger; the badger game. See also PROGRAMA // **dar um suadouro (em)** to rob (a prostitute's customer) when he is sleeping or has left his clothing unwatched; to roll; to despoil; to fleece.

suar junto (*v.*) See FODER (1)

sueca (*f.*) See CAVALINHO

sujar (*v.i.*) See CAGAR (1)

sulapa (*f.*) See PAU

sumidouro (*m.*) See MIJADOURO (1)

sunga (*f.*) trunks; jock; jockstrap. See also CEROULA; CUECA; TRAJES MENORES

suporte atlético (*m.*) See SUNGA

surda / surdina (*f. Lus.*) See BUFA

surra de boceta (*f.*) a pleasing intercourse (to the man); sexual intercourse in which the man finds satisfaction. See also FODA (1); SURRA DE PICA // **dar uma surra de boceta em (alguém)** to give (a male) a real good time in bed; to lay (said of a female).

surra de pica (*f.*) a pleasing intercourse (to the woman); sexual intercourse in which the woman finds satisfaction. See also FODA (1); PICAÇO; SURRA DE BOCETA // **dar uma surra de pica em (alguém)** to give (a female) a real good time in bed; to lay (said of a male).

surrubango (*m.*) See COURO (1)

surto (*m.*) See TESÃO (1)

suruba (*f.*) **1.** (**bacanal** *f.* bacchanal; **orgia** *f.* orgy) ball; shag; a lewd party. See also DESPEDIDA DE SOLTEIRO; GANDAIA; PORRE // **2.** (=sexo grupal) swinging; daisy chain; a group of persons involved in mutual/simultaneous sexual activity; Roman culture. See also BAIÃO DE TRÊS; FODEÇÃO; SANDUÍCHE; TROCA-TROCA // **fazer (uma) suruba** to engage in group sex and the swapping of sexual partners; to swing; to throw an orgy.

surubada (*f.*) See SURUBA

suruba da pesada (*f.*) See SURUBA (1 & 2)

suruba de mão (*f.*) a sex party of mutual masturbation, either all boys or boys and girls; a sewing circle; a circle jerk. See also FRICAÇÃO; MÃOZINHA; PUNHETA

suruba leviana (*f.*) mutual touching/caressing by a group of people; a group-grope; a grope-in. See also BOLINA (1); SARRO

surubar (*v.i.*) See FAZER (UMA) SURUBA

surubeiro/-ra (*adj.* & *m./f.*) a promiscuous person (depreciatively); a person who engages in group sex and the swapping of sexual partners; a swinger. See also GALINHA (2)

sustentar um agudo (*v.*) See DAR O CU

sutanha (*f.*) See RATUÍNA

sutiã (*m.*) brassière; bra; lung-hammock. See also TRAJES MENORES

tabaca (*f.*) See BOCETA
tabacada (*f.*) See FODA (1)
tabaco (*m.*) See BOCETA
tabacuda (*adj. & f.*) See GOSTOSA
Tá boa, santa? (*int.*) Come on, don't give me that shit! Come off that crap! (homo use) See also O BURACO É MAIS EMBAIXO!
tabuísmo (*m.*) See PALAVRÃO (1)
Tá fodido/-da! (*int.*) You are in trouble! You will be ruined/undone! Your ass is grass! See also É FODA!; FODA-SE! (2)
taioba (*f.*) See BUNDA (1)
talo (*m.*) **1.** See PAU // **2.** the shaft of the penis. // **chupetinha de talo** a deep-throated fellatio.
taludo (*adj.*) See AJUMENTADO
tampar (*v.t.*) See FODER (1) (said of a male)

tampos (*m.pl.*) See CABAÇO (1) // **tirar os tampos (de)** See DESCABAÇAR
tanajura (*f.*) a big-buttocked person. See also BUNDUDO
tara (*f.*) (**perversão** *f.* perversion) a deviant sexual practice/preference; a kink. See also AVISSODOMIA; BESTIALIDADE; BRECHAÇÃO (2); COPROFAGIA; COPROFILIA; FUROR UTERINO; PEDOFILIA; PODOLATRIA; SACANAGEM (1); SADOMASOQUISMO; SALIROMANIA; SATIRÍASE; UROLAGNIA; VOYEURISMO
tarado/-da (*m./f.*) **1.** a person with deviant/bizarre sexual tastes; a kink; a pervert; a geek; a gobbler; a three-dollar bill. See also AREIA-GULOSA; BARRANQUEIRO; BRECHEIRO; COCADOR;

COPRÓFAGO; COPRÓFILO; EXIBI-
CIONISTA; PEDÓFILO; PODÓLA-
TRA; SACANA (1); SADOMASOCA;
ZOÓFILO // (*adj.*) **2.** sexually de-
viant; kinky; degenerate; bent;
mess; twisted. See also DES-
BRAGADO; SACANA (4)

tarraqueta (*f.*) See CU (1)

tarugo (*m.*) See PAU

tascar (*v.t.*) **1.** See FODER (1) (said
of a male) // **2.** See DESCABAÇAR

taturana (*f.*) See BOCETA

tenesmo (*m.*) See PUXO (1)

tentigo (*m.*) See PRIAPISMO;
SATIRÍASE

ter amor à pele (*v.*) to be uncir-
cumcised; to wink. See also
BICO DE CHALEIRA; CHALEIRA;
COURINHO

ter merda na cabeça (*v.*) to behave stupidly/blindly; to be
chronically wrong/awkward/
heedless; to have (one's) head
up (one's) ass; to have shit for
brains. See also FAZER CAGADA;
FAZER NAS COXAS

ter o cu folheado a ouro (*v.*) to
behave with self-assured haughtiness; to show a sense of superiority; to act like (one's) shit
doesn't stink; to think (one's)
shit doesn't stink. See also FAZER
CU-DOCE

ter o rabo preso (com alguém)
(*v.*) See ESTAR DE RABO PRESO
(COM ALGUÉM)

ter o rei na barriga (*v.*) See TER O
CU FOLHEADO A OURO

ter o sexo na cabeça (*v.*) to be
preoccupied with or devoted to
lechery and smut; to have
(one's) mind in the gutter.

ter (alguém) preso pelo rabo (*v.*)
to have power over (someone);
to be in a position to rule, boss,
hurt, or impugn the reputation
of, expose, act maliciously toward, or cause trouble to (someone); to have (someone) by the
balls; to have (someone) by the
tail. See also DAR (A ALGUÉM)
ÁGUA DE CU LAVADO; ESTAR DE
RABO PRESO (COM ALGUÉM)

ter táxi na praça (*v.*) See RUFIAR

tesão (*m.*) **1.** (ereção *f.* erection)
hard-on; hard; heart; horn;
bone-on; boner; charge; cock-
stand; blue veiner; stonies; tent.
See also BARRACA ARMADA;
BROXURA; MEIO PAU; PAU // **2.**
(=desejo/apetite venéreo) hot-
pants; hot rocks/nuts; the hots;
charge; itch; horniness; nymphokick; sklooking; turn-on.
See also ATRASO; CHAMEGO (1) //
3. (=pessoa sensual) piece; trade;
turn-on. See also GOSTOSA;
GOSTOSÃO // **4.** (=mania/predi-
leção) craze; fad; hobby. See also
FISSURA // **estar louco/-ca de tesão por** to have a strong sexual
desire for; to be hot for; to have
the hots for. // **morrer de tesão**

por / ser louco/-ca de tesão por to be a bug for; to be bugs/crazy about (something); to have a crush on (someone).

tesão de mijo (*m.*) an erection upon awakening in the morning, which often subsides after urination; piss hard-on; pride of the morning.

tesão-teimoso (*m.*) an abnormal/ persistent/painful erection; priapism. See also PRIAPISMO; SATIRÍASE

teso/-sa (*adj.*) broke; penniless; on (one's) ass. See also ESTAR NA MERDA; ESTAR SEM UM PUTO

tesourinha (*f.*) coital position with the partners side by side, crisscrossing their legs against each other; scissors. See also PAPAI E MAMÃE

tesouro (*m.*) See GOSTOSA; TESÃO (3)

testemunha ocular (*f.*) See PENICO

testículo (*m.*) See COLHÃO (1)

tesudo/-da (*adj.*) **1.** (=excitado) sexually aroused/potent; virile; tough; rough (said of a man); on the make (said of a woman); carnal-minded; hot; hot to trot; horny; hunky; pussy; randy; full of piss and vinegar. See also ATRASADO; GAITEIRO; MOLHADA; MULHERENGO; SACANA (4) // **2.** (=excitante) sexually provocative; hot shit; hot stuff; hand-

some; randy; horny (said of a man); foxy; fuckable; ginchy (said of a woman). See also CHA-MEGOSO; FORNIDO; GOSTOSA; GOSTOSÃO; TESÃO (3)

tetas (*f.pl.*) See PEITOS

teúda (*adj. & f.*) kept woman; kept mistress. See also AMÁSIO; AMIGADA; CORONEL; ESPÉCIE; FILIAL; MARMITA

teúdaemanteúda (*adj.*) See TEÚDA

tia / tiona (*f.*) **1.** See DONZELO-NA // **2.** See CAFETINA // **3.** an elderly male homosexual; aunt; auntie; dirty old man; overripe fruit. See also BICHA

ticha (*f.*) See PAU

tico (*m.*) See BIMBA (1)

tigresa (*f.*) See GARANHONA

tindim (*m. Lus.*) See COLHÃO (1)

tinebre (*m. Lus.*) See PAU

tirar (a barriga) (*v.*) to undergo (deliberately induced) abortion; to abort. See also CURETEIRO; DES-MANCHO; PERDER A BARRIGA

tirar água do joelho (*v.*) See MIJAR (1)

tirar o atraso (*v.*) See PÔR A ESCRI-TA EM DIA

tirar o cabaço (de) (*v.*) See DES-CABAÇAR

tirar o cu da reta/seringa (*v.*) to evade an unpleasant task; to avoid shamefully one's duty or work; to cover (one's) ass; to turn tail; to dodge; to shirk; to side-step. See also ESCAFEDER-SE; PEDIR PENICO

tirar os documentos (*v.*) See PERDER O CABRESTO

tirar os tampos/três vinténs (de) (*v.*) See DESCABAÇAR

tirar uma casquinha/lasquinha (*v.*) See BOLINAR; TIRAR UM SARRO

tirar um sarro (*v.*) **1.** to go through the motions of sexual intercourse without penetration, usually without removing the clothes; to belly-fuck; to dry fuck; to dry hump. See also PINCELAR // **2.** to play amorously; to play grab-ass; to make out; to neck; to pet; to smooch; to suck face (said of a couple). See also BOLINAR; FAZER ROÇADINHO; IR FUNDO

tirar um sarro de (alguém) / tirar um sarro da cara de (alguém) (*v.*) to make fun of (someone); to poke fun at (someone); to kid (someone); to razz. See also GOZAR (2)

tiririca (*adj.*) See EMPUTECIDO

titica (*f.*) **1.** See MERDA (1) // **2.** pettiness; an insignificant person; birdshit; chickenshit; diddly-shit; little shit. See also BOSTINHA (1); ESCROTO (3); MERDA (2 & 3) // (*adj.*) **3.** petty; shitty; chickenshit; diddly-shit. See also BUNDA (2); COITADO; DE MERDA (2)

titica de gente (*f.*) See CAGA-BAIXINHO

titilação (*f.*) See FUTUCAÇÃO (1)

titilar (*v.t.*) See FUTUCAR (1)

toalete (*m.*) See PRIVADA (1)

toba (*m.*) See CU (1)

tobeiro (*m.*) See BICHA; CATAMITA

tocar punheta (*v.*) See BATER PUNHETA

tocar siririca (*v.*) to stimulate a woman's vagina manually; to masturbate; to finger; to fingerfuck; to feel (herself); to play with herself. See also BATER PUNHETA; BOLINAR

tocar trombone de vara (*v.*) See BATER PUNHETA

Tô/Tou fodido/-da! (*int.*) I'm in trouble! I'll be ruined/undone! My ass is grass! See also É FODA!

tolerada (*f.*) (=puta registrada) a licensed whore. See also PUTA (1)

tolete (*m.*) See CAGALHÃO

tomar confiança (*v.*) See TOMAR LIBERDADES

tomar liberdades (com) (*v.*) to take liberties; to become cheeky/saucy/bold; to molest; to make a pass at (a woman); to make an amorous advance toward (someone); to pick up. See also CANTAR; ESTRANHAR; MIJAR FORA DA PICHORRA; NÃO TER VERGONHA NA CARA; PAQUERAR; VIOLENTAR (3)

tomar nas pregas (*v.*) See DAR O CU

tomar no cu/rabo (*v.*) **1.** See DAR O CU // **2.** See FODER-SE // **mandar tomar no cu** See PUTEAR (1)

tomar vergonha na cara (*v.*) to correct one's behavior; to act properly/decently; to clean up (one's) shit. See also NÃO TER VERGONHA NA CARA

tomates (*m.pl.*) See COLHÃO (1)

tora (*f.*) See MANGALHO

torno (*m.*) coital position with the woman on top. See also PAPAI E MAMÃE

torrar o saco (de) (*v.*) See CHATEAR (1)

torta (*f. Lus.*) See PUTA (1)

tosão (*m.*) See PENTE; PENTELHEIRA

trabalhar no desvio (*v.*) See FAZER A VIDA

traçar (*v.t.*) **1.** See FODER (1) (said of a male) // **2.** See LEVAR PRA CAMA

traição (*f.*) (**adultério** *m.* adultery; **infidelidade** *f.* infidelity) cheating; betrayal; hanky-panky; extracurricular activity. See also DOR DE CORNO

traidor/-dora (*adj.*) **1.** unfaithful; adulterous. See also FIEL // (*m. & f.*) **2.** cheater; adulterer; adulteress. See also CORNO

traidoria (*f.*) See TRAIÇÃO

traimento (*m.*) See TRAIÇÃO

trair (*v.t.*) (=ser infiel) to have sexual intercourse with a person other than one's spouse or current lover; to cheat; to get/have a little on the side; to horse; to play around; to piss by the pot; to tip; to yard. See also COMER FEIJÃO COM ARROZ; CORNEAR; PULAR A CERCA

trajes de Adão (*m.pl.*) nudity; nakedness. // **em trajes de Adão** See PELADO

trajes menores (*m.pl.*) skivvies; skiwies; skivvy; unmentionables; unwhisperables; underclothes; underclothing; underwear; nether garments. // (=de mulher) undies. See also BRAGUILHA; CALCINHA; CEROULA; COMBINAÇÃO; CUECA; SUNGA; SUTIÃ

trampa (*f.*) **1.** See MERDA (1) // **2.** See TITICA (2)

trancada (*f. Lus.*) See FODA (1)

trancar-se em (alguém) (*v. Lus.*) See FODER (1)

transa (*f.*) **1.** See FODA (1) // **2.** See CASO // **3.** See COBERTOR DE ORELHA; SAÇARICO (2)

transar (com) (*v.t.*) See FODER (1)

transformismo (*m.*) cross-dressing; genderfuck (1); transvestism. See also TRAVESTISMO

transformista (*adj., m. & f.*) a transvestite who drags on stage; a quick-change artist who drags; a genderfuck (2). See also TRAVESTI

transviada (*f.*) See PUTA (1)

transviado (*m.*) **1.** See SACANA (1); TARADO // **2.** See BICHA

traque (*m.*) See PEIDO // **Dum traque de jumento formam um tufão de ventania**. Much ado about nothing.

traseiro (*m.*) See BUNDA (1)

trava (*f.*) See TRAVESTI

traveco (*m.*) See TRAVESTI

travesti (*m.*) drag-queen; knobber; transvestite. See also BICHA; TRANSFORMISTA

travestir-se (*v.r.*) to drag; to cross-dress.

travestismo (*m.*) cross-dressing; eonism; transvestism. See also TRANSFORMISMO

trenzinho (*m.*) See SURUBA (2)

trepação (*f.*) See FODEÇÃO

trepada (*f.*) See FODA (1) // **dar uma trepada** See FODER (1)

trepadeira (*f.*) See PUTA (1)

trepar (com) (*v.t.*) See FODER (1)

tresandar (a) (*v.i. & v.t.*) See FEDER

trescalar (*v.i. & v.t.*) See FEDER

três-efes (*adj.*) weak; warmed-over (said of a small cup of black coffee; depreciatively, a euphemism for *fraco, frio e fedorento*). See also MIJO DE PADRE

tresloucada (*f.*) See BICHA

tresquiáltera (*f.*) See TRIOLISMO

tresvezoito / três-vez-oito (*m.*) See BICHA

três-vinténs (*m.pl.*) See CABAÇO (1) // **tirar os três vinténs (de)** See DESCABAÇAR

trezentos e um (*m.*) See CHICO (a euphemism for *boi*, because of graphic analogy between 301 and BOI)

tríbade (*f.*) See ROÇADEIRA

tribadismo (*m.*) See ROÇADINHO (1)

tricha (*f.*) See BICHA

triolismo (*m.*) See BAIÃO DE TRÊS

trocar o óleo (*v.*) See FODER (1) (said of a male)

troca-troca (*m.*) a sex job or shag in which two (or several) males take turns having active/passive anal intercourse; a group of boys who engage in mutual assfuck, motivated by sexual curiosity. See also FODEÇÃO; SURUBA (2) // **fazer troca-troca** to engage in mutual pederasty (said of two or more males).

troço / troçulho (*m.*) See CAGALHÃO

troilismo (*m.*) See BAIÃO DE TRÊS

trolha (*f.*) See PAU

trombada (*f. Lus.*) See MINETE

trombar (*v.t. Lus.*) See FAZER MINETE

trombeiro (*m.*) **/-ra** (*f. Lus.*) See MINETEIRO

trombicar / trumbicar (*v.t. & v.r.*) See FODER (1 & 3)

tronga (*f.*) See PUTA (1)

trono / troninho (*m.*) See PRIVADA (2)

trotuar / trottoir (*m.*) See CAÇAÇÃO; VIDA // **fazer trotuar** See BATER CALÇADA

trumbicar (*v.t.* & *v.r.*) See FODER (1 & 3)

tuchupa (*m.*) See PAU

turpilóquio (*m.*) See BAIXARIA (1); PALAVRÃO; PUTEAÇÃO

tusa (*f. Lus.*) See TESÃO (1 & 2)

tutu (*m. Lus.*) **1.** See BUNDA (1) // **2.** See CU (1) (mainly child use)

uma (*f.*) See FODA (1) // **dar uma** See FODER (1); GOZAR (1) (said of a male)

uma de galo (*f.*) See RAPIDINHA // **dar uma de galo** See DAR UMA RAPIDINHA

Uma ova! (*int.*) My ass! Like hell! See also under PUTEAR

Uma pinoia! (*int.*) See UMA OVA!

uranismo (*m.*) See BICHICE

urina (*f.*) See MIJO

urinar (*v.i.*) See MIJAR (1)

urinol (*m.*) See PENICO

urna (*f. Lus.*) See CU (1)

urolagnia (*f.*) a form of sexual excitement in which the partners piss on each other or make urine a part of the sex scene; golden shower; watersports. See also CHUVEIRINHO; COPROFILIA; SALIROMANIA; TARA

ursa (*f.*) See BOCETA

ursinho (*m.*) See PENTE

urucubaca (*f.*) ill fortune; bad luck; bad shit. See also BARRA-PESADA (3); FODA (2)

útero (*m.*) See MÃE DO CORPO

uva (*f.*) See GOSTOSA

Vá à merda! (*int.*) Go and eat cake! Go fly a kite! Go to hell! Go to blazes! Go to the **deuce/dickens!** The devil with you! Jump in the lake! See also under PUTEAR

vaca (*f.*) See GALINHA (1)

vacinado/-da (*adj.*) deprived of one's virginity. See also CABAÇUDA; CABAÇUDO; DESCABAÇADA

vadia (*f.*) See PUTA (1)

vadiação (*f.*) See VADIAGEM

vadiagem (*f.*) **1.** idleness; an easygoing/enjoyable way of life. See also GANDAIA; GIGOLOTAGEM // **2.** See FODA (1); FODEÇÃO; GALINHAGEM

vadiar (*v.i.*) **1.** to pass the time loafing, idling, or wandering with another; to bum around. See also BUNDAR (2); COÇAR O SACO; GANDAIAR // **2.** See FODER (1); GALINHAR

vagalume (*m.*) See BICHA

vagina (*f.*) See BOCETA

Vai à puta que te pariu! (*int.*) See VÁ PRA PUTA QUE O PARIU!

Vai te foder! (*int.*) See FODA-SE! (2)

vaivém / vai e vem (*m.*) See FODA (1)

valorizar um espadim (*v.*) See DAR O CU

valverde (*m. Lus.*) See CONSOLO

vampira (*f.*) See GARANHONA

Vá pra puta que o pariu! (*int.*) Go to hell! Go to blazes! Go to the deuce/dickens! Go jump in the lake! See also under PUTEAR

vaqueta (*f.*) See PUTA (1)

vara (*f.*) See PAU // **entrar em/ na vara** See DAR; DAR O CU // **ficar uma vara** See EMPUTECER-SE // **tocar trombone de vara** See BATER PUNHETA

varejeira (*f.*) See GARANHONA

varunca (*m.*) a henpecked husband; a pussy-whipped husband; a husband under petticoat government. See also CANTAR DE GALO; CORNO; CORNO MANSO; FROUXO // **Casa de varão, manda ele e ela não; casa de varunca, manda ela e ele nunca; casa de varela, manda ele e manda ela.** A self-explanatory proverb.

vasculho (*m. Lus.*) See RATUÍNA

Vá se foder! (*int.*) See FODA-SE! (2)

vaselina (*f.*) manners; good manners; tact; smoothness; persuasion (figuratively, referring to the best lubricant for ass-fucking). See also PUXA-SAQUISMO // **com vaselina** mannerly; gently; tactfully. // **sem vaselina** roughly; bluntly; forthright; up (one's/ someone's) ass.

vaso / vaso sanitário (*m.*) See PRIVADA (2)

vassoura (*f.*) See GALINHA (1)

Vá/Vai tomar no cu! (*int.*) Fuck you! Go fuck/impale yourself! Go pound salt up your ass! See also under PUTEAR

veadagem / viadagem (*f.*) See BICHICE; FRESCURA

veado / viado (*m.*) See BICHA

vela (*f.*) See PAU // **apagar a vela** See DAR O CU

ventena (*f.*) See PUTA (1)

ventilado (*adj. & m.*) See BICHA; FRESCO; MARICAS

ventosidade (*f.*) See PEIDO

vento-virado (*m.*) See PRISÃO DE VENTRE

verga (*f.*) See PAU

vergalhão / vergalho (*m.*) See PAU

vergonhas (*f.pl.*) See PARTES

verrumador (*m.*) See CABACEIRO

verso (*m.*) See CU (1)

vesúvio (*m.*) See CU (1)

viado (*m.*) See BICHA

viagem (*f.*) sexual intercourse between two men; gay male sex (homo use). See also FODA (1); QUEBRA-LOUÇA (2)

viajar (com) (*v.i. & v.t.*) to engage in gay male sex; to do sexual intercourse with another man; to dick it up (homo use). See also BUNDAR (1); FODER (1); QUEBRAR A LOUÇA (2)

vício solitário (*m.*) See PUNHETA

vida (*f.*) (**prostituição** *f.* prostitution) the life; harlotry; hustling; streetwalking; whorecraft; whoredom. See also CAÇAÇÃO; CAFETINAGEM; MICHETAGEM; ZONA (1) // **É a vida! / São coisas**

da vida! That's the way the elephant farts/the frogs fuck/the mothers muck! // **cair na vida** to fall into prostitution; to become a whore; to go astray. // **fazer a vida** to work as a prostitute; to hustle; to streetwalk; to trick; to whore; to be on the street; to be on the turf // **puto da vida / louco da vida / danado da vida** See EMPUTECIDO

vida airada/alegre/fácil (*f.*) See VIDA

vigia (*f.*) peep; peephole. See also BURACO DA FECHADURA

vinte e quatro (*m.*) See BICHA

violação (*f.*) rape; ravishment; molestation. See also CURRA

violador (*m.*) rapist; ravisher. See also CABACEIRO

violão (*m.*) See GOSTOSA

violar (*v.t.*) to rape; to ravish; to molest; to outrage. See also CURRAR; DESCABAÇAR; PROSTITUIR

violentar (*v.t.*) **1.** (=seviciar) to rough (someone) up. See also DAR UM CACETE EM (ALGUÉM) // **2.** (=estuprar) See VIOLAR // **3.** (=coagir) to mind-fuck. See also MIJAR FORA DA PICHORRA; TOMAR LIBERDADES

viração (*f.*) **1.** See CAÇAÇÃO; VIDA // **2.** See AMIGAÇÃO; CASO

virago (*f.*) See LÉSBICA

virar a mão (*v.*) See ABICHARAR; ASSUMIR; DESMUNHECAR

virar corno (*v.*) to become a cuckold (said of a man). See also CRIAR CORNO; LEVAR CHIFRE

virar do avesso (*v.*) See VOMITAR

virar o disco (*v.*) See ABICHARAR; ASSUMIR; DESMUNHECAR

virar-se (*v.r.*) **1.** to make a very quick response to a sudden difficult demand; to jump through (one's) ass. // **2.** to work/perform to one's utmost; to exert oneself mightily; to bust (one's) ass/nuts. See also ATÉ O CU FAZER BICO; BOTAR PRA FODER // **3.** See FAZER A VIDA

virgem (*adj. & f.*) See CABAÇUDA; CABAÇUDO

virgindade (*f.*) See CABAÇO (1)

vir-se (*v.r.*) See GOZAR (1)

viver no engate (*v. Lus.*) See FAZER A VIDA

volúpia (*f.*) **1.** See TESÃO (2) // **2.** See SACANAGEM (1)

voluptuoso/-sa (*adj.*) **1.** See TESUDO (1 & 2) // **2.** See SACANA (4)

volvo (*m.*) See NÓ NA(S) TRIPA(S)

vomitada (*f.*) act of vomiting.

vomitado (*m.*) (**vômito** *m.* vomit) puke (1); spew; spue. See also ÂNSIA DE VÔMITO

vomitar (*v.t.*) to vomit; to disgorge; to regurgitate; to belch forth; to spew; to puke.

vômito (*m.*) See VOMITADO //
ânsia de vômito retch; qualm.
voyeur (*m.*) See BRECHEIRO
voyeurismo (*m.*) enjoyment
through watching other people
have sex; peep show; voyeurism.

See also BRECHAÇÃO (2);
EXIBICIONISMO (1); TARA
voyeuse (*f.*) the female equivalent of *brecheiro*.
vulgívaga (*f.*) See PUTA (1)
vulva (*f.*) See BOCETA

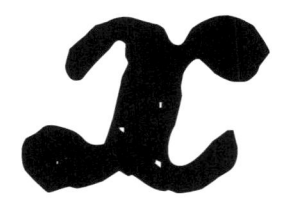

xana / chana (*f.*) See BOCETA

xana com xana (*f.*) See ROÇA-DINHO (1)

xandra (*f. Lus.*) See PUTA (1)

xarifa (*f. Lus.*) See BOCETA

xaveco (*m.*) See BUCHO (3)

xeca / checa (*f.*) See BOCETA

xereca (*f.*) See BOCETA

xexeca / checheca (*f.*) See BOCETA

xexéu (*m.*) See CECÊ // **Xexéu e vira-bosta, cada qual do rabo gosta.** Like with like. Birds of a feather flock together. Every ass likes to hear himself bray.

xibiu / chibiu (*m.*) See BOCETA

xibungo / chibungo (*m.*) See BICHA

xingar a mãe (de alguém) (*v.*) See PUTEAR (1) // (=reciprocamente) to play the (dirty) dozens. See also BATER BOCA

xinxa / chincha (*f.*) See BOCETA // **chamar na chincha** See FODER (1) (said of a male)

xixi (*m.*) See MIJO // **fazer xixi** See MIJAR (1) (mainly child use)

xodó (*m.*) See CHAMEGO

xoque-xoque (*m.*) See FODA (1)

xoque-xoque xau e bença (*m.*) See CHAVASCADA (1); RAPIDINHA

xota / chota (*f.*) See BOCETA

xoxota / chochota (*f.*) See BOCETA

xumbregação (*f.*) See BOLINA (1)

xumbregar (*v.t.*) See BOLINAR

xuxa (*f.*) See BOCETA

xuxada (*f.*) See FODA (1)

xuxar (*v.t.*) See FODER (1)

zabaneira (*f.*) See PUTA (1)

zé (*m.*) See PAU

zenir (*v.i.* & *v.t. Lus.*) See GALI-NHAR

zero-quilômetro (*adj.*) See CABA-ÇUDA; CABAÇUDO

zezão (*m.*) See PAU

zezinha (*f.*) See BOCETA

zezinho (*m.*) See PAU // **matar zezinho** See BATER PUNHETA

zinha (*f.*) See PUTA (1)

zoina (*f.*) See PUTA (1)

zona (*f.*) **1.** red-light district; red-lamp district; tenderloin; back-alley. See also BARRA-PESADA (1); BOCA DO LIXO; BOCA DO LUXO; PONTO; PUTEIRO; VIDA // **2.** a state of dirt or disorder; a mess; a snafu. See also MERDALHADA; MIXÓRDIA; REBUCETEIO // **na zona** down the line. // **Vá catar sua mãe na zona!** See VÁ PRA PUTA QUE O PARIU!

zoneado/-da (*adj.*) dirty; disordered; confused; messy; ass backwards; snafu (1). See also ESCULHAMBADO

zonear (*v.i.* & *v.t.*) to make a mess; to mess; to put things into disorder; to snafu; to play instead of acting seriously; to mess about; to mess up; to fuck around. See also DESPIROCAR; EMBOCETAR (2); TIRAR UM SARRO

zooerastia (*f.*) See BESTIALIDADE

zoofilia (*f.*) See BESTIALIDADE

zoófilo/-la (*adj.* & *m./f.*) bugger (2); a person who has sexual relations with animals. See also BARRANQUEIRO; TARADO

zuate (*m. Lus.*) See CU (1)

zunga (*f.*) See PUTA (1)

SELECTED BIBLIOGRAPHY

BIBLIOGRAFIA SELECIONADA

Almeida, **Horácio de** DICIONÁRIO ERÓTICO DA LÍNGUA PORTUGUESA. Rio de Janeiro, Olímpica, 1980.

Barbosa, **Gustavo** GRAFITOS DE BANHEIRO: A LITERATURA PROIBIDA. São Paulo, Brasiliense, 1984.

Chamberlain, Bobby J. & Harmon, Ronald M. A DICTIONARY OF INFORMAL BRAZILIAN PORTUGUESE, WITH ENGLISH INDEX. Washington, Georgetown University Press, 1983.

Chapman, Robert L. A NEW DICTIONARY OF AMERICAN SLANG. London, Pan, 1988. (Abridged edition)

Collins, Donald E. & Gomes, Luiz L. DICIO-NÁRIO DE GÍRIA AMERICANA CONTEM-PORÂNEA: A DICTIONARY OF CONTEMPORARY AMERICAN SLANG. São Paulo, Pioneira, 1987. (3ª ed.)

Ferreira, Aurélio Buarque de Holanda NOVO DICIONÁRIO DA LÍNGUA PORTUGUESA. Rio de Janeiro, Nova Fronteira, 1978.

Goldenson, Robert M. & Anderson, Kenneth N.; Aratangy, Lidia Rosenberg (adapt.) DICIONÁRIO DE SEXO. São Paulo, Ática, 1989.

Gomes, Luiz L. INGLÊS PROIBIDO: DICIONÁRIO DO SEXUAL VULGAR. São Paulo, Pioneira, 1990.

Houaiss, Antônio (ed.) DICIONÁRIO INGLÊS-PORTUGUÊS. Rio de Janeiro, Record, 1982.

Knoll, Ludwig & Jaeckel, Gerhard LÉXICO DO ERÓTICO. Lisboa, Bertrand, 1977.

Lapa, Albino DICIONÁRIO DE CALÃO. Lisboa, Presença, 1974. (2ª ed.)

Preti, Dino A LINGUAGEM PROIBIDA: UM ESTUDO SOBRE A LINGUAGEM ERÓTICA. São Paulo, T. A. Queiroz, 1984.

Rawson, Hugh WICKED WORDS: A TREASURY OF CURSES, INSULTS, PUT-DOWNS, AND OTHER FORMERLY UNPRINTABLE TERMS FROM ANGLO-SAXON TIMES TO THE PRESENT. New York, Crown, 1989.

Serpa, Oswaldo DICIONÁRIO DE EXPRESSÕES IDIOMÁTICAS INGLÊS-PORTUGUÊS / PORTU-GUÊS-INGLÊS. RIO DE JANEIRO, FENAME, 1982. (4ª ed.)

Souto Maior, Mário DICIONÁRIO DO PALAVRÃO E TERMOS AFINS. Recife, Guararapes, 1980.

Taylor, James L. PORTUGUESE-ENGLISH DIC-TIONARY. Rio de Janeiro, Record, 1982.

Villar, Mauro DICIONÁRIO CONTRASTIVO LUSO-BRASILEIRO. Rio de Janeiro, Guanabara, 1989.

Wanke, Eno Teodoro NESTE LUGAR SOLITÁRIO: UM LEVANTAMENTO DA TROVA ESCABROSA NOS GRAFITOS LATRINÁRIOS E NA LITERATURA SECRETA, SEGUIDO DE UM ESTUDO SOBRE O PALAVRÃO. Rio de Janeiro, Codpoe, 1988.

Wentworth, Harold & Flexner, Stuart Berg DICTIONARY OF AMERICAN SLANG. New York, Cromwell, 1975. (Second supplemented edition)

Wilson, Robert A. PLAYBOY'S BOOK OF FORBIDDEN WORDS. Chicago, Playboy, 1972.

Ximenes, Fernando B. DICIONÁRIO DE GÍRIA E INGLÊS COLOQUIAL. Rio de Janeiro, Tecnoprint, 1979.

Este livro foi composto na tipologia Stone Serif,
em corpo 8,5/11,5, e impresso em papel off-set
90g/m² no Sistema Digital Instant Duplex
da Divisão Gráfica da Distribuidora Record.